Dr. med. Hermann Geesing
Immun-Training

Dr. med. Hermann Geesing

IMMUN-TRAINING

So stärken Sie Ihre
körpereigenen Abwehrkräfte

Herbig
Gesundheitsratgeber

Besuchen Sie uns im Internet unter
http://www.herbig.net

©2002 14. komplett überarbeitete und erweiterte Auflage

© 1988 F. A. Herbig Verlagsbuchhandlung GmbH, München
und Schwarzwald Privatklinik Obertal
Alle Rechte vorbehalten
Umschlag: Wolfgang Heinzel
Satz und Herstellung: Dr. Doris Hagen
Gesetzt aus 11/13,5 Punkt Optima in PostScript
Druck und Binden: Jos. C. Huber KG, Dießen
Printed in Germany
ISBN 3-7766-232-88

Inhalt

Vorwort — 9

I. Immunsystem – was ist das eigentlich? — 17
1. Die beiden wirklichen Wunder des Lebens — 17
2. Erfahrungen am Rande — 24
3. Dr. Sandbergs Pionierleistung — 26
4. Die Entdeckung der Thymusdrüse — 29
5. Die ersten Versuche mit Thymus-Extrakten — 32
6. Wunderwelt Immunsystem — 37
7. Lymphozyten und Lymphsystem — 43

II. Das alles behindert und schwächt das Immunsystem — 51
1. Wärme, Kälte – und das Abwehrsystem — 52
2. Das Wetter – der beste Trainingspartner — 58
3. Psycho-Neuro-Immunologie: Die Seele und das Immunsystem — 64
4. Stress – und seine krank machenden Folgen — 73
5. Rufen Sie Ihre körpereigenen »Drogen« ab — 77
6. Verhängnisvolle Antibiotika — 82
7. Das Ökosystem in unserem Körper — 86
8. Eine große Gefahr für das Immunsystem — 91

Inhalt

9. Hormone – und das Immunsystem　　94
10. Gesundheitskrise: Immuno-Pause　　103

III. So erkennen Sie Fehler und Schwächen des Immunsystems　111

1. Erkältungen: Nach drei Wochen müssen sie ausgeheilt sein!　　111
2. Akne: Der Immun-Schutzmantel der Haut darf nicht zerstört werden!　　112
3. Herpes: Das Immunsystem darf keinen Fehler dulden!　　112
4. Warzen: Dahinter steckt eine Virusinfektion!　　113
5. Immuno-Pause: Das Abwehrsystem ist erschöpft!　　113
6. Antibiotika: Schmerzfrei ist noch lange nicht gesund!
7. Verstopfung: Falsche Therapie stört nicht nur die Darmflora!　　114
8. Bluthochdruck: Auch Arteriosklerose kann auf Immunschwäche hinweisen!　　115
9. Haut: Hormone müssen sich die Waage halten!　　115
10. Steife Glieder: Beugen Sie dem Rheuma vor!　　116
11. Allergien: Das Immunsystem muss reguliert werden!　　110
12. Diabetes: Der Körper braucht Enzyme!　　117
13. Stress: Bewegung baut die Folgen ab!　　117
14. Sorgen: Für Freude muss immer Platz bleiben!　　118
15. Ernährung: Übermäßiges Essen behindert das Immunsystem!　　118

Inhalt

16. Mikro-Nährstoffe: Vier »Säulen«
 für eine optimale Versorgung   119

IV. So trainieren Sie Ihr Immunsystem   121

1. Das Immunsystem wird im
 Kindesalter geprägt   122
2. Rauchen – das doppelte Risiko für das
 Immunsystem   127
3. »Fast Food« – eine kranke Generation
 wächst heran!   130
4. Gesunder Schlaf – die Heilphase
 des Lebens   132
5. Pubertät: Keine fremden
 statt der eigenen »Drogen«!   134
6. Sport stärkt nicht automatisch
 das Immunsystem!   136
7. Erwachsensein: Ein Drittel
 weniger Kalorien   139
8. Immuno-Pause: Zeit für die »Nachschulung«
 der Immunkräfte!   141

V. Immun-Therapie mit Thymosand®   147

1. Von »Helferzellen« und »Suppressoren«   147
2. Immun-Therapie – die vierte Säule
 in der Krebsbehandlung   153
3. Die »Immune Surveillance Line« muss
 wiederaufgebaut werden   161
4. Der Immun-Pass – ein Dokument
 von besonderem Wert   169

Inhalt

VI. Immun-Therapien mit anderen natürlichen Mitteln und Methoden   **175**

1. Heilfasten – der Weg zur neuen Jugend   175
2. Sanotrop-Therapie   178
3. Homöopathische Phyto-Immun-Therapie   182
4. Enzym-Therapie – der Nachschub an schärfsten »Waffen« für das Immunsystem   183
5. Therapien mit Ozon und Sauerstoff   187
6. Das Psycho-Immun-Programm – gesund mit der Kraft der Gedanken   189
7. Vital-Plus-Therapie – die richtigen Nährstoffe in der richtigen Menge zur richtigen Zeit   197

VII. Mein persönliches Immun-Trainingsprogramm   **205**

1. Das Immun-Training zwischen Morgen und Abend   205
2. Das Immun-Training im Krankheitsfall und danach   217
3. Das Immun-Training in der Freizeit   220
4. Das Immun-Training im Urlaub   225
5. Das Immun-Training bei besonderen Belastungen   232

VIII. Meine Immun-Diät für vier Wochenenden   **235**

Literaturhinweise   249
Register   253
Testen Sie sich selbst mithilfe meines Kontroll-Posters   262

Vorwort

Dieses Buch ist erstmals im Jahr 1988 erschienen. Was damals noch Staunen und Verwunderung ausgelöst hat, wird heute weithin anerkannt, doch wird es viel zu selten umgesetzt: Ja, es stimmt, die körpereigenen Abwehrkräfte lassen sich trainieren. Treffender gesagt: Jeder von uns kann durch einfache Veränderungen seines Lebensstils entscheidend dazu beitragen, dass sein Immunsystem weder aus der Übung kommt noch durch ständige Überforderungen »entgleist«. Das ist möglich ohne große Anstrengungen, ohne Einbußen an Lebensfreude und ohne ein spezielles Wissen über das komplizierte Zusammenspiel der vielfältigen Kräfte, die dieses gesund erhaltende System ausmachen. Unabhängig von den vielfältigen neuen Erkenntnissen gilt unverändert: Unsere Immunkräfte lassen sich durch ein gezieltes Training schlagkräftig, »intelligent« und somit fehlerfrei erhalten. Und sie lassen sich nach schweren Einbußen ihrer beispiellosen Fähigkeiten durch dieses Training auch wieder dahin bringen, zu verlorenem Können und »Wissen« zurückzufinden.

Unser Immunsystem ist trainierbar.

Neue Hoffnung für viele Menschen

Diese Tatsache muss uns alle nicht nur aufrütteln und zu einer ganz neuen Lebenseinstellung anspornen. Sie kann für Millionen Menschen die Hoffnung schlechthin sein. Denn dieses Immunsystem ist ja nicht nur verantwortlich für die Abwehr gefährlicher

Vorwort

Das Abwehrsystem versieht vielfältige Aufgaben.

Krankheitserreger. Es muss nicht nur mit Infektionen fertig werden und ist somit weit mehr als nur eine Schutzeinrichtung gegen Angriffe von außen. Es hat weit darüber hinaus die strenge Kontrolle über unsere Gesundheit ganz allgemein auszuüben. Es sorgt dafür, dass alle »Systeme« des Organismus ordnungsgemäß funktionieren. Es regelt ihre Versorgung und Entsorgung. Es schaltet Schadstoffe und Gifte aus, erkennt unfehlbar alles, was fremd ist und sich nicht im Körperinnern aufhalten darf. Es überwacht aber auch das Entstehen und Zugrundegehen des billionenfachen Lebens, aus dem unser Organismus zusammengefügt ist, und schreitet sofort ein, wenn sich irgendwo etwas Falsches, Ungesundes, Entartetes entfalten möchte. Umgehend wird es ebenso eliminiert wie Krankes und Abgestorbenes.

Unser Immunsystem ist ein Wunderwerk des Lebens.

Das Immunsystem ist der eigentliche Arzt in unserem Körper. Die einzige Macht der Erde, die heilen kann. Alles, was an Heilkunst von außen getan werden kann, ist nicht viel mehr als ein Handlangerdienst, sind Hilfsmaßnahmen zur Stärkung, zur Gesunderhaltung, zur Revitalisierung des Immunsystems, wenn es durch eine falsche Lebensweise, durch ständigen Missbrauch, durch Fehlsteuerungen, durch Irreführungen seine Fähigkeiten nicht mehr voll und vor allem nicht mehr richtig entfalten kann. Was ein gut trainiertes Immunsystem zu leisten imstande ist, das wissen wir gar nicht zu schätzen, solange wir einigermaßen gesund sind und uns wohl fühlen. Das tägliche »Wunder« ist für uns Selbstverständlichkeit. Wenn wir uns dann allerdings ein chronisches Leiden zugezogen haben, weil das Immunsystem seinen Aufgaben aus irgendeinem Grund nicht mehr gerecht werden kann, dann beginnen wir zu ahnen,

Vorwort

was es bisher geleistet hat. Und wenn sich dann das »Wunder« der Heilung tatsächlich ereignet – vielleicht sogar im bereits hoffnungslosen Fall und nicht selten, nachdem ärztliche Kunst bereits aufgeben musste –, dann neigen wir dazu, an ein überirdisches Geschehen zu glauben, weil es unsere Vorstellungskraft übersteigt, dass in unserem Körper eine so fantastisch ordnende Wunderwelt existiert. Wie viel Leid und Schmerz und Angst und Siechtum könnten wir uns ersparen, würden wir bewusst im Einklang mit unseren Heilkräften leben! Würden wir dafür Sorge tragen, dass sie möglichst unbehindert walten können.

Immunsystem – vor wenigen Jahrzehnten noch ein Fremdwort, das mehr Rätsel aufwarf, als es Fragen beantworten konnte, ist zum zentralen Thema moderner Heilkunst geworden. Dazu war allerdings eine grundlegende Wende im Denken der medizinischen Wissenschaft nötig. Wir Ärzte mussten lernen einzusehen, dass Heilkunst sich nicht darauf beschränken kann, ausschließlich mit einer gewissen Aggressivität gegen Krankheitserreger vorzugehen und nach Mitteln zu suchen, die sie möglichst gründlich vernichten. Gegenüber den großen bakteriellen Seuchen ist uns dies zwar auf nahezu perfekte Weise gelungen. Doch selbst im Falle der Antibiotika, die man nicht hoch genug einschätzen kann, mussten wir längst einsehen, dass der Preis, der häufig für das massive Niederschlagen der Infektion bezahlt werden muss, sehr hoch sein kann.

Die Medizin beschäftigt sich noch nicht lange mit dem Abwehrsystem.

Ähnlich ist es mit vielen chemischen Arzneimitteln: Sie sind vergleichbar mit den radikalen Schädlingsbekämpfungsmitteln, von denen wir wissen, dass sie nicht nur das Gleichgewicht der Natur zerstören und mit den »Schädlingen« auch jene Tiere ausrotten, die

Die großen Seuchen sind ausgerottet.

Vorwort

Chemische Vernichtungsmittel machen Schädlinge resistenter.

von ihnen leben, sondern zugleich die Umwelt so massiv mit Giftstoffen belasten, dass letztlich das gesamte Leben auf unserem Planeten bedroht ist. In der biologischen Kette werden sie von Pflanzen an Tiere und von beiden an die Menschen weitergereicht, wie auch in »Gesund trotz Gift« beschrieben. Ein verhängnisvoller Teufelskreis – zumal jene Tierarten, die wir als »Schädlinge« auszurotten versuchen, gegen die »chemischen Keulen« immer noch resistenter geworden sind.

Mit der großen Wende in der Heilkunst, die sich in unseren Tagen in rasendem Tempo vollzieht, lernen wir endlich einzusehen, dass die Gesetze, die für unsere Umwelt gelten, auch in der Innenwelt unseres Organismus volle Gültigkeit besitzen: Wir können nicht länger darauf aus sein, rücksichtslos ganze Arten mikrobiologischer »Untermieter« in uns auszurotten, ohne an die Folgen für das ausgewogene Zusammenleben vieler tausend verschiedener Mikroorganismen mit unseren Körperzellen zu denken. Wir müssen stattdessen zusehen, dass sich das Leben in unserem Körper selbst reguliert. Wir müssen uns klar und deutlich vor Augen halten, dass mit der Vernichtung von Krankheitserregern zwar eine Gefahr abgewendet, doch die Gesundheit noch keineswegs zurückgewonnen ist. Moderne Heilkunst hat begriffen, dass sie längst nicht alles machen kann, ja dass sie so gut wie nichts vermag, solange die Heilkräfte des Körpers nicht mitspielen. Diese Heilkräfte aber sind, weit stärker und direkter als bisher angenommen, von der seelischen Verfassung, von Freude und Frust, von Glücksgefühlen und Angst, ja von flüchtigen Regungen und Gedanken abhängig.

Ohne die Selbstheilungskräfte des Körpers ist auch die Medizin machtlos.

So kann es keineswegs verwundern, dass sich auf

Vorwort

dem Gebiet der Immunologie in den letzten Jahren eine geradezu stürmische Entwicklung ergeben hat. Wer hätte es im Jahre 1988 für möglich gehalten, dass es jemals eine medizinische Disziplin mit der Bezeichnung Psycho-Neuro-Immunologie geben wird, dass sich also Gruppen von Wissenschaftlern ausschließlich damit befassen, die direkten Einwirkungen von Gefühlsregungen auf das Immunsystem zu erforschen? Damals wurden selbst Fachrichtungen wie die Psychosomatik von manch einem nicht allzu ernst genommen.

Unsere Gefühle beeinflussen unsere Abwehrkraft.

Drei gewichtige Gründe vor allen anderen haben zu der bahnbrechenden Wende geführt:
Trotz aller Erfolge mit neuen und immer noch wirksameren Medikamenten, immer noch perfekteren Operationsmethoden, einer aufwendigen Apparatur und genialer neuer Therapien mussten wir Ärzte einsehen, dass es uns nicht gelingt, den Gesundheitszustand der Menschheit entscheidend zu verbessern. Fast möchte man sagen: im Gegenteil! Die Ausgaben für das Gesundheitswesen stiegen in astronomische Höhen, die Kliniken wurden immer riesiger – und das Heer leidender Menschen noch größer. Es stimmt: Die Lebenserwartung konnte um viele Jahre verbessert werden. Doch abgesehen davon, dass wir unsere Gesundheit bald nicht mehr bezahlen können, ist die Qualität der gewonnenen Jahre keineswegs das, was wir erwartet hatten. Ganz zu schweigen von der Wunschvorstellung, es würde bald überhaupt keine Krankheit mehr geben.

Wir leben zwar länger, aber nicht gesünder.

Tatsächlich gelang uns auf vielen Gebieten medizinischer Bemühungen kein wesentlicher Durchbruch. Die Therapieerfolge bei Herz- und Kreislauferkrankungen stagnieren ebenso wie die bei Krebserkran-

Vorwort

Ein Umdenken in der Medizin war notwendig.

kungen. Gegen Viren – das haben uns nicht nur ganz neue tödliche Viruserkrankungen gelehrt – gibt es nach wie vor kein garantiert wirksames »Vernichtungsmittel«. Fast ist zu befürchten, dass Viren uns in naher Zukunft noch mehr in Angst und Schrecken versetzen werden. Möglicherweise stehen wir in dieser Hinsicht sogar vor einer weltweiten Gesundheitskatastrophe. Zumindest wäre die veraltete Denkweise der Medizin nicht in der Lage, ihr zu begegnen, sollte sie sich einstellen. Die Wende erfolgte also nicht von ungefähr. Sie war dringend notwendig geworden.

Der zweite Grund, der zu ihr geführt hat, ist die Einsicht, dass das moderne Siechtum, die chronischen Leiden nämlich, mit herkömmlichen Methoden nicht zu besiegen sind. Gegen sie schien es kein Mittel zu geben, während sie sich immer mehr ausbreiteten und seuchenartigen Charakter annahmen. Allergien, viele Erkrankungen des rheumatischen Formenkreises, Herz-Kreislauf-Erkrankungen, Stoffwechselstörungen wie Diabetes, chronische Bronchitis, Krebs haben inzwischen die Menschen in modernen Industriestaaten in einem Umfang heimgesucht, dass es bald schwer sein wird, noch einen wirklich gesunden Menschen zu finden, der älter als 50 Jahre ist.

Kaum ein Mensch über 50 ist wirklich gesund.

Alle diese Leiden aber – und es sind die eigentlichen Krankheiten – haben ausnahmslos mit einem geschädigten, geschwächten, irritierten Immunsystem zu tun. Auch hier war die Medizin einfach zum Umdenken gezwungen.

Zum Dritten aber gelang es der medizinischen Forschung erst in jüngster Zeit, einen einigermaßen klaren Einblick in das wunderbare Funktionieren des körpereigenen Abwehrsystems zu gewinnen. Vor

Vorwort

wenigen Jahrzehnten noch wusste niemand auch nur einigermaßen Bescheid über das »Gehirn« des Immunsystems, unsere Thymusdrüse. Keiner wusste, wie direkt nicht nur Wetter und übermäßiger Stress, sondern auch seelische Verstimmungen das Immunsystem blockieren und irritieren, ja erschöpfen können und wie negativ eine falsche Ernährung, vor allem aber Genussgifte und Umweltverschmutzungen, es belasten. Wir haben inzwischen gelernt, wie wichtig die lebensnotwendigen natürlichen »Bausteine«, nämlich Mineralstoffe und damit auch Spurenelemente, Vitamine und Enzyme für ein gesund funktionierendes Immunsystem sind. Die so genannte orthomolekulare Medizin mit ihren zusätzlichen Ernährungssupplementen ist zu einer tragenden Säule moderner Heilkunst geworden.

Die orthomolekulare Medizin beschäftigt sich mit Mikronährstoff-Substitution.

Auf ihrer Grundlage ist von Ärzten an der Schwarzwald Privatklinik Obertal das Vital-Plus-Programm entwickelt worden. Es umfasst ausgewählte Vitamine, Mineralstoffe und Spurenelemente, in der richtigen Zusammensetzung und in der richtigen Menge, darüber hinaus auch Amino- und Fettsäuren sowie Carotinoide, die schützenden sekundären Pflanzenstoffe. Es wird sowohl bei der Therapie eingesetzt als auch vorbeugend für eine zweckgerichtete Optimierung der Ernährung genutzt. In Kapitel VI wird dies noch ausführlich beschrieben.

Das alles verdanken wir intensiver Forschung und den großen Anstrengungen, die der Wende in der Medizin den Weg bereitet haben. Das Wissen allein bringt uns aber noch nicht entscheidend weiter. Jetzt ist es höchste Zeit, dass wir die Erkenntnisse auch in die Tat umsetzen und dass wir es ernst meinen mit einem aktiven Training unseres Immunsystems.

Wissen allein reicht nicht, es muss auch umgesetzt werden.

Vorwort

Trainieren Sie Ihr Immunsystem!

Mit diesem neu überarbeiteten Buch soll der Appell noch eindringlicher und noch mahnender an alle gesundheitsbewussten Menschen gerichtet werden: Ihre Gesundheit liegt in erster Linie in Ihrer Hand. Raffen Sie sich auf! Warten Sie nicht ab, bis es zu spät ist, bis Beschwerden und Schmerzen Sie zu Therapien zwingen. Retten Sie Ihre Gesundheit, solange Sie sich noch wohl fühlen – damit Ihnen das Wohlbefinden erhalten bleibt. Krankheit ist meistens kein unentrinnbares Schicksal, sondern das Ergebnis von Versäumnissen. Vergessen Sie nie, dass es einen Punkt gibt, an dem Ihnen Ihr wunderbares Immunsystem nicht mehr helfen kann, weil es nach Jahren der Überforderungen erschöpft ist! Deshalb: Beginnen Sie mit einem vernünftigen Immun-Training! Noch heute! Schon morgen könnte es sehr viel schwieriger geworden sein. Wenn Sie dieses Buch gelesen haben, werden Sie festgestellt haben, dass dieses Training nichts Außergewöhnliches verlangt, Ihnen kein Martyrium abverlangt, keinen unerträglichen Verzicht auferlegt. Im Gegenteil: Sie sollen Freude, Lebensmut, Hoffnung in Ihr Leben bringen, eine neue, gesunde Lebendigkeit, die frei ist von Angst und von übertriebenen Sorgen. Wenn Sie das erst einmal begriffen haben, wird Ihr Leben erfüllter, glücklicher – und gesünder sein. Genau das können Sie mit dem gezielten Immun-Training erreichen und ständig verbessern.

I
Immunsystem – was ist das eigentlich?

1. Die beiden wirklichen Wunder des Lebens
Das menschliche Leben ist eine einzige Kette unbegreiflicher Wunder. Vom Augenblick der Befruchtung im Mutterschoß bis zum letzten Schlag des Herzens vollzieht sich in unserem Organismus eine geheimnisvolle, wunderbare Unfassbarkeit nach der anderen. Ein schier unendlicher Kosmos winzigster Welten entfaltet sich in unserem Körper, lebt, kämpft und vergeht – meistens ohne dass wir etwas davon wissen, verspüren oder bewusst etwas dazu beitragen. Unser biologisches Leben braucht unseren beschränkten Verstand nicht. Es besitzt seine eigene »Intelligenz«. Glücklicherweise. Denn wenn wir entscheiden müssten, was geschehen muss, damit Organe funktionieren und Stoffwechselprozesse sich genau nach Bedarf vollziehen, hätten wir keine Chance, auch nur eine Minute zu überleben. Die körpereigene »Intelligenz« vollbringt die Wunder.

Der Körper besitzt seine eigene Intelligenz.

Die Welt, in der wir leben, ist so feindselig, dass jeder Atemzug, jeder Bissen, jeder zufällige Kontakt mit der Umwelt eigentlich tödlich sein müsste. In unserem Lebensraum wimmelt es von Krankheitserregern. Niemand könnte die vielen tausend Arten zählen. Bakterien, Viren, Pilze, Parasiten – sie sind praktisch überall. Manche von ihnen sind so gefährlich, dass sie einen ungeschützten oder geschwächten Körper in

Wir sind von Krankheitserregern umgeben.

I. Immunsystem – was ist das eigentlich?

Bakterien teilen sich alle 30 Minuten.

wenigen Stunden vernichten können. Es ist unmöglich – und der Versuch wäre töricht –, vor ihnen davonzulaufen oder in einem sterilen Raum zu leben. Selbst in einem modernen Operationsraum befinden sich trotz aller Maßnahmen zur Sterilität noch immer mehrere hundert oder gar tausend Partikel in jedem Kubikmeter Luft. Aus einer einzigen Bakterie aber können sich innerhalb von nur zehn Stunden 1 048 576 Bakterien entwickeln. Etwa alle 30 Minuten verdoppelt sich ihre Zahl.

Ohne Immunsystem wären wir der Umwelt hilflos ausgeliefert.

Ohne unser Immunsystem müsste es uns allen ergehen wie jenen bedauernswerten Kindern, die in einem Plastikzelt aufwachsen, weil ihr Körper nicht imstande ist, sich gegen relativ harmlose Krankheitserreger zur Wehr zu setzen. Sie sind mit einer angeborenen Immundefizienz zur Welt gekommen und dürfen deshalb mit keinem Menschen, keinem Tier und mit keiner Blume in Berührung kommen. Ihre eigene Mutter darf sie nicht in den Arm nehmen, nicht ans Herz drücken oder gar küssen, denn das wäre absolut tödlich. Alles, was mit den Kindern in Berührung kommt, muss hundertprozentig steril sein. Als die Astronauten nach dem ersten Betreten des Mondes zur Erde zurückkehrten, wurden auch sie erst einmal für ein paar Wochen streng von der Umwelt isoliert. In diesem Fall waren nicht nur sie, sondern das gesamte Leben auf der Erde bedroht. Es hätte ja sein können, dass sie vom Mond fremde, auf der Erde unbekannte Mikroorganismen mitgebracht hätten. Einer solchen »Infektion« aber wäre die Menschheit so hilflos gegenübergestanden wie die Babys im Plastikzelt: Wir hätten keine Abwehrchance gehabt. Im schlimmsten Fall wäre der Mensch und vielleicht sogar das gesamte Leben auf der Erde von

I. Immunsystem – was ist das eigentlich?

der schrecklichsten Seuche aller Zeiten hinweggerafft worden.

Das ist das erste eigentliche Wunder des menschlichen Lebens: Ein gesunder Organismus kennt alle denkbaren Gefahren, die in der Umwelt lauern. Und er vermag sich gegen alle Krankheitserreger, mit denen das Leben auf unserer Erde jemals in Berührung kam, zur Wehr zu setzen. Alle tausendfältigen Arten, die krank machen können, sind seit Jahrmillionen millionenfach in unserem Körper gespeichert – abrufbereit für den Augenblick der möglichen Begegnung. Gegen die potenziellen Angreifer besitzt das Immunsystem nicht nur eine allgemeine »Gesundheitspolizei« in Form bestimmter weißer Blutkörperchen, die schon auf der Haut, im Schleim und in der Schleimhaut der Luftwege und des Darms, also in vorderster Front, versuchen, jeden Eindringling abzufangen. Es vermag darüber hinaus für jede der vielen verschiedenartigen tausend Gefahren eine eigene Spezialabwehr, die so genannten Antikörper, zu bilden. Sie ist so erstaunlich perfekt, dass viele Krankheitserreger, denen wir nur ein einziges Mal begegnet sind, fortan keinerlei Chancen mehr besitzen. Wir sind ihnen gegenüber unangreifbar immun geworden. Bei besonders gefährlichen Krankheiten erstreckt sich dieser Schutz über das ganze Leben, bei weniger bedrohlichen, so etwa bei der Grippe, über einige Monate. Wer als Kind Masern, Keuchhusten, Scharlach oder eine andere der so genannten Kinderkrankheiten hatte oder zumindest in der Impfung mit den entsprechenden Krankheitserregern konfrontiert wurde, braucht sich vor diesen Infektionen nicht mehr zu fürchten.

Ein gesunder Körper erkennt alle Gefahren.

Viele Erreger können uns nur einmal gefährlich werden.

I. Immunsystem – was ist das eigentlich?

Erwachsene sind von Kinderkrankheiten meist schwerer betroffen.

Er ist gegen sie immun, aber nicht etwa deshalb, weil der Körper eines Erwachsenen widerstandsfähiger wäre als der des zarten Kindes. Ganz im Gegenteil: Bei Erwachsenen, die zum ersten Mal in ihrem Leben dem Erreger einer Kinderkrankheit begegnen, nimmt die Krankheit in der Regel einen wesentlich schlimmeren Verlauf als bei Kindern. Der Name »Kinderkrankheit« ist deshalb auch nur insofern richtig, als eben die erste Auseinandersetzung mit den entsprechenden Bakterien oder Viren fast immer schon in der frühen Kindheit stattfindet, sodass sie später kaum noch auftritt.

Noch vor etwas mehr als 100 Jahren wusste man von solchen Zusammenhängen so gut wie nichts. Man hatte wohl beobachtet, dass Menschen mit Pockennarben keine Pocken mehr bekamen. Doch man wusste weder von Krankheitserregern, noch hatte man eine Vorstellung von den komplizierten Mechanismen der Abwehr.

Louis Pasteur und Robert Koch: Pioniere auf dem Gebiet der Bakteriologie.

Die ersten entscheidenden Schritte auf diesem Gebiet taten wohl der französische Chemiker und Biologe Louis Pasteur (1822–1895) und der deutsche Arzt Robert Koch (1843–1910), der Entdecker des Tuberkelbazillus. Welche Probleme hatte noch Professor Semmelweis (1818–1865), der »Retter der Mütter«, als er herausfand, dass so viele Frauen nur deshalb im Wochenbett sterben mussten, weil während der Geburt keinerlei hygienische Maßnahmen beachtet wurden! 1848 hat der Wiener Frauenarzt seine Entdeckung veröffentlicht. Doch danach hat es noch viele Jahrzehnte gedauert, bis seine Lehre allgemeine wissenschaftliche Anerkennung fand.

Der Entdeckung der Bakterien und Viren folgten die Schutzimpfungen, eine geniale Errungenschaft der

I. Immunsystem – was ist das eigentlich?

Medizin: Mit toten oder abgeschwächten Bakterien oder Viren, die keine akute Krankheit auslösen können, lässt sich erreichen, dass der Organismus Antikörper bildet und damit gegen die Krankheit immun wird. Dank der Schutzimpfungen sind viele gefährliche Infektionen inzwischen beinahe ausgerottet. Die Pocken, die in früheren Zeiten viele hunderttausend Menschen dahinrafften, gibt es praktisch nicht mehr. Sogar die Schutzimpfung ist inzwischen überflüssig geworden. Auch andere Kinderkrankheiten haben mit der Möglichkeit der Schutzimpfung ihren Schrecken weithin verloren. Ob es allerdings sinnvoll ist, auch gegen nicht unbedingt lebensgefährliche Kinderkrankheiten zu impfen, das ist heute fraglich geworden. Möglicherweise braucht der Organismus eines Kindes die Auseinandersetzung wenigstens mit dem einen oder anderen Krankheitserreger, um in der akuten Erkrankung sein Immunsystem zu trainieren. Die Impfung nimmt ihm diese Chance. Dann besitzt er zwar Antikörper gegen die Krankheit, gegen die er geimpft wurde, doch gegen andere Infektionen hat er niemals sein komplettes Immunsystem richtig aktiviert – mit Fieber, Entzündungen und allem anderen, was dazugehört.

Schutzimpfungen haben manche Krankheit ausgerottet.

Seit es den Chirurgen gelungen ist, Organe von einem Spender auf einen Empfänger zu übertragen, wissen wir um das zweite Wunder des Immunsystems: Es erkennt nicht nur »Feinde«, die dem Organismus gefährlich werden könnten, sondern weit darüber hinaus alles, was fremd ist. Jedes Gewebe, jede Substanz, die sich nicht als körpereigen ausweisen kann, wird »abgestoßen«, das heißt angegriffen und vernichtet. Bedenkt man, wie vielen Billionen Zellen,

Das Immunsystem unterscheidet zwischen Freund und Feind.

I. Immunsystem – was ist das eigentlich?

Unsere Abwehr entdeckt und vernichtet auch entartete Zellen.

Ein intaktes Immunsystem schützt vor Krebs.

Körperzellen und Blutzellen, welcher Fülle von Nahrungsstoffen und Bausteinen, nützlichen Bakterien und gefährlichen Krankheitserregern, Viren, Pilzen, Schlacken und Giften ein weißes Blutkörperchen, das mit Abwehraufgaben betraut ist, auf seiner Wanderung durch den Körper begegnet, dann steht man fassungslos vor der Tatsache, dass es sich in diesem unendlichen Wirrwarr auskennt und sich sofort jeder Situation anpassen kann. Kein Zweifel: Unser Immunsystem besitzt so etwas wie eine eigene »Intelligenz«. Doch damit ist noch längst nicht alles über die Fähigkeiten der körpereigenen Abwehrkräfte ausgesagt. Es geht noch weiter: Unsere Gesundheit ist nicht nur von außen bedroht, von Krankheitserregern und Giftstoffen, sondern auch von innen. Die Abwehrzellen müssen darauf achten, dass sich nichts Krankhaftes oder Entartetes heranbildet und dass nichts Abgestorbenes zurückbleibt. Rund 1000 Milliarden Zellen unseres Körpers teilen sich täglich. Diese Zahl ist so riesig, dass die Gesetze der Wahrscheinlichkeit pro Stunde mindestens einen Fehler erwarten lassen. Wir könnten also Tag für Tag rund 24-mal krebskrank werden – wären nicht erneut die Abwehrzellen zur Stelle, diesmal mit der Fähigkeit zu »wissen«, was eine Fehlbildung, was krank und abnorm ist und deshalb ebenfalls vernichtet werden muss. Wieder muss man feststellen: Eigentlich müsste jeder Mensch schon in jungen Jahren an Krebs oder einem anderen Fehler im Zellgeschehen erkranken. Dass es nicht so ist, verdanken wir unserem Immunsystem und seinen Wundern des Lebens.

Täglich sterben in unserem Körper ungezählte Zellen ab. Sie müssen abgebaut und entfernt werden. Auch das muss das Immunsystem bewerkstelligen und

I. Immunsystem – was ist das eigentlich?

überwachen, wobei ihm wiederum nicht der kleinste Fehler unterlaufen darf. Denn alles, was gesund ist, gilt es zu schützen. Sobald dieses feine Unterscheiden zwischen gesund und krankhaft versagt, kommt es zu den verheerenden Autoaggressionskrankheiten: Irritierte Abwehrzellen greifen unkontrolliert eigenes Körpergewebe an. Manche Formen des rheumatischen Formenkreises gehören zu diesen Leiden, die meist sehr schmerzhaft und zerstörerisch verlaufen wie im Buch »Rheuma-Stopp« beschrieben. Auch bestimmte Formen der Leukämie sind gekennzeichnet durch unkontrolliert wuchernde Abwehrzellen.

Autoaggression: Abwehrzellen greifen körpereigenes Gewebe an.

Damit soll das weite Aufgabenfeld unseres Immunsystems nur einmal angedeutet sein. Je intensiver man sich mit diesem System befasst, je mehr Einblick wir in dieses Wunder des Lebens bekommen, desto größer wird das Staunen.

Umso drängender werden dann auch Fragen wie: Wer oder was befähigt unser Immunsystem, die lebenswichtigen Entscheidungen zu treffen? Wer kontrolliert, schult, überwacht diese beinahe unheimlichen Kräfte, die in mir so selbstständig und eigenmächtig handeln? Wer passt auf, dass sie sich auch nicht den geringsten Fehler erlauben, weil er meinen Tod bedeuten könnte? Wer garantiert, dass sie keine innere Revolution gegen den eigenen Organismus starten?

Wer oder was schult und kontrolliert das Immunsystem?

Hinzu kommen aber auch Fragen, die fortan meine Lebensgewohnheiten bestimmen, notfalls verändern müssen: Wodurch wird dieses Immunsystem geschwächt, irritiert, geschädigt? Wie kann ich meine körpereigenen Abwehrkräfte stärken und dafür sorgen, dass sie sich ungehindert entfalten können? Gibt

I. Immunsystem – was ist das eigentlich?

es eine Möglichkeit, ein unterdrücktes Abwehrsystem wieder aufzubauen?

2. Erfahrungen am Rande

Einiges über das Immunsystem hat man aus praktischen Erfahrungen immer schon gewusst. Um nur ein paar Beispiele herauszugreifen:

Babys sind im ersten halben Jahr gegen Krankheiten immun.

In den ersten sechs Monaten nach seiner Geburt bekommt ein Baby, das nicht mit angeborener Immundefizienz zur Welt gekommen ist, keine ansteckende Krankheit. Es ist gegen alle Infektionen immun, gegen die auch seine Mutter Immunität besitzt. Von ihr bekam es die entsprechenden Abwehrkräfte mit. Und auch in der Muttermilch befinden sich spezielle Abwehrstoffe zur ständigen Auffrischung. Nach diesem ersten halben Lebensjahr allerdings muss das Kind sein eigenes Immunsystem aufgebaut haben.

Vor 100 Jahren waren Kinderkrankheiten lebensgefährlich.

Früher, als es noch keine Schutzimpfungen gab, war die Zeit zwischen dem sechsten Lebensmonat und dem fünften Lebensjahr für jeden Menschen die kritischste Lebensphase überhaupt. In dieser Zeit begegnete er zum ersten Mal den großen »Killern«: Masern, Scharlach, Diphtherie, Pocken, Keuchhusten, Röteln, Kinderlähmung – und wie sie alle heißen. Medizinische Hilfe gab es vor rund 100 Jahren noch keine. Der kleine Körper musste die Krankheit selbst durchstehen. Man konnte nur abwarten. Damals überlebte nur eines von drei Kindern diese Phase. Das allerdings ohne medikamentöse Hilfe. Ohne Impfung. Ohne Behandlung im Krankenhaus. Aber wie? In diesen Fällen legte man sich ins Bett und überließ die Heilung dem sich aufbäumenden Kör-

I. Immunsystem – was ist das eigentlich?

per. Viele überstanden selbst solche Krankheiten – und waren hinterher gesundheitlich ungewöhnlich stabil, wenngleich sich niemand erklären konnte, wieso das überhaupt geschehen konnte.
Die Erkrankung Blinddarmentzündung wurde erstmals 1812 korrekt beschrieben und ab 1837 in Einzelfällen operiert. Ende des 19. Jahrhunderts wurden antibiotisch wirkende Substanzen bekannt, der Fortschritt war nicht mehr aufzuhalten, wenn das auch nicht immer nur positiv zu sehen ist.
Eine zweite Beobachtung war ebenso eindeutig: Es gibt Lebensphasen, in denen der Mensch anfälliger ist als sonst. Dazu gehört die Zeit der Pubertät, gehören die Monate der Schwangerschaft und die Wechseljahre. Alle drei Phasen haben mit Hormonumstellungen zu tun. Also durfte man folgern, dass die Sexualhormone etwas mit der Abwehrbereitschaft des Körpers zu tun haben – und zwar auf immunsuppressive Weise, also drosselnd, schwächend. Im Falle der Schwangerschaft ist das einigermaßen einleuchtend: Im Mutterleib wächst ein eigenständiges Leben heran, das zumindest teilweise vom Immunsystem als etwas Fremdes eingestuft werden muss. Die Abwehrkräfte müssen also »geknebelt« werden, damit sie den Fötus nicht »abstoßen«. Wir wissen heute, dass diese Immunsuppression sehr oft nicht gelingt, wenn das Immunsystem erkennt, dass der Fötus krank oder missgebildet ist.
Eine dritte Beobachtung war noch geheimnisvoller: In allen Zeiten großer Seuchen, selbst während Pest- und Choleraepidemien, fanden sich Menschen, die unerschrocken an die Krankenbetten eilten – und gesund blieben, als wären sie mit einem besonderen Schutz ausgestattet. Sie schonten sich

In bestimmten Lebensphasen sind wir besonders anfällig.

Bei Schwangeren sind die Abwehrkräfte gedrosselt.

I. Immunsystem – was ist das eigentlich?

Die Psyche beeinflusst unser Immunsystem.

nicht, kamen oftmals kaum zum Schlafen und Essen. Sie waren schließlich völlig erschöpft und hätten eigentlich die idealen Opfer sein müssen. Trotzdem steckten sie sich nicht an. Warum sie nicht? Etwa weil sie sich furchtlos und zuversichtlich zeigten? Weil sie keine Angst hatten? Schon immer ahnte man, dass positive seelische Kräfte, vor allem die Freude, eine immunstimulierende Wirkung besitzen, dagegen Angst und Sorgen und Panik das Immunsystem lahm legen. Doch wie sollte ein solcher Zusammenhang zwischen psychischen Regungen und dem autonomen Immunsystem überhaupt möglich sein?

Solche Beobachtungen und Fragen führen aber zum eigentlichen Ausgangspunkt jeder Heilkunst zurück: Was heißt Heilung überhaupt? Wie kommt sie zustande? Wie lassen sich Infektionen besser bekämpfen: Mit der Vernichtung der Krankheitserreger – oder mit einer Stärkung der Abwehrkräfte?

3. Dr. Sandbergs Pionierleistung

Für den Fortschritt muss man die gängigen Denkmuster durchbrechen.

Genau diese Frage hat das Wissen über das Immunsystem und die Entwicklung einer gezielten Immun-Therapie einen entscheidenden Schritt vorangebracht. Ein junger schwedischer Tierarzt hat sie sich gestellt im verzweifelten Bemühen, seinem todkranken Bruder vielleicht doch noch helfen zu können. Diese Geschichte ist irgendwie typisch dafür, wie notwendig es für die Entwicklung einer Wissenschaft ist, dass von Zeit zu Zeit einer den Mut aufbringt, aus bisherigen Denkmustern auszubrechen und neue Wege zu suchen. Und es ist auch typisch, dass nicht Ehrgeiz und Ruhmsucht, sondern die Liebe das Grundmotiv

I. Immunsystem – was ist das eigentlich?

für die rastlosen Bemühungen um Wissen und Fortschritt gewesen sind.

Es war im Jahre 1938. Dr. Elis Sandberg, Veterinärmediziner aus Aneby, hatte gerade sein Examen abgelegt. Er glaubte, nun so ziemlich alles über Krankheiten und ihre Behandlungen zu wissen. Doch da gab es einen Punkt, der seinem grenzenlosen Optimismus jäh Einhalt gebot: Sandbergs 30-jähriger Bruder lag zu Hause mit einer schweren Tuberkulose. Dagegen gab es damals noch kein wirksames Mittel. Man brachte die Tbc-Patienten nach Möglichkeit in hoch gelegene Sanatorien und versuchte dort, sie mit kräftiger Kost und gesunder Lebensweise so zu stärken, dass der Körper mit der Infektion fertig werden konnte. Doch nicht einmal das war dem kranken Bruder Dr. Sandbergs vergönnt. Die Ärzte gaben ihm keine Überlebenschancen mehr. Elis Sandberg aber konnte nicht mit ansehen, wie der Kranke dahinsiechte. Und er bäumte sich auf gegen die unerträgliche Diagnose »aussichtslos«. Es musste einen Weg geben, dem kranken Bruder zu helfen, sagte er sich in jugendlichem Optimismus.

Tuberkulose – vor dem Zweiten Weltkrieg noch unheilbar.

So stürzte er sich auf die Fachliteratur über Tuberkulose und studierte alles, was er darüber in die Hand bekommen konnte. Doch er fand nichts, was ihm hätte weiterhelfen können. So blieb ihm schließlich nichts anderes übrig, als anzufangen selbst nachzudenken. Und zwar ganz von vorne.

Die erste Frage musste lauten: Wie kommt es überhaupt zu Infektionskrankheiten? Die Antwort war noch relativ einfach: Krankheitserreger gelangen in den Körper – und können sich dort so stark vermehren, dass der Organismus zu höchsten Anstrengungen gezwungen wird, um ihrer Herr zu werden.

Wie entsteht eine Infektionskrankheit?

I. Immunsystem – was ist das eigentlich?

Warum wird der eine krank, der andere nicht?

Die zweite Frage war schon schwieriger. Doch sie führte den jungen Forscher zum alles entscheidenden Ansatzpunkt: Warum werden nur manche Menschen tuberkulosekrank, andere aber nicht, obwohl doch mit Sicherheit so gut wie jeder von uns Tuberkelbazillen einatmet oder mit der Nahrung aufnimmt?

Die Antwort konnte nur lauten: Mit Viren, Bakterien und Pilzen muss sich jeder Körper herumschlagen. Und das wohl pausenlos. Nur: Der eine merkt davon kaum etwas, weil der Angriff sofort abgewehrt werden kann. Der andere wird krank, weil sein körpereigenes Abwehrsystem im entscheidenden Moment zu langsam, zu lasch oder zu schwach funktioniert.

Krankheit: Kampf zwischen Angreifer und Verteidiger.

Mit anderen Worten: Bei jeder Infektion spielen zwei Faktoren mit: der Angreifer und die Gegenkräfte des Körpers. Also, sagte sich Sandberg, muss es auch zwei Möglichkeiten geben, eine Krankheit zu meistern: Entweder man geht den Angreifer mit immer noch wirksameren Medikamenten an und versucht, ihn zu vernichten – oder man stärkt die Widerstandskraft des Körpers, damit er selbst fähig wird, die Krankheitserreger zu besiegen.

Bis dahin war die Medizin, von Impfungen und Naturheilmethoden abgesehen, immer nur den einen Weg gegangen: Man testete eine chemische Substanz nach der anderen, um herauszufinden, ob eine darunter ist, die Viren, Bakterien, Pilze an ihrer Entfaltung hindert oder gar zerstört. Auf diesem Gebiet ist ohne Zweifel Gewaltiges geleistet worden – allerdings musste man immer in Kauf nehmen, dass die scharfen Waffen nicht nur segensreich sind, sondern zugleich auch Schaden anrichten.

Sandberg wusste, dass es gegen die Tuberkulose

I. Immunsystem – was ist das eigentlich?

noch kein wirksames Medikament gab. Er hatte aber auch weder Zeit, noch verfügte er über die entsprechenden Mittel, viele tausend Substanzen durchzuprobieren, in der Hoffnung, mehr oder weniger zufällig auf eine zu stoßen, die gegen den Tuberkelbazillus wirksam ist. Außerdem faszinierte ihn das »Brachland«: Stärkung der Widerstandskräfte. Wenn es schon kein Mittel gegen den Bazillus gab, so fand sich vielleicht auf dem Gebiet der körpereigenen Abwehrkräfte etwas, das seinem kranken Bruder weiterhelfen konnte. Das war seine große Hoffnung.

Auf die Widerstandskräfte kommt es an.

Doch nun erlebte er die zweite große Überraschung: Über die Funktion des Immunsystems konnte er nirgendwo klare, fundierte Aussagen finden. Es gab noch nicht einmal eine Antwort auf die Frage, ob der Körper über ein Organ verfügt, das die Abwehrkräfte steuert. Alles, was man damals wusste, war die Tatsache, dass der gesunde Körper sich zu wehren weiß und dass unterschiedliche weiße Blutkörperchen diese Abwehrarbeiten leisten.

4. Die Entdeckung der Thymusdrüse

Wieder einmal musste Sandberg ganz von vorne anfangen. Er kam einen Schritt weiter, als er die bereits erwähnten Krisenzeiten besonderer Anfälligkeiten unter die Lupe nahm: Pubertät, Schwangerschaft, Menopause. Speziell an Tuberkulose erkrankten besonders häufig Jugendliche um das 18. Lebensjahr – und schwangere Frauen! Alles deutete also darauf hin: Hormone, besser gesagt: Veränderungen im Hormonsystem müssen irgendwelche Auswirkungen auf das Immunsystem haben.

Hormone wirken auf das Immunsystem ein.

Auf diese Überlegung hin nahm sich Sandberg die

I. Immunsystem – was ist das eigentlich?

Die Thymusdrüse und die Sexualhormone sind Gegenspieler im Abwehrsystem.

Hormondrüsen einzeln vor und trug alles über sie zusammen, was er über sie in Erfahrung bringen konnte, von der Hirnanhangsdrüse im Kopf, der eigentlichen Hormon-Steuerzentrale, bis hin zu den Sexualdrüsen.

In diesem »Kreuzverhör« schälten sich für ihn immer deutlicher die beiden eigentlichen Gegenspieler heraus: die Thymusdrüse und die Drüsen der Sexualhormone. Die Thymusdrüse, das wusste man damals, hat etwas mit dem Wachstum zu tun. Wenn dieses abgeschlossen ist und der Junge zum Mann, das Mädchen zur Frau wird, schrumpft die Thymusdrüse, während die Sexualhormone, vom »Gegenspieler« befreit, für die Entfaltung der typisch männlichen und weiblichen Körperformen sorgen. Sollte es ein Zufall sein, dass im selben Augenblick die Anfälligkeit für eine Infektion wuchs?

Kühn stellte Sandberg seine These auf: Der Thymus ist das zentrale Abwehrorgan des Körpers! Er sollte damit Recht behalten.

Das war Anfang der 40er-Jahre. Der Zweite Weltkrieg überschattete ganz Europa. Millionen Menschen fanden einen grauenvollen Tod. In Großbritannien wurde gerade das Penicillin entdeckt. Von Dr. Sandbergs Thesen nahm niemand Notiz. Man hatte andere Sorgen und glaubte, Wichtigeres gefunden zu haben.

Vor 60 Jahren hielt man die Thymusdrüse für ein überflüssiges Organ.

Damals wusste man von der Thymusdrüse so gut wie nichts. Die einen hielten das Organ als Überbleibsel aus der frühen Entwicklungsgeschichte des Menschen für völlig überflüssig, also für etwas, das der Körper längst nicht mehr braucht. Andere glaubten, die Thymusdrüse habe lediglich die Aufgabe, Kinder und Jugendliche vor einer vorzeitigen Geschlechtsreife, also vor dem Erwachsenwerden, zu schützen.

I. Immunsystem – was ist das eigentlich?

Denn so viel hatte man immerhin beobachtet: Die Drüse, die über dem Brustbein unterhalb der Schilddrüse liegt, kann bei Erwachsenen entfernt werden, ohne dass ihnen hinterher etwas Lebenswichtiges fehlen würde. Medizinstudenten hatten auch erfahren, dass Kaulquappen, die man mit Thymus füttert, zu Riesenkaulquappen heranwachsen, aber niemals zu Fröschen werden. Ich erinnere mich an mein eigenes Medizinstudium, das ich seinerzeit gerade begann: Thymus – diese Drüse nannte man damals in der Medizin in einem Atemzug mit den Rachenmandeln, den Gaumenmandeln, mit Milz und Blinddarmfortsatz. Alle fünf hielt man noch für mehr oder weniger nutzlose Körpereinrichtungen, die man ohne Schaden herausnehmen kann. Den Zusammenhang, dass es sich in allen Fällen um wichtige Abwehrorgane des Körpers handelt, sah man nicht. Es darf also nicht verwundern, dass Dr. Sandbergs Entdeckung keinerlei Echo fand. Hinzu kam sicherlich so etwas wie Standesdünkel: Der schwedische Forscher war ja nur ein Tierarzt! So musste Sandberg allein weitermachen. Ohne Anerkennung, ohne Aufmunterung, ohne moralische und finanzielle Unterstützung. Doch der junge Forscher ließ sich nicht entmutigen, auch wenn sein Bruder mittlerweile verstorben war. Sandberg suchte weiter und wurde nach und nach zum Thymus-Experten. Er kam dahinter, dass dieses Organ für das Immunsystem weit wichtiger sein musste als alle anderen Gebilde des Lymphsystems. Denn: 90 Prozent seines Gesamtgewichts machen Lymphozyten aus. Er fand auch heraus, dass die Thymusdrüse im Erwachsenenalter keineswegs überflüssig geworden ist, sondern nach wie vor benötigt wird. Konnte man sie im Körper eines

Erwachsene können ohne Thymusdrüse leben.

90 Prozent der Thymusdrüse bestehen aus T-Lymphozyten.

I. Immunsystem – was ist das eigentlich?

Kranke Menschen haben eine verkleinerte Thymusdrüse.

Menschen nur noch verkümmert finden, dann nur deshalb, weil sie sich erschöpft hatte. Bei gesunden Erwachsenen ist die Thymusdrüse noch relativ groß, wenngleich nicht mehr so prall wie bei Kindern und Jugendlichen. Bei kranken Menschen ist sie immer deutlich kleiner.

1949 promovierte Sandberg mit einer Arbeit über den Thymus. Er veröffentlichte seine Forschungsergebnisse, doch wiederum wurde er von der medizinischen Wissenschaft nicht zur Kenntnis genommen. Das, was er festgestellt hatte, passte einfach nicht in das Weltbild der dogmatischen Lehrbücher.

5. Die ersten Versuche mit Thymus-Extrakten

Thymus-Extrakt immunisiert Mäuse gegen Tuberkulose.

Sandberg ließ sich nicht entmutigen. Er war entschlossen, nun auch die Beweise für seine Theorien zu liefern. Und zwar wollte er zeigen, dass die Wirkstoffe der Thymusdrüse tatsächlich wichtige Immun-Faktoren waren, dass man das Immunsystem stärken und regulieren kann, wenn man ihm diese Faktoren zuführt. Tierversuche sollten das belegen. Sandberg entschloss sich, Meerschweinchen mit Tuberkelbazillen zu infizieren, um die Tiere dann mit einem Extrakt aus gesunden Thymusdrüsen zu behandeln. Er nahm Kalbsbries, zermahlte es und füllte es mit destilliertem Wasser an. Diese Lösung spritzte er der Hälfte der Versuchstiere. Das Ergebnis des Experiments war überzeugend: Während in der Kontrollgruppe alle Tiere erkrankten, bekamen vier von den fünf mit Thymus behandelten Tieren keine Tuberkulose. Das fünfte hatte lediglich einen stecknadelkopfgroßen Herd in der Leber.

Das war zwar noch kein endgültiger Beweis für die Wirksamkeit des Thymus-Extraktes. Doch Sandberg

I. Immunsystem – was ist das eigentlich?

wusste sich auf dem richtigen Weg. Gestützt auf die Ergebnisse seines Experimentes versuchte er nun, staatliche Hilfen für weitere Forschungen zu bekommen. Er erhielt diesmal auch Zusagen, doch die Mittel, die man ihm bewilligte, waren so spärlich, dass er damit nicht hätte existieren können. Deshalb musste er schweren Herzens verzichten. Er blieb Tierarzt und versuchte, in freien Minuten seine Thymus-Forschung allein und ohne jegliche Hilfe weiterzuführen. Noch war ja nicht geklärt, welche Funktion die Thymusdrüse tatsächlich ausübt und auf welche Weise sie das Immunsystem beeinflusst. Sandbergs Suche kreiste immer wieder um die zentrale Frage: Warum ist die Thymusdrüse bei Kindern und Jugendlichen so prall und so groß? Warum beginnt sie in der Pubertät ihre Funktion einzuschränken, also genau zu dem Zeitpunkt, in dem der Körper aufhört zu wachsen? Waren die Kräfte der Thymusdrüse etwa »Wachstumshormone«, wirksam neben anderen, bereits bekannten Hormonen, die das Heranwachsen steuerten? Oder erfüllten sie vielleicht genau im Gegenteil eine Art Bremsfunktion, damit die eigentlichen Wachstumshormone kein unkontrolliertes, uferloses Wachsen bewirken konnten?

Mit Einsetzen der Pubertät geht die Thymus-Funktion zurück.

An diese Frage knüpfte sich fast automatisch gleich die nächste: Könnte es sein, dass die Thymus-Faktoren auch jene Zellen am Wachsen hindern, die, als Krebszellen entartet, hemmungslos drauflos wuchern und den Organismus zerstören? Sind Thymus-Hormone vielleicht das längst gesuchte Krebsheilmittel?

Thymus-Peptide als Krebsheilmittel?

Diese Überlegung war falsch, das hat sich inzwischen herausgestellt. Die Schlussfolgerungen erwiesen sich jedoch als richtig. Thymus-Faktoren können tatsäch-

I. Immunsystem – was ist das eigentlich?

lich Krebs am Wachstum hindern. Das geschieht jedoch auf ganz andere Weise, als Sandberg noch vor 50 Jahren annahm. Das alles war ja völlig neu!

Jedenfalls brachte ihn seine Theorie dahin, Experimente mit Thymus-Extrakten bei Krebserkrankungen vorzunehmen. Und gleich die ersten Versuche zeigten Erfolge, die größer waren, als selbst er in seinen kühnsten Erwartungen erhoffen konnte.

Ein Bauer schenkte dem Tierarzt eine todkranke Kuh. Sie hatte eine große Geschwulst im Bauch, einen Tumor hinter dem Auge und wahrscheinlich auch schon Metastasen im Gehirn. Infolge dieser Krebserkrankung war sie bereits so elend beisammen, dass sie das Futter verweigerte. Ein hoffnungsloser Fall. Sandberg nahm die Herausforderung an. Er stellte seinen Thymus-Extrakt her. Als er damit aber in den Stall kam, lag das Tier bereits bewusstlos da. Zu verlieren war in dieser Situation nichts mehr. Deshalb bekam das Tier die Thymus-Injektion – wider jegliche Hoffnung.

Am nächsten Morgen, als Sandberg nach seiner Kuh sehen wollte, war sie nicht etwa verendet, wie er erwartet hatte, sondern sie stand am Trog und fraß. Einige Wochen später war keine Spur eines Tumors mehr festzustellen. Das Tier wurde geschlachtet und gründlich untersucht. Dabei stellte sich heraus, dass es völlig gesund war.

Das ereignete sich im Frühjahr 1950. Sandberg wusste: Er hatte eine sensationelle Entdeckung gemacht, die möglicherweise für Millionen Menschen eine neue Hoffnung darstellte. Doch trotz aller Begeisterung traute er sich diesmal nicht mehr, den Schritt an die Öffentlichkeit zu wagen. Man würde ihm ja doch wieder nicht zuhören, befürchtete er.

Nur einer ließ sich überzeugen und war bereit, ihm

Eine krebskranke Kuh wird durch Thymus-Extrakt wieder völlig gesund.

I. Immunsystem – was ist das eigentlich?

zu helfen, ein Freund, Oberarzt in einer Klinik in der Nähe von Aneby. Er bat Sandberg, sich der Krebspatienten in hoffnungslosem Zustand in seinem Krankenhaus anzunehmen, etwa der besonders fortgeschrittenen Fälle von Leukämie. Damit war Sandberg zum ersten Mal die Möglichkeit gegeben, seinen Thymus-Extrakt am menschlichen Organismus einzusetzen. Unter Kontrolle des Oberarztes gab er seinen Extrakt zuerst drei Patienten, bei denen einwandfrei Leukämie diagnostiziert war: Knochenmarkproben hatten die Diagnose bestätigt. Schon am dritten Tag nach Beginn der Behandlung zeigten die Blutkontrollen eine deutliche Veränderung zum Positiven hin. Das Gesamtbefinden der Patienten besserte sich zusehends. Weitere Therapieversuche bestätigten diese Erfolge.

Erste Versuche mit Thymus-Extrakt an Leukämie-Kranken

Nun ließ sich Dr. Sandberg nicht länger zurückhalten. Er sandte einen Bericht über seinen Thymus-Extrakt an eine ärztliche Fachzeitschrift. Doch die Arbeit wurde zurückgeschickt. Niemand fand sich bereit, eine solche Sensation zu verantworten. Wenn man weiß, wie oft gerade in jenen Jahren Meldungen über einen vermeintlichen Durchbruch in der Krebstherapie um die Welt eilten, wie viele Millionen Menschen sich nach falschen Hoffnungen bitter enttäuscht sahen, dann ist die Vorsicht der verantwortlichen Redakteure zu verstehen: Ohne Bestätigung einer anerkannten Autorität der Onkologie konnten sie das Risiko nicht übernehmen. Sie selbst hatten ja keine Ahnung von dem, was der »Außenseiter« da behauptete. Allerdings, das war das eigentliche Problem: Einen solchen Experten konnte Sandberg nicht beibringen. Denn er hatte Neuland betreten. Und auch die Onkologen konnten damals, von wenigen Ausnah-

Die Wissenschaft blieb zunächst misstrauisch.

I. Immunsystem – was ist das eigentlich?

men abgesehen, die Thymus-Therapie noch nicht abschätzen. Ganz anders reagierten die kranken Menschen. Für sie stellte Sandberg eine letzte große Hoffnung dar. Seine Erfolge sprachen sich herum, und die Patienten kamen in immer größeren Scharen. Sandberg musste seinen Extrakt in so großen Mengen herstellen, um die Bestellungen der behandelnden Ärzte zufrieden stellen zu können, dass ihm für die Forschung keine Zeit mehr blieb. Deshalb entzog er sich diesem »Geschäft« und ging nach Amerika. Dort bekam er Geld aus einer Stiftung und konnte sich endlich fast unbehindert seinen Forschungen widmen. Als er Rechenschaft ablegen musste, waren die US-Wissenschaftler tief beeindruckt und ermöglichten ihm sogar Zugang zu ihrem größten und berühmtesten Forschungsinstitut, dem Sloan Kettering Institute. Dort wollte man ihm allerdings bis ins Detail vorschreiben, wie er die wissenschaftlichen Experimente durchzuführen hätte. Damit war Sandberg nicht einverstanden. Er brach seine Arbeit ab und kehrte nach Schweden zurück, enttäuscht, aber nicht entmutigt.

In dieser schier ausweglosen Situation blieb Sandberg nur noch eine Möglichkeit offen: Er wandte sich an die Presse. Damit hatte er sich als Gesprächspartner für viele Wissenschaftler endgültig unmöglich gemacht. Immerhin bekam er von einer Seite nun doch die ersehnte Unterstützung: Man bot ihm Forschungsmöglichkeiten an der Universität Lund an, später dann auch in Göteborg. Er entwickelte die bald berühmt gewordene Formel thx. Das war nicht mehr als eine Labor-Nummerierung, die eigentlich th 10 hieß. th für Thymus und die römische Ziffer 10, nämlich X, für die zehnte verbesserte Extraktionsmethode.

Für viele war die Thymus-Therapie die letzte Hoffnung.

Dr. Sandberg entwickelt die Formel thx.

I. Immunsystem – was ist das eigentlich?

Bei seinen intensiven Forschungen kam Dr. Sandberg nun auch dahinter, wie die Faktoren der Thymusdrüse auf das Immunsystem wirkten und warum sie Krebs am Wachstum hindern konnten: Die Thymusdrüse ist eine Art »Schulungszentrum« für bestimmte Lymphozyten und wie heute bekannt auch eine Art Selektionszentrum für untaugliche Lymphozyten. Und noch eines erkannte Sandberg: So gut wie alle Krebstherapien besitzen die verheerende Nebenwirkung, das Immunsystem zu schädigen – genau jene Kräfte unseres Körpers, die allein in der Lage sind, Krebs zu verhindern.

In der Thymusdrüse werden T-Lymphozyten geschult und selektiert.

6. Wunderwelt Immunsystem

Nicht zuletzt dank der Forschungsarbeit Sandbergs ist es in den letzten Jahrzehnten nun doch gelungen, mehr und mehr Einblick in das geradezu geniale Immunsystem mit der Thymusdrüse als seinem »Gehirn« zu erlangen. Je mehr Rätsel die Wissenschaftler lösen konnten, umso faszinierter stehen wir vor dieser Wunderwelt. Noch wissen wir längst nicht alles. Und doch fragen wir uns mit großer Verwunderung, wie es in früheren Zeiten, als man davon noch so gut wie nichts wusste, überhaupt möglich war, Krankheiten erfolgreich zu behandeln. In diesem Buch können wahrhaftig die komplizierten Zusammenhänge nicht im Detail darlegt werden. Das würde nur verwirren und vom eigentlichen Anliegen ablenken. Doch ein wenig zumindest sollten Sie mitstaunen und wieder etwas mehr Ehrfurcht vor den Geheimnissen des Lebens bekommen. Denn diese Ehrfurcht, das stellte sich tausendfach in Gesprächen mit Patienten heraus, ist letztlich die beste tragfähige

Wir wissen noch längst nicht alles über die Thymusdrüse.

I. Immunsystem – was ist das eigentlich?

Basis für eine gesundheitsbewusste und verantwortungsvolle Lebensführung.
Die Urquelle aller Blutzellen, auch der Abwehrzellen unseres Körpers, ist das rote Knochenmark. Dieses Blut bildende Knochenmark wiegt beim erwachsenen Menschen etwa vier Kilogramm. Damit ist es das größte »Organ« des menschlichen Körpers – und das wichtigste überhaupt. Wird es, etwa durch Strahlen, zerstört, dann erlischt das Leben. Andererseits – das ist die große Chance bei Knochenmarktransplantationen – genügt eine kleine Menge eines gesunden Knochenmarks, das gesamte Blut bildende »Organ« in wenigen Stunden wieder voll funktionsfähig auszubauen.

Die Blutzellen werden im roten Knochenmark gebildet.

In den Knochen des Kopfes, des Schultergürtels, in den Rippen, in der Wirbelsäule, im Becken und den großen Röhrenknochen werden Sekunde um Sekunde rund zwei Millionen neue Zellen hergestellt. Eigentlich kann man sich diese Superproduktion gar nicht vorstellen. Das ist kein normaler Herstellungsprozess mehr. Das ist eine wahre Explosion.
Das muss allerdings auch so sein. Denn der Bedarf an Blutzellen ist riesig. In einem winzigen Blutstropfen leben fünf Millionen rote Blutkörperchen, zwischen 8000 und 10 000 weiße Blutkörperchen – im Krankheitsfall ist deren Zahl rasch bis auf 50 000 und mehr erhöht. Dazu kommen 300 000 Blutplättchen. Die roten Blutkörperchen können sich nicht teilen. Sie werden etwa 120 Tage alt, dann haben sie sich auf dem Weg durch die Blutgefäße »aufgerieben«. Sie werden in der Milz und in der Leber aussortiert und abgebaut.

In jedem Blutstropfen leben Millionen von Blutzellen.

Im Gegensatz zu den roten Blutkörperchen sind nun die vielgestaltigen weißen Blutkörperchen eigene

I. Immunsystem – was ist das eigentlich?

winzige Lebewesen. Sie können sich durch Teilung vervielfältigen, und sie werden nicht einfach vom Blut mitgespült, sondern bewegen sich selbst fort. Sie können den Blutkreislauf auch verlassen und sich dorthin begeben, wo sie benötigt werden. Diese Zellen besitzen alle Ihre Genanlagen, führen aber ein vollkommen eigenständiges Leben. Ja, sie könnten in einer geeigneten Nährlösung dauerhaft oder in einem fremden Körper zumindest zeitweise überleben. Dann wären Sie gestorben – und doch irgendwie noch lebendig gegenwärtig.

Nur die weißen Blutkörperchen können sich aktiv fortbewegen.

Im roten Knochenmark entstehen auch die Urformen weißer Blutkörperchen. Sie werden gewissermaßen im embryonalen Zustand, also noch »unfertig«, ins Blut gegeben. Dort erst entscheidet sich nun – genau nach Bedarf –, welche Aufgabe im Rahmen des Immunsystems jede neue Abwehrzelle übernehmen soll. Vielleicht wird sie der allgemeinen »Schutzpolizei« zugeordnet und an die vorderste Front geschickt. Vielleicht bekommt sie den Auftrag, sich zur Herstellung von Antikörpern bereitzuhalten. Vielleicht wird sie eine »Fresszelle« mit der Hauptaufgabe, Aufräumarbeiten zu leisten, Krankes und Schädliches zu vernichten, indem sie die entsprechenden Substanzen oder Zellen einfach überwältigt und »auffrisst«.

Erst im Blut entscheidet sich die endgültige Funktion eines weißen Blutkörperchens.

Vielleicht wird die Zelle aber auch in die Schule geschickt, um dort zur Führungskraft ausgebildet zu werden. Diese Schule – und man darf den Vergleich in diesem Fall wirklich heranziehen – ist die Thymusdrüse. Diese Spezialabwehrzellen – man nennt sie, wenn sie ihre Ausbildung abgeschlossen haben, T-Lymphozyten – lernen innerhalb von etwa drei, vier Tagen alles, was das Immunsystem »wissen« muss,

I. Immunsystem – was ist das eigentlich?

T-Lymphozyten müssen zur »Schule« gehen.

um unser Leben garantieren zu können. Sie bekommen beigebracht, was körpereigen und was fremd, was gesund und was krank, was harmlos und was gefährlich ist. Sie erproben die Kunst des Unterscheidens. Wie das geschieht, das wissen wir noch nicht in allen Einzelheiten. Manche Wissenschaftler vermuten, dass die »Schüler« irgendwie mit Abbildern potenzieller Gegner konfrontiert werden. Vielleicht sollte man treffender einen Vergleich aus der modernen Computersprache verwenden: Alle Erfahrungen unserer Vorfahren sind in unseren Genanlagen »gespeichert«. Milliardenfach sind dort alle Lebensrisiken, auch jene, die vor Jahrmillionen schon gegeben waren, registriert – zugleich mit allen Möglichkeiten einer richtigen Antwort. Gesundheit besteht letztlich darin, dass unser Immunsystem auf alles, was ihm begegnet, die passende Antwort findet und sie gezielt, aber auch maßvoll einsetzt. Genau darum geht es wohl bei der Ausbildung in der Thymusdrüse: Unsere Anwärter auf das Prädikat »T-Lymphozyt« lernen, wie sie schnell und treffsicher an die entsprechenden Programme herankommen können. Es geht, so muss man es formulieren, nicht in erster Linie um ein Können und um eine gewisse Gewandtheit, sondern um Information, um Wissen! Die T-Lymphozyten haben als Führungskräfte des Immunsystems dafür zu sorgen, dass jeder Einsatz richtig und der Gefahr angepasst erfolgt. Sie müssen die Entscheidung treffen, wann und wo angegriffen wird und welche Antikörper eingesetzt werden müssen. Unter dem Elektronenmikroskop kann man beobachten, wie sie ihr Wissen an andere weiße Blutkörperchen weitergeben: Es sieht aus, als würde der T-Lymphozyt bei der Begegnung mit einem anderen weißen

Die T-Lymphozyten haben im Abwehrsystem das Sagen.

I. Immunsystem – was ist das eigentlich?

Blutkörperchen »Antennen« ausfahren, mit denen er seinen »Gesprächspartner« berührt, um so die Information weiterzugeben. Das angesprochene Blutkörperchen macht sich dann sofort daran, sich in angemessener Menge durch Teilung zu vervielfältigen und, dies gilt zusätzlich für B-Lymphozyten, Antikörper herzustellen.

Bevor der T-Lymphozyt allerdings seine Führungsrolle übernehmen darf, hat er eine sehr strenge Schulung zu absolvieren. In der Thymusdrüse muss sich der Lymphozyt mehrfach teilen und damit beweisen, dass nicht nur er, sondern auch seine »Nachkommen«, die identischen Duplikate, das Wissen fehlerfrei besitzen. Und dann wird er offensichtlich auch noch einem schwierigen Schlussexamen unterworfen, das keine Gnade kennt: Wer die Prüfung nicht besteht, wird sofort umgebracht. Dass dies tatsächlich so sein muss, belegen »Massengräber« der »Hingerichteten« in der Thymusdrüse.

Wer als T-Lymphozyt versagt, muss sterben.

Nun verstehen wir plötzlich auch, warum die Thymusdrüse in der Kindheit und in der Jugend prall gefüllt und in voller Aktion ist, während sie später nicht mehr unbedingt lebenswichtig zu sein scheint: In die Schule muss man nicht lebenslang gehen, sondern nur so lange, bis man sich das nötige Wissen angeeignet hat. Da sich die Lymphozyten ständig vermehren und dabei ihr Wissen weiterreichen, ist es auch nicht nötig, sie immer wieder zu schulen. Nur jene weißen Blutkörperchen, die neu aus dem Knochenmark hinzukommen, brauchen noch die Schulung. Eine Nachschulung kann nur dann nötig werden, wenn in allzu hektischer Teilung im Laufe der Jahrzehnte die Lymphozyten das Wissen teilweise

T-Lymphozyten geben ihr Wissen an ihre Nachkommen weiter.

I. Immunsystem – was ist das eigentlich?

verloren haben oder in einer gewissen Irritation anwenden.

Nun wissen wir auch, warum die Thymusdrüse in der frühesten Kindheit so nötig ist, dann nämlich, wenn der junge Organismus vom Immunsystem der Mutter unabhängig wird: Sobald eine erste grundlegende Schulung erfolgt ist, ist das Wissen vorhanden und wird von Zelle zu Zelle weitergegeben. Ohne die erste Schulung aber bleibt das Immunsystem funktionsunfähig. Entfernt man bei neugeborenen Mäusen dieses Zentralorgan des Immunsystems, dann ergeht es ihnen wie den Kindern im keimfreien Plastikzelt, streng von der Umwelt isoliert:

In der frühen Kindheit brauchen wir die Thymusdrüse am nötigsten.

Sie besitzen kein funktionsfähiges Immunsystem. Man könnte den Mäusen, deren Thymusdrüse keine Schulung vornehmen konnte, jedes noch so fremde Organ einpflanzen, sie würden es niemals abstoßen. Doch jede banale Infektion wäre absolut tödlich. Die kleinen Mäuse hätten bestenfalls zwei, drei Monate zu leben. Dann müssten sie einer Infektion erliegen.

Ohne Thymusdrüse fehlt es an Widerstandskraft.

Allerdings: Würde man die Thymusdrüse erst nach etwa acht Tagen entfernen, könnten die Tiere ohne Behinderung weiterleben. Ihr Immunsystem hätte die nötigen Informationen erhalten und besäße die Fähigkeit der lebenswichtigen Unterscheidungen. Fremde Transplantate würden nicht geduldet, sondern abgestoßen. Infektionen könnten bewältigt werden.

Die Informationsarbeit in der Thymusdrüse, auch das ist heute bekannt, wird von einer Vielzahl von Faktoren geleistet – im Zusammenspiel mit wertvollen Peptiden und anderen Wirkstoffen. Diese Thymosine kann man isolieren, teilweise heute sogar schon künstlich herstellen. Dabei verdichten sich die

I. Immunsystem – was ist das eigentlich?

Erkenntnisse, dass jedes der etwa 20 verschiedenen Thymus-Peptide eine streng umrissene Information liefert. Das Gesamtwissen liefern nur alle Thymus-Faktoren zusammen. Und offensichtlich verstärken sie sich auch gegenseitig in ihrer Wirkung.

Verschiedene Thymus-Peptide liefern unterschiedliche Informationen.

7. Lymphozyten und Lymphsystem

Normalerweise zirkulieren nur sehr wenig Lymphozyten in unserem Organismus. Der gesunde Körper braucht sie nur zu Routinemaßnahmen. Wenn Keime in ihn hineingelangen, dann verlangt deren Vernichtung keine besondere Anstrengung, solange ihre Zahl noch klein ist. Deshalb spüren wir normalerweise auch nichts von diesen unentwegten Auseinandersetzungen. Gelang es den Viren, Bakterien, Pilzen allerdings, die vorderste Abwehrlinie zu überwältigen, sich in großer Zahl zu vervielfältigen – und sind sie für den Körper etwas Neues, wogegen er noch keine Antikörpermodelle im Blut besitzt oder keine mehr –, dann muss eine wirksame Strategie entwickelt werden: Die Abwehrzellen stellen Antikörper her. Das ist wieder eine besonders geniale Leistung: Trifft ein T-Lymphozyt auf eine Zelle, einen Mikroorganismus, einen Eiweißstoff oder eine chemische Substanz, dann muss er zunächst feststellen, ob es sich um ein so genanntes Antigen handelt, also einen Krankheitserreger, ein Gift oder artfremdes Eiweiß. Falls die Überprüfung ergibt, dass die Zufallsbekanntschaft die Merkmale der Zugehörigkeit zum eigenen Organismus an sich trägt, muss geklärt werden, ob sie gesund und somit schützenswert oder krank oder entartet ist, infolgedessen vernichtet werden muss.

T-Lymphozyten entscheiden, was eigen oder fremd ist.

I. Immunsystem – was ist das eigentlich?

Fremdes wird durch Antikörper neutralisiert.

Handelt es sich um ein Antigen, dann veranlasst der Lymphozyt die Herstellung von Antikörpern. Das sind Spezial-Abwehrzellen, die den Angreifer »neutralisieren«. Der Antikörper koppelt sich an das Antigen an und bildet mit ihm zusammen einen so genannten Immunkomplex. Damit hat der Angreifer seine Virulenz verloren. Er ist kein Krankheitserreger mehr, kann sich nicht mehr vervielfältigen und keine Giftstoffe mehr absondern. Der Immunkomplex ist allerdings noch da und stellt nach wie vor ein Antigen dar: etwas, das nicht in das Blut gehört und deshalb schleunigst beseitigt werden muss. Wie wir noch sehen werden, können speziell diese Immunkomplexe bei der Entstehung chronischer Leiden eine verhängnisvolle Rolle spielen.

Zu viele Antikörper belasten den Organismus.

Um dem Angreifer gewachsen zu sein, müssen sich die Lymphozyten vervielfältigen. Doch das darf wiederum nicht wahllos geschehen, sondern stets der Gefahr angemessen. Man kann das wiederum unter dem Elektronenmikroskop beobachten: Die Vervielfältigung geht im gesunden Körper genauso schnell und genauso oft vonstatten, wie es nötig ist, um die Gefahr zu meistern. Auch eine überschießende Antikörper-Reaktion müsste wieder ein gesundheitliches Problem darstellen.

In den Abwehrkampf werden die umliegenden Zellgewebe mit einbezogen. Sie schwellen an. Es entsteht eine Entzündung. Sie ist nicht etwa vom Angreifer verursacht, sondern vom Immunsystem: Die Zellen rund um das Geschehen werden aufgefordert, das Tempo ihrer Tätigkeit zu beschleunigen. Sie müssen vermehrt Enzyme und andere Stoffe liefern, die bei der Auseinandersetzung dringend benötigt werden. Dabei vergrößern sie sich, und ihre »Betriebs-

I. Immunsystem – was ist das eigentlich?

temperatur« steigt an. Der Körper heizt sich mit Fieber auf. Diese erhöhte Temperatur ist eine wirksame Waffe des Immunsystems vor allem gegen Viren und Krebszellen, die beide hohen Temperaturen nicht gewachsen sind.

Nicht alle Lymphozyten stürzen sich auf die Eindringlinge. Einige halten sich zurück. Sie beschränken sich auf die Aufgabe, das »Gedächtnis« der Mutterzellen zu erhalten und weiterzureichen, damit das Wissen nicht verloren geht, sondern unverfälscht »vererbt« werden kann.

Manche Lymphozyten dienen als Gedächtniszellen.

Ist der Angriff abgewehrt, finden sich keine Antigene mehr im Blut, sondern nur noch Immunkomplexe. Damit ist die Arbeit allerdings noch längst nicht getan. Nun geht es an die Aufräumarbeit. Jetzt müssen auch die Immunkomplexe aufgelöst und die Trümmer der Schlacht beseitigt werden. Jeder von uns hat solche Trümmer schon einmal gesehen: Es ist der Eiter, bestehend aus vernichteten Krankheitserregern und toten Abwehrzellen. Erst wenn man im Blut keine Immunkomplexe, sondern nur noch freie Antikörper nachweisen kann, ist die Infektion endgültig beseitigt. Und erst dann, das ist ganz wichtig, darf man darauf hoffen, dass keine schlimmen Folgen zurückbleiben werden.

Sind alle Antigene an Antikörper gebunden, beginnt das große Aufräumen.

Das hört sich alles sehr kriegerisch an. Ständig ist die Rede von »Angreifern«, von »Feinden«, von »Kampf« und »Schlachtfeld«. Doch die Wirklichkeit in unserem Körper sieht tatsächlich so aus. In jeder Sekunde unseres Lebens opfern sich einige tausend oder gar zehntausend weiße Blutkörperchen bei der Vernichtung von Viren, Bakterien, Pilzen, bei der Beseitigung von Abfallstoffen, beim Abbau abgestorbener Zellen und bei der Zerstörung von Krebszellen.

I. Immunsystem – was ist das eigentlich?

Lymphknoten sind die Festungen der Abwehrzellen.

Um seine Aufgaben erfüllen zu können, besitzt das Immunsystem auch regelrechte »Festungen«, in denen sich die Abwehrzellen verschanzen. Es sind die Lymphknoten. Sie sind in einem dichten Netz über den ganzen Organismus gestreut und im Lymphsystem miteinander verbunden. In diesen Lymphknoten vervielfältigen sich die Lymphozyten. In ihnen finden auch die eigentlichen Auseinandersetzungen zwischen ihnen und den Antigenen statt. An ihnen muss jeder Eindringling vorbei, will er in den Körper vordringen. Wir sprechen gewöhnlich von Drüsen, von geschwollenen Drüsen, wenn ein Abwehrkampf in einem Lymphknoten besonders heftig tobt. Doch es handelt sich natürlich nicht um Drüsen, sondern um Abwehrzentren. Und wenn wir am Arm oder einem Bein nach einer Infektion einen roten Streifen entdecken, dann nennen wir diese Sepsis Blutvergiftung. Tatsächlich handelt es sich um eine Entzündung einer Lymphbahn.

Die Lymphknoten sind an strategisch wichtigen Orten im Körper platziert.

An strategisch besonders wichtigen Punkten unseres Körpers, beispielsweise im Hals, unter den Armen, in der Leiste, sind die Lymphknoten besonders zahlreich und stark ausgebildet. Sie sollen verhindern, dass Krankheitserreger von Armen und Beinen in den Körper und vom Körper in den Kopf überwechseln können. Die Rachen- und Gaumenmandeln bilden zugleich den Sperrriegel für alle Krankheitserreger, die mit der Atemluft und mit der Nahrung aufgenommen werden. Der berühmte Blick in den Hals gibt dem Arzt erste Auskunft darüber, ob eine Infektion gegeben ist. Das »Schicksal« der Mandeln ist oft symptomatisch für den zerstörerischen Umgang mit unserem Immunsystem: Schon im Kindesalter sind die Rachenmandeln oft nach einer Reihe schwerer Infektionen nur noch zer-

I. Immunsystem – was ist das eigentlich?

klüftete Ruinen, Nistplatz und Versteck für Krankheitserreger selbst und somit böse Brutstätten für neue Infektionen. Deshalb neigen viele Ärzte dazu, die Mandeln herauszunehmen. Vielfach geschieht das neuester Erfahrung nach viel zu früh. Denn, das müsste eigentlich ganz logisch sein: Wenn sie herausgenommen wurden, fehlen die wichtigsten Bollwerke an entscheidender Stelle. Die Krankheitserreger können unbehelligt zum nächsten, nicht so gut ausgebauten Abwehrriegel vordringen. Viel mehr als bisher müsste heutiger Meinung nach darauf geachtet werden, dass Rachen- und Gaumenmandeln funktionsfähig erhalten bleiben, weil sie für das Immunsystem so wichtig sind. Das hieße aber vor allem bei Kindern: unbedingt dafür zu sorgen, dass nicht eine Erkältung und eine Angina von der nächsten abgelöst wird. Wir dürfen nicht sorglos wie bisher kleinste Infektionen mit Antibiotika behandeln, die die Krankheit nur scheinbar heilen, doch letztlich dazu beitragen können, dass sie bald verstärkt zurückkehrt. Stattdessen muss jede Erkältung gründlich und in Ruhe ausgeheilt werden, damit das Kind tatsächlich gestärkt aus ihr hervorgeht. Sein Immunsystem muss die Chance des Trainings erhalten.

Unsere Rachenmandeln sind Bollwerke gegen Krankheitserreger.

Eine sehr dichte Ansammlung von Lymphknoten, ja ein regelrechter Verteidigungsring, findet sich rings um die Verdauungsorgane. Er muss dafür sorgen, dass aus der Nahrung und dem Verdauungsbrei weder Krankheitserreger noch Giftstoffe in den inneren Organismus hineingelangen können.

Auch die Verdauungsorgane werden von Lymphknoten geschützt.

Doch noch etwas anderes gehört zum Wissen über das Immunsystem: Die Lymphknoten liegen nicht isoliert in unserem Körper, sondern sie sind alle in einem weit verzweigten Versorgungsnetz miteinander verbunden und somit angeschlossen an einen

I. Immunsystem – was ist das eigentlich?

großen Kreislauf. Er ist neben dem Blutkreislauf der zweite Kreislauf in unserem Körper und normalerweise ein Stiefkind unserer Gesundheitsfürsorge. Wer kümmert sich schon darum, dass die Lymphe, die Flüssigkeit dieses zweiten Kreislaufs, in Schwung bleibt?

Die Lymphe umspült jede unserer Billionen Körperzellen, die wie kleine Inseln in ihr schwimmen. Über die Lymphe werden ihnen Nahrungs- und Heilstoffe zugeführt. In der Lymphe bewegen sich die Abwehrzellen, die sie vor Angriffen schützen. An die Lymphe geben die Zellen ihre Stoffwechselprodukte ab – Stoffe, die für den Organismus lebenswichtig sind –, ebenso wie den »Abfall«. Die Lymphe ist eine helle, fast farblose Flüssigkeit, die wir beispielsweise in einer Brandblase sehen können.

In der Lymphe werden Abwehrzellen transportiert, aber auch körpereigene »Abfälle«.

Der Lymphkreislauf besitzt nun gegenüber dem Blutkreislauf einen großen Nachteil: Er hat keine eigene Pumpe, die ihn in Bewegung hält. Wir verfügen über kein zweites Herz für den Lymphkreislauf. In Bewegung gehalten wird die Lymphe ausschließlich durch Muskelbewegungen, durch das Heben und Senken des Brustkorbs bei der Atmung und dadurch, dass sie vom Blutfluss mitgerissen wird. Normalerweise reicht das auch völlig aus. Denn die Lymphe braucht nicht die Regelmäßigkeit und das Tempo des Blutflusses. Allerdings: Ins Stocken darf sie auch nicht geraten, sonst sind Versorgung und Entsorgung der Zellgewebe gefährdet. Genau das geschieht jedoch bei unserer modernen, bewegungsarmen Lebensweise. Ein Lymphstau bedeutet aber, dass Partien unseres Körpers »versumpfen«. In solchen Sümpfen können sich Krankheitserreger beinahe ungehindert entfalten, während die Abwehrzellen größte Probleme haben,

Der Lymphfluss darf nicht ins Stocken geraten.

I. Immunsystem – was ist das eigentlich?

überhaupt heranzukommen. Unser Körper stellt täglich bis zu zwei Liter Lymphe neu her. Sie ist das Element, in dem ein Großteil unserer Abwehrzellen lebt. Wer sein Immunsystem gesund erhalten will, der muss deshalb auch immer für einen unbehinderten Lymphfluss sorgen.

Erwähnen möchte ich nun noch, dass unser Immunsystem auf eine ausreichend gute Versorgung angewiesen ist, um bestmöglich funktionieren zu können. Unter anderem mit den Mikro-Nährstoffen, von denen das Vitamin C am bekanntesten ist, zu denen aber noch viele andere gehören, wie etwa das Spurenelement Zink. Ich werde sie mit dem Vital-Plus-Programm (ab Seite 197) vorstellen. Unerlässlich für eine optimale Funktion des Immunsystems sind auch Enzyme. Da ich dieses Thema in meinem Buch »Enzyme« ausführlich behandelt habe, kann ich mich hier auf das beschränken, was im nächsten Kapitel bei den Behinderungen und Schwächungen der Abwehrkräfte zur Sprache kommen wird.

Das Immunsystem ist auf gute Nährstoff-Versorgung angewiesen.

II
Das alles behindert und schwächt das Immunsystem

Wenn das Immunsystem tatsächlich so perfekt und geradezu wunderbar funktioniert, dann muss man sich nun doch fragen: Warum kann es dann zu so schlimmen Erkrankungen und nicht selten sogar zu einem totalen Zusammenbruch der Abwehrmechanismen kommen? Wo liegen die eigentlichen Risiken für unser Immunsystem, und welches sind die entscheidenden Fehler, die wir in unserer Lebensführung begehen?

Wie kann es zu einem Versagen des Immunsystems kommen?

Im Grunde könnte man darauf kurz und bündig antworten: Für alle Körperfunktionen, das ist das biologische Grundgesetz, gibt es immer nur zwei Gefährdungen: Auf der einen Seite die massive Überforderung über einen längeren Zeitraum – auf der anderen Seite die Unterforderung und das fehlende Training. Ein Muskel, der trainiert wird, wächst, wird kräftiger und leistungsfähiger. Wer mit trainierten Muskeln wandert, wird eine weit größere Strecke mühelos und ohne Schädigung zurücklegen können als der Untrainierte. Wer pausenlos Muskeln über die Leistungsgrenze hinaus beansprucht – wir erleben das vor allem bei Herzerkrankungen –, wird vorzeitig ihre Schädigung hinnehmen müssen: Herzinfarkt,

Überforderung und mangelndes Training schwächen die Abwehr.

II. Das alles behindert das Immunsystem

Herzmuskelschwäche, Herzversagen. Wer seine Muskeln nur ungenügend beansprucht, muss erfahren, dass sie verkümmern. Der Körper baut sie ab.

Dieses Gesetz gilt auch für das Immunsystem – und hier ganz besonders. In diesem Fall sind nämlich zu viele biologische Prozesse miteinander eng verknüpft, beeinflussen und behindern sich gegenseitig. Unser Organismus hätte keine Überlebenschance, wäre er von der Natur nicht äußerst rationell konstruiert. Das heißt aber: Kein einziges Organ und auch keine Organgruppe hat nur eine einzige Aufgabe zu erfüllen, sondern immer müssen zugleich mehrere Leistungen nebeneinander bewältigt werden. Das bringt es immer wieder mit sich, dass eine Aufgabe zugunsten einer anderen vernachlässigt oder momentan ausgesetzt werden muss, weil die eine in der gegebenen Situation lebenswichtiger zu sein scheint. Bei gesunder Lebensweise ist das überhaupt kein Problem. Doch wenn das entsprechende Training fehlt, muss der unentwegte Konflikt um den Vorrang der Pflichten schließlich in die Krankheit führen. Das Immunsystem ist verkümmert.

Jedes unserer Organe nimmt mehrere Aufgaben wahr.

1. Wärme, Kälte – und das Abwehrsystem

Bei den häufigsten Infektionen, die uns heimsuchen, sprechen wir ganz selbstverständlich von Erkältungen, obwohl wir genau wissen, dass die Kälte nicht schuld sein kann. Es handelt sich ja um eine Infektion. Die Kälte selbst begünstigt diese Infektion nicht einmal. Denn gerade wenn es draußen klirrend kalt ist, leiden die wenigsten an einer »Erkältung«.

Und doch ist die Bezeichnung im Grunde richtig. Denn wenn unser Körper überempfindlich oder zu

Die Kälte ist nicht schuld an einer Erkältung.

II. Das alles behindert das Immunsystem

schwach auf Temperaturschwankungen reagiert, dann eben beginnt die Nase zu tropfen und der Hals zu kratzen. Dann beginnen wir bald zu husten oder liegen gar mit einem grippalen Infekt im Bett.
Der Zusammenhang ist offensichtlich: Immunsystem und Wärme- und Kälteregulierung unseres Körpers sind von der gesunden Durchblutung der Haut und der Schleimhäute abhängig. Für die Blutversorgung ist aber unser Kreislauf verantwortlich. Er hat nicht nur jede unserer Billionen Körperzellen zu versorgen und zu entsorgen, was an sich schon ein riesiges Arbeitspensum darstellt. Er ist an der Regulierung des Blutdrucks beteiligt. Und er muss zugleich auch noch dafür sorgen, dass die Innentemperatur unseres Körpers konstant bleibt. Auch in diesem Punkt gilt, was ich schon über die Feindlichkeit der Umwelt sagte: Eigentlich hätten wir gar keine Überlebenschance auf unserer Erde, weil von den stark schwankenden Temperaturen her die Voraussetzungen für menschliches Leben viel zu schlecht sind. Unser Organismus braucht ziemlich genau 37 Grad Celsius »Betriebstemperatur«. Schon Abweichungen um drei Grad nach oben oder unten im Innern unseres Körpers können lebensbedrohlich werden. So unvorstellbar winzig ist der Lebensspielraum. Die raue Wirklichkeit dagegen bietet nicht selten Temperaturstürze innerhalb weniger Stunden um 20 Grad. Im Sommer kann das Thermometer auf 40 Grad Celsius steigen, im Winter auch in unserer Heimat auf 25, 30 Grad minus absinken. Gleichgültig, welche Temperaturen außen gegeben sind: Unser Körperinneres braucht seine konstanten 37 Grad. Er muss sich also in jeder Situation sofort auf die Außentemperaturen einstellen und entweder kühlen oder zusätzlich »einheizen«.

Unser Kreislauf sorgt für eine gleichbleibende Innentemperatur des Körpers.

Unsere Betriebstemperatur liegt bei 37 Grad Celsius.

II. Das alles behindert das Immunsystem

Ist die Außentemperatur höher als die im Körperinnern, überhitzen wir.

Doch es kommt noch hinzu, dass der Körper, vergleichbar einem Motor, ständig Wärme an die Außenwelt abgeben muss. Wenn kein Gefälle zwischen innen und außen gegeben wäre, würde er »überhitzen«. Damit wir uns wohl fühlen, brauchen wir eigentlich eine Außentemperatur zwischen 18 und 20 Grad. Das ist allerdings schon wieder ganz anders, wenn wir uns körperlich anstrengen oder üppig speisen. Dann steigt die »Verbrennungswärme« im Körper erheblich an. Dann muss auch mehr Wärme abgestrahlt werden.

Ein perfektes »Kühl- und Heizungssystem« sorgt dafür, dass unser Körper auf jede Temperaturveränderung die richtige Antwort zu geben weiß. Sinkt die Temperatur draußen unter 18 Grad ab, ist der Wärmeverlust also größer als der vom Körper erzeugte Überschuss, dann verkleinert der Körper automatisch die »Kühlfläche« Haut. Wir bekommen eine Gänsehaut.

Bei Kälte wird die Hautdurchblutung reduziert.

Zusätzlich stellen sich die Haare auf, sodass sich zwischen ihnen die entweichende Körperwärme fängt und eine gewisse Isolierschicht bildet. Genügt diese Maßnahme nicht, dann folgt der nächste Schritt. Wir beginnen zu »schlottern«: Viele Muskelpartien bewegen sich und versuchen auf diese Weise, zusätzliche Wärme zu bilden. Ist auch das noch nicht genug, schnüren Millionen kleiner Muskeln die feinsten Blutgefäße ab, sodass sich das Blut nicht mehr in der kalt gewordenen Haut abkühlen kann. Es kreist dann nur noch im warmen Körperinnern. Entsprechend wird die Haut bleich. Die Hautdurchblutung ist auf ein eben noch tragbares Minimum reduziert.

Das aber ist der Augenblick, auf den die Krankheitserreger nur gewartet haben. Jetzt stehen ihnen die Zugänge zum Organismus offen. Die Abwehrzellen

II. Das alles behindert das Immunsystem

haben ihre »Wachposten« verlassen und sich mit dem Blut ins Körperinnere zurückgezogen.

Ähnlich ist es bei großer Wärme und Hitze: Liegen die Außentemperaturen deutlich über 20 Grad, dann kann der Körper nicht mehr ausreichend Wärme abgeben. Es käme zu einem Wärmestau, würde nicht ein fein ausgeklügeltes »Kühlsystem« für die notwendige Regulierung sorgen: Zunächst schickt es so viel Blut wie nur möglich in die Haut, damit es sich dort abkühlen und verstärkt Wärme abgeben kann. Die Haut wird entsprechend rot. Auch bei körperlichen Anstrengungen, die innerlich aufheizen, bekommt man bekanntlich einen roten Kopf. Weil sich die Haut aber nach und nach selbst erwärmt – vor allem bei gleichzeitiger Sonnenbestrahlung –, muss sie nun zusätzlich gekühlt werden. Aus vielen hunderttausend Poren tritt der Schweiß aus. Er verdunstet auf der Haut. Bei der Verdunstung aber wird viel Wärme verbraucht. Diese wird in einem physikalischen Prozess der Haut entzogen. Sie wird kalt. Dieser Vorgang macht es möglich, in der Sauna selbst bei Temperaturen bis 100 Grad keine Verbrennungen zu erleiden – und auch keinen Hitzestau: Die Haut bleibt relativ kühl. Ganz anders ist es bei einem heißen Vollbad: Weil der Schweiß im Wasser nicht verdunsten kann, bildet sich rasch ein Hitzestau, der bei Herz-Kreislauf-Problemen sogar gefährlich werden kann.

Bei Hitze sorgt unser Kühlsystem für Ausgleich.

Wenn die Verdunstung allerdings funktioniert, was bei 1000 täglichen Wärmeregulierungen ja der Fall ist, dann wird die kalte Haut erneut schlecht durchblutet, weshalb man sich auch im wärmsten Sommer »erkälten« und eine so genannte »Sommergrippe« holen kann – bei größter Hitze!

Auch bei Hitze kann man sich erkälten.

Verständlich: Wenn solche Notmaßnahmen relativ

II. Das alles behindert das Immunsystem

selten bleiben, dann vermag der Organismus den eingetretenen Fehler rasch zu korrigieren. Werden solche »Abriegelungen« der Haut aber zum Dauerzustand oder müssen sie pausenlos vorgenommen werden, weil der Körper auf kleinste Temperaturschwankungen überempfindlich reagiert, dann gerät das Immunsystem bald an den Punkt, an dem es nur noch das Schlimmste verhüten kann. Es gerät in den zermürbenden »Vielfrontenkrieg«, der schließlich nur noch zulässt, dass jeweils das Wichtigste erledigt wird. Alle anderen Aufgaben müssen unterbleiben. So kann vielleicht der Ansturm der Krankheitserreger jeweils noch eben bewältigt werden. Doch die Harmonie von einzelnen Bestandteilen des Immunsystems ist gestört. Das kann letztendlich zu Autoaggressionen führen. Damit ist dann beispielsweise eine chronische Polyarthritis in Gang gesetzt. Eine derartige Überforderung des Immunsystems kann noch wesentlich beschleunigt werden, wenn der Körper durch zu üppiges Essen, durch zu wenig Bewegung, durch übermäßigen Stress pausenlos belastet ist.

Ein überfordertes Immunsystem kann autoaggressiv werden.

Damit wird auch deutlich, warum ein scheinbar so unbedeutendes Frösteln morgens beim Warten auf die Straßenbahn verhängnisvoller sein kann als ein richtiges Frieren: Man bekommt kalte Füße, die sich den ganzen Tag über nicht mehr richtig erwärmen. Die Kälte kriecht in den Unterleib, womit sich eine Harnwegsinfektion oder eine Eileiterentzündung entfalten kann. Vom unterkühlten Rücken, der auch beim Schwitzen zuerst und vornehmlich kalt und schlecht durchblutet wird, sind in erster Linie die Nieren in Mitleidenschaft gezogen. Damit ist dann eine gesunde Entgiftungsarbeit infrage gestellt. Es kommt

Mit kalten Füßen fangen Infektionen oftmals an.

II. Das alles behindert das Immunsystem

tatsächlich sehr schnell eines zum anderen. Deshalb darf es auch nicht verwundern, dass sich die chronischen Leiden vor allem dort finden, wo infolge einer schlechten Anpassung an die Umwelttemperaturen und infolge mangelnder Bewegung die schlechteste Durchblutung gegeben ist: in der Haut, in den Gelenken, in verspannten Muskeln und selbstverständlich in den Atemorganen.

Um es noch einmal ganz deutlich zu wiederholen: Wohl dem, der angesichts dieser Gefährdung noch richtig krank werden kann, damit der Körper mit Fieber und Entzündungen und einer kraftvollen Mobilisierung des gesamten Immunsystems die Gelegenheit bekommt, alles, was sich angesammelt hat, auszuräumen. Und: Wohl dem, der seinem Körper im Augenblick der akuten Erkrankung die nötige Zeit und die Voraussetzungen bietet, diese Arbeit in Ruhe und ungestört zu leisten. Er hat mit dieser Erkrankung ein wertvolles Immun-Training vollzogen und darf deshalb damit rechnen, hinterher wieder gesünder zu sein und ein strafferes, stabileres, zuverlässigeres Immunsystem zu besitzen.

Eine akute Erkrankung ist ein gutes Immun-Training.

Es ist das unschätzbare Verdienst des Pfarrers Sebastian Kneipp, dass er vor etwas mehr als 100 Jahren diese Problematik der Gesundheit der Öffentlichkeit bewusst gemacht hat. Sein Schlagwort hieß Abhärtung. Wir würden es heute anders formulieren, denn es geht beim Training der maßvollen Anpassung nicht um Härte und auch nicht darum, sich gegenüber den Umwelteinflüssen ein dickes Fell zuzulegen. Es geht darum, dafür zu sorgen, dass die Wärmeregulierung unseres Körpers weder hektisch noch lasch funktioniert, sondern auf den Reiz hin die richtige Antwort in der richtigen Weise gibt. Kneipps Methoden sind

Pfarrer Kneipps Schlagwort: Abhärtung gegen Temperaturwechsel

II. Das alles behindert das Immunsystem

deshalb im eigentlichen Sinn auch keine Wassertherapie, sondern eine Wärme- und Kältetherapie. Sie sind ein Training der Wärmeregulierung, bei dem Wasser nur deshalb zur Anwendung gelangt, weil es auf unsere Haut 200-mal intensiver einwirkt als Luft. Kneipp ging es auch nicht darum, dem Körper beizubringen, mörderische Temperaturen ertragen zu können. Nicht mit extremen Leistungen wird er gesünder, sondern mit der maßvollen, gesunden, trainierten Reaktion auf den Wechsel der Temperaturen. Denn, wir haben es gesehen, nicht Kälte und nicht Hitze können krank machen, sondern immer nur die falsche Reaktion darauf. Diese Reaktion, die richtige Antwort nämlich, kann nur im ständigen Training erworben werden und erhalten bleiben. Und dieses Training besteht nicht in Gewaltanstrengungen, sondern im Wahrnehmen der Reize. Und schwache Reize besitzen oft einen sehr viel intensiveren Trainingseffekt als massive Maßnahmen: Auf massive Einwirkungen muss der Körper reagieren. Das Problem ist ja eher, dass er auf die weniger intensiven viel zu dramatisch – oder überhaupt nicht – antwortet.

Kneipp ging es darum, den Körper maßvoll zu trainieren.

2. Das Wetter – der beste Trainingspartner

Ich darf an dieser Stelle betonen, dass wir alle den billigsten und besten Trainingspartner ständig zur Verfügung haben – das Wetter. Das gilt speziell für uns Mitteleuropäer: Wir haben nicht pausenlos denselben strahlenden Sonnenhimmel wie etwa Bewohner in Nord- und Mittelafrika. Wir müssen uns auch nicht tagein, tagaus gegen dieselbe eisige Kälte schützen wie die Eskimos. Beide sind nahezu unerträglich einseitig belastet. Bei uns dagegen verändert sich das

Das Wetter ist eine hervorragende Trainingsmöglichkeit.

II. Das alles behindert das Immunsystem

Wetter von einem Tag auf den anderen und bietet ständig neue Reize. Wir müssten sie nur viel intensiver und regelmäßiger als Trainingsmöglichkeit nutzen! Leider wird dem Wetter und den Witterungseinflüssen als Auslöser von Krankheiten immer noch viel zu wenig Bedeutung beigemessen. Auch manche Ärzte beharren darauf: Das Wetter macht nicht krank. Sie wollen von Wetterfühligkeit oder gar Wetterleiden nichts wissen und vermitteln Patienten, die mit Kopfschmerzen, Migräne, mit Kreislaufstörungen oder depressiven Störungen zu ihnen kommen, den Eindruck, sie würden sich das alles letztlich nur einbilden. Ich halte diese Einstellung nicht nur für falsch, sondern für verhängnisvoll. Ebenso wie es ein Heilklima und Luftkurorte gibt, in denen man die ganze Umgebung von der guten Luft über die Sonne, die Staubfreiheit, die Stille ohne Lärmbelästigung bis hin zu Luftdruck und Temperaturen als Medizin auf Körper und Seele einwirken lassen kann, genauso gibt es Umweltverhältnisse, die eine Überforderung darstellen. Sie belasten den Körper einseitig und können somit auch krank machen. Dabei denke ich noch nicht einmal an Luftverschmutzungen und andere von Menschenhand geschaffene Übelstände, sondern an ganz natürliche Voraussetzungen wie etwa Fallwinde, Feuchtigkeit, vor allem aber Schwüle und dergleichen mehr.

Es ist für mich beispielsweise unfassbar, dass noch weithin die Urlaubstage ohne jede Rücksicht auf gesundheitliche Notwendigkeiten geplant werden. Wer fragt schon danach, ob die Neigung zu Bluthochdruck bei südlichen Temperaturen am Strand verschlimmert wird oder ob nicht doch eine weitaus bessere Therapiechance bei einem Ferienaufenthalt

Wetterfühligkeit wird immer noch häufig verkannt.

Bestimmte Klimabedingungen belasten den Körper.

II. Das alles behindert das Immunsystem

in den weit sanfteren Voraussetzungen der Mittelgebirge gegeben wäre? Wer bespricht schon seine Urlaubsgestaltung mit seinem Arzt, damit dann mit dem Urlaub tatsächlich eine gesunde Erholung gewährleistet wird?

Ein Arzt, der Wetterfühligkeit bei seiner Diagnose nicht mit einbezieht, der vernachlässigt meiner Meinung nach eine ganz wichtige Information: Das Wetter ist der Prüfstein unseres Gesundheitszustandes. Wetterleiden zeigen an, dass mit unserer Gesundheit etwas nicht mehr so ist, wie es eigentlich sein sollte, und dass ganz schnell der Sache auf den Grund gegangen werden muss, weil sich sonst bald etwas viel Schlimmeres einfinden könnte. Vor allem aber sind Wetterfühligkeit und Wetterleiden ein Zeichen dafür, dass unser Organismus untrainiert ist und auf minimale Veränderungen in der Umwelt falsche Antworten gibt.

Wer wetterfühlig ist, ist nicht gesund.

Nehmen wir als extremes Beispiel die Rheumaleiden früherer Zeiten: Bevölkerungsschichten, die in kalten, feuchten Wohnungen lebten oder an kaltnassen Plätzen arbeiten mussten, wurden fast unausweichlich zu Rheumatikern. Die übermäßige und einseitige Belastung hat sie krank gemacht. Heute sind die vielen sehr unterschiedlichen Rheumaleiden längst kein »Armeleute-Leiden« mehr. Nicht selten werden Erwachsene, Jugendliche – auch schon kleine Kinder – zu Rheumatikern, die wahrscheinlich niemals in ihrem Leben erfahren haben, wie schlimm die nasse Kälte sein kann. Oft beobachten wir, dass Rheumaleiden nach einer Kette schwerer Infektionen ausbrechen. Und dabei wird wieder der enge Zusammenhang zwischen »Erkältung«, Überbeanspruchung des Immunsystems und chronischen Leiden deut-

Endpunkt vieler Infektionen kann Rheuma sein.

II. Das alles behindert das Immunsystem

lich: Nicht die Bedrohung von außen macht krank, sondern die Unfähigkeit des untrainierten Körpers, die richtige Antwort darauf zu geben. Die falsche Antwort aber lässt sich nicht mit Gewaltmaßnahmen korrigieren. Wer sich gezielt vor Rheuma schützen möchte, der dürfte nicht versuchen, sich immer noch größerer Kälte und Nässe auszusetzen, um den Körper daran zu gewöhnen.

Ebenso falsch wäre der Versuch, jedem frischen Luftzug auszuweichen, um stets in wohl temperierter, angenehmer Umgebung zu leben. In der Zeit nach der Entdeckung der Krankheitserreger, also Mitte des 18. Jahrhunderts, war die Menschheit weithin zutiefst verschreckt von der Vorstellung, die Viren, Bakterien oder Pilze könnten in den Körper gelangen. Man versuchte so zu leben, dass ein Kontakt mit Keimen ausgeschlossen war. So wurden Maßnahmen übertriebener Hygiene vorgenommen, und man verschanzte sich in dumpfen Wohnungen, um ja nicht angesteckt zu werden. Dass ein totaler Schutz gar nicht möglich, ja nicht einmal erstrebenswert ist, wusste man damals noch nicht. Mit dem Versuch, sich zu isolieren, ist aber jedes gesunde Training unterblieben. Man musste feststellen, dass die Anfälligkeiten nur noch größer wurden. Auch heute glauben noch viele, sie könnten sich abschirmen, indem sie etwa in vollklimatisierten Räumen leben. Sie verschenken die beste Trainingsmöglichkeit und dürfen sich nicht wundern, wenn sie pausenlos krank sind. Andere wollen besonders viel für ihre Gesundheit tun und raffen sich auf zu geradezu gewalttätigen Maßnahmen, etwa im Ertragen größter Kälte. Doch dies ist letztlich ebenfalls kein Training, sondern nur eine einseitige Überbelastung.

Übertriebene Hygiene erhöht die Anfälligkeit.

Weder völlige Abschottung noch Gewaltmaßnahmen tun dem Immunsystem gut.

II. Das alles behindert das Immunsystem

Das Immunsystem braucht ein angepasstes Training.

Pfarrer Kneipp hatte das ganz richtig erkannt: nicht einseitige Maßnahmen trainieren, sondern das Wechselspiel der Reize. Der Körper muss dahin gebracht werden, auf Kälte gelassen zu reagieren, sie so perfekt wie möglich abzuschirmen und dann sofort wieder tüchtig einzuheizen, also für eine gesunde Durchblutung zu sorgen. Kneipp-Methoden wären falsch verstanden, würde man darunter besonders harte Kraftakte sehen. Wir sollen uns nicht nach dem Aufstehen unter die eiskalte Dusche stellen, sondern wir werden aufgefordert, unseren Körper mit Wärme und Kälte »aufzuwecken« – und zwar dem momentanen Trainingsstand angepasst, erst sanft, dann langsam steigernd. Training heißt ja, die Leistung nach und nach zu verbessern und nicht, auf Anhieb Höchstleistungen zu riskieren.

Pfarrer Kneipp fand ganz richtig das höchst einfache, aber ungemein wichtige Grundprinzip eines gesunden Anpassungstrainings: Wenn es draußen kalt und nass ist, braucht der Körper als Ausgleich die trockene Hitze, die am wirkungsvollsten in der Sauna angeboten wird. Ist die Luft dagegen trocken und heiß, dann bringt kaltes Wasser den besten Gegenpart.

Ist das Wetter einseitig belastend, bietet die Physiotherapie Ausgleich.

Anders gesagt: Das Wetter kann oft nur die eine Seite des Trainings darstellen. Sobald es einseitig belastet, kann die Physiotherapie den heilsamen Ausgleich bieten. Wer so seinen »biologischen Thermostat« richtig trainiert, der kann tatsächlich von den vielen kleinen, scheinbar so unbedeutenden, in Wahrheit aber oft folgenschweren Infektionen verschont bleiben. Einzig wichtig ist bei allen Maßnahmen, dass eine vorübergehende, der Wärmeregulierung wegen blockierte Durchblutung jeweils sofort vom Organismus selbst wieder aufgehoben wird, damit die

II. Das alles behindert das Immunsystem

Abwehrzellen in ihrer Arbeit nicht unnötig lange behindert werden.

Um es noch einmal herauszustellen: Wir sollen keine Angst haben, weder vor Hitze noch vor Kälte, weder vor dem Schwitzen noch vor dem Frieren. Es ist auch keine Katastrophe, wenn wir einmal in einem Unwetter richtig durchnässt werden. Solange wir uns hinterher bald wieder wohl fühlen, war das eine gesunde Erfahrung, ein echtes Training. Wir müssen deshalb bei jeder Witterung an die frische Luft. Nur gilt es, danach dafür zu sorgen, dass die Füße wieder wohlig warm werden. Wenn das nicht der Fall ist, müssen wir mit einem Wechselfußbad entsprechend nachhelfen, bis der »biologische Thermostat« wieder gesund – und das heißt maßvoll – funktioniert.

Gehen Sie bei jedem Wetter an die Luft.

Auf diese Zusammenhänge bin ich hier deshalb so ausführlich eingegangen, weil es keine andere Maßnahme gibt, mit der wir so direkt auf das Immunsystem einwirken können wie mit dem Training der Wärmeregulierung. Gerade weil das Immunsystem so stark abhängig ist von der richtigen Antwort unseres Körpers auf Temperaturveränderungen, können wir mit keinem anderen Training so unmittelbar und positiv auf das Immunsystem einwirken wie mit einer vernünftigen »Abhärtung«. Allerdings muss gleich hinzugefügt werden – die nächsten Darlegungen werden es bestätigen: Das kann noch nicht alles sein. Es genügt nicht, schlagkräftige, wache Abwehrkräfte zu besitzen. Sie müssen nicht nur vital und einsatzfreudig sein, sondern sie brauchen darüber hinaus auch das richtige »Wissen«. Denn das aggressivste Immunsystem kann nicht nur nicht ausreichend sein, es kann in seiner Angriffslust sogar bedrohlich werden, wenn es nicht mehr weiß, wann und wo es ein-

Abhärtung ja – aber mit Vernunft.

II. Das alles behindert das Immunsystem

Ein aktives Immunsystem ist nicht alles – auf das richtige Wissen kommt es an.

greifen muss. Denken wir nur an die sich immer noch weiter verbreitenden Allergien: Dabei fehlt es dem Immunsystem nicht an Einsatzbereitschaft und Aktivität. Ganz im Gegenteil. Es greift sehr vehement sogar harmlose Substanzen an, weil es diese nicht von gefährlichen Krankheitserregern unterscheiden kann. Mit Kneipp'schen Methoden kann diese krankhaft überempfindliche Reaktion kaum korrigiert werden; dafür bedarf es anderer Mittel und Methoden, die an den Ursachen ansetzen. Wer mehr darüber wissen will, den möchte ich auf mein Buch »Allergie Stopp« verweisen.

Das heißt aber: Zu einem kompletten Immun-Training gehört doch noch wesentlich mehr.

3. Psycho-Neuro-Immunologie: Die Seele und das Immunsystem

Es ist eine Tatsache, die nicht zu leugnen ist: Auch jene, die mit jedem Wetter und selbst mit der ärgsten Witterung vertraut sind, bleiben vor schlimmen Infektionen nicht immer verschont. Und auch sie müssen mit chronischen Leiden rechnen. So ist beispielsweise die Landbevölkerung, die so viel Zeit bei Arbeiten an frischer Luft verbringt, nicht gesünder als die Stadtbevölkerung.

Das Wetter ist nur ein Umweltfaktor von vielen.

Das ist nur auf den ersten Blick verwunderlich. Bei näherem Hinsehen wird uns klar, dass neben Wetter und Klima noch zahlreiche andere Faktoren unsere Umwelt bilden – und auch sie verlangen von uns pausenlos Antworten. Dazu gehören nicht zuletzt unsere Mitmenschen. Wir leben in einer ebenso fordernden wie bedrohlichen Gesellschaft, die uns zu Reaktionen zwingt. Wir tun es, indem wir Ehrgeiz ent-

II. Das alles behindert das Immunsystem

wickeln, uns zur Wehr setzen, um eine bessere Position kämpfen oder Angriffe auf die eigene Stellung durch nachrückende Kräfte abwehren. Wir reagieren erfreut, betrübt, aggressiv, niedergeschlagen, ängstlich, traurig, enttäuscht – und das alles hat, wie wir heute wissen, seine ganz direkten Auswirkungen auf das Immunsystem. Lange Zeit sind solche Zusammenhänge entschieden bestritten und geleugnet worden. Unser Abwehrsystem ist voll autonom, behaupteten die Experten. Und sie konnten diese Aussage eindrucksvoll belegen: Bringt man Zellen des Immunsystems im Reagenzglas mit Bakterien oder Viren zusammen, dann kann man alsbald beobachten, wie sie diese orten und angreifen. Ganz offensichtlich brauchen sie kein Angriffssignal und keine Vernichtungserlaubnis von irgendeiner Zentrale. Sie stürzen sich auf ihre Opfer wie die Katze auf die Maus.

Lange glaubte man, unser Immunsystem sei völlig autonom.

Solche Beobachtungen haben dazu geführt, psychische Faktoren als »Abwehrbremse« oder auch als Immunstimulatoren entschieden abzulehnen und gar nicht erst in Erwägung zu ziehen. Das hat sich in den letzten Jahren allerdings gründlich geändert. In den USA ist ein völlig neuer Zweig medizinischer Wissenschaft herangewachsen, der auch bei uns immer größere Beachtung und Bedeutung findet. Er heißt Psycho-Immunologie oder noch direkter Psycho-Neuro-Immunologie. Aus dieser Forschungsrichtung gelangen nun völlig andere Einsichten und Feststellungen zu uns. An der Universität von Alabama in Birmingham (USA) nennt man das Immunsystem inzwischen unseren sechsten Sinn. Die Forscher sind überzeugt davon: Man muss unser Immunsystem als Sinnesorgan betrachten, so eng sind Nerven-

Das Abwehrsystem ist unser sechster Sinn.

II. Das alles behindert das Immunsystem

system und Immunsystem miteinander verflochten. Die fünf Sinnesorgane sehen, hören, riechen, schmecken und ertasten die Umwelt. Das Immunsystem beurteilt alle diese Sinneseindrücke, bewertet sie und sorgt für die richtigen Antworten. Es reagiert ganz unmittelbar auf das, was wir fühlen und empfinden, ja auf scheinbar flüchtigste Gedanken.

Lachen hält tatsächlich gesund!

Der Volksmund behauptet es schon immer: Lachen hält gesund! Die amerikanische Psychologin Kathleen M. Dillon hat Ende der 80er-Jahre nachgewiesen, dass das tatsächlich stimmt. Lachen stärkt sogar schlagartig das Immunsystem. Die Psychologin nahm Speichelproben von freiwilligen Studenten, um darin spezielle Abwehrzellen zu zählen. Daraufhin durften sich die Studenten zwei Filme ansehen, einen unproblematischen kleinen Tierfilm und eine zwerchfellerschütternde Komödie. Nach jedem Film wurden erneut Speichelproben genommen. Das Ergebnis ist nun doch sehr interessant: Nach dem ersten Film, der kaum Gemütsbewegungen auslöste, hatte sich am Immunstatus nichts geändert. Nach dem Film, der die Probanden zum Lachen brachte, waren die Abwehrzellen deutlich vermehrt. Es muss also einen direkten »Draht« zwischen Seele und Immunsystem geben.

Seele und Immunsystem kommunizieren miteinander.

Zwei Tierversuche machten deutlich, wie sich andererseits Erwartungsängste negativ auf das Immunsystem auswirken können: Das erste Experiment ist 1985 durchgeführt worden und als Kampfer-Test in die Geschichte eingegangen: Man bestäubte Versuchstiere mit einer harmlosen Kampferwolke. Der Kampfer riecht auffällig und wird nicht gerade als angenehm empfunden. Doch er löst normalerweise im Körper keinerlei Reaktionen aus. Das zeigte sich auch in dieser ersten Stufe des Tests: Im Blut der Tiere

II. Das alles behindert das Immunsystem

ließen sich keinerlei Veränderungen in den Abwehrmechanismen feststellen. Nun wiederholte man den Vorgang, setzte dem Kampfer aber ein Medikament zu, von dem bekannt war, dass es die Bildung der so genannten »Killerzellen« anregt. Die Tiere reagierten wiederum wie erwartet: Die Zahl der Killerzellen schnellte in die Höhe. Diesen zweiten Schritt der Versuchsanordnung wiederholte man in regelmäßigen Abständen insgesamt acht Mal. Jede Bestäubung der Tiere mit Kampfer plus Medikament führte zu einem deutlichen Anstieg der Killerzellen. Danach folgte der dritte und entscheidende Schritt: Das Medikament wurde wieder abgesetzt. Man hüllte die Versuchstiere wieder wie zu Beginn des Experimentes in die harmlose Kampferwolke. Ihr Organismus hätte folgerichtig registrieren müssen: Lediglich Kampfer, keine Gefahr! Doch weit gefehlt. Die Tiere hatten inzwischen »gelernt«. Ihr Immunsystem »erinnerte« sich an die gemachten Erfahrungen: Die letzten Male bedeutete dieser Geruch Gefahr! Also handelte das Immunsystem entsprechend: Es produ- zierte wie zuvor bei der Beimischung des Medikamentes Killerzellen. Und das blieb so auch in weiteren Tests. Die Reaktion des Immunsystems ist also nicht von einer Substanz ausgelöst worden, sondern von der Erinnerung. Ganz ähnlich verlief ein Versuch mit Mäusen. Sie erhielten mit einer Süßstofflösung einen Lymphozyten-Hemmstoff verabreicht, der Unwohlsein verursacht. Nach mehrmaliger Fütterung reichte auch in diesem Fall der Süßstoff ohne Lymphozyten-Hemmer aus, die konditionierte Immunschwächung und das Unwohlsein auszulösen. Wieder hat das Immunsystem auf eine falsche »Meldung« hin reagiert. Es scheint also doch eine anfeuernde oder hemmende

Das Immunsystem lernt auch aus psychischen Erfahrungen.

II. Das alles behindert das Immunsystem

Steuerung des Immunsystems vom Gehirn aus zu geben.

Eine Forschergruppe an der Universität Trier konnte zeigen, dass das nicht nur bei Tieren, sondern ebenso bei Menschen der Fall ist. Sie machten sich die Tatsache zunutze, dass das Hormon Adrenalin die Aktivität der Killerzellen steigert. Freiwilligen Versuchspersonen verabreichten sie einige Tage hintereinander harmlose Adrenalin-Injektionen. Vor und nach der Injektion wurde mit einem speziellen Verfahren die Aktivität der Killerzellen gemessen. Wie erwartet, stieg diese Aktivität innerhalb einer Stunde merklich an. Nach fünf Tagen wurde das Adrenalin, ohne dass die Versuchspersonen davon wussten, durch eine einfache Salzlösung ersetzt, die an sich keinen Effekt auf das Immunsystem hätte haben dürfen. Doch bei den Versuchspersonen war nun auch bei der Salzlösung, genau wie beim Adrenalin, eine deutliche »Aufrüstung« der Killerzellen zu beobachten. Ihr Immunsystem reagierte, als bekäme es das Adrenalin, weil ihm gemeldet wurde, es müsse sich wie bei den vorherigen Injektionen um Adrenalin handeln. Das alles beweist nun doch, dass unser Immunsystem keineswegs so autonom reagiert, wie bisher angenommen wurde. Wie man neuerdings weiß, ist das lymphatische Gewebe auch über direkte Nervenleitungen mit dem Gehirn verbunden. Auf bestimmte Signale hin werden Hormone ausgeschüttet, die sich an Rezeptoren der Lymphozyten anlagern. Trennt man solche Nervenleitungen durch, verliert das Immunsystem an Wirkung. Die Psycho-Neuro-Immunologie befasst sich speziell mit den Vorgängen, die sich zwischen Gehirn, Nervensystem, Hormonsystem und Immunsystem abspielen.

Unsere Abwehrzellen reagieren auf falsche Erwartungen.

Ein neues Forschungsgebiet – die Psycho-Neuro-Immunologie

II. Das alles behindert das Immunsystem

Nun versteht man plötzlich die Aussagen erfahrener Ärzte, die uns immer wieder warnen: »Die Angst eines völlig Gesunden vor Krebs führt sicherer und schneller zum Tumor als Millionen Krebszellen.« Die Angst irritiert und schwächt pausenlos das Immunsystem. Angst macht anfällig für Infektionen. Angst ist ein schlimmer Krankmacher!

Angst macht krank.

Das alles ist keineswegs so neu, wie es sich anhören könnte. Wir sind gegenwärtig nur dabei, das wissenschaftliche Fundament zu legen für das, was zu allen Zeiten selbstverständlich gewesen ist. Schon der griechische Arzt am römischen Kaiserhof, Galenus, hat beobachtet, dass »melancholische« Frauen, also Frauen mit starken Depressionen, häufiger an Brustkrebs erkrankten als glückliche und zufriedene Frauen. Die alten Chinesen wussten vor 5000 Jahren schon, dass Angst nicht nur Magenschmerzen und Durchfall auslösen kann, sondern auch ganz direkt auf das Abwehrsystem und auf Organfunktionen einwirkt. Die Freude haben sie dem Herz zugeordnet, Trauer und Kummer der Lunge. Die Tuberkulose galt als das Leiden der Verzagten – eine Meinung, die auch in unserer Heimat vor rund 100 Jahren noch weit verbreitet war. Das Grübeln, sagten die Chinesen, drückt auf die Milz – eines der wichtigsten Abwehrorgane unseres Körpers –, Angst und Furcht schädigen die Nieren.

Emotionen beeinflussen unterschiedliche Organsysteme.

Zu allen Zeiten war bekannt, dass man Warzen besonders schnell und problemlos wegbringen kann, wenn es gelingt, den Patienten von der Wirksamkeit irgendeines »Zaubers« oder eines Gebetes zu überzeugen. Was man nicht wusste, sonst hätte man solche Versuche wahrscheinlich gar nicht angestellt, ist die Tatsache, dass es sich bei Warzen um die Folgen

II. Das alles behindert das Immunsystem

Der Glaube versetzt Berge.

einer Virusinfektion handelt. Vieles traut man der Kraft des Glaubens zu, aber sollte der Glaube auch Viren vernichten und ihr Zerstörungswerk am Körper reparieren können?
Die neuesten Forschungen in der Psycho-Neuro-Immunologie zeigen, dass die Zusammenhänge viel einfacher sind und dass wir einfach noch falsch denken: Der Kummer »bricht« kein Herz. Doch er vermeldet dem Immunsystem: »Die Situation ist hoffnungslos. Es hat keinen Sinn mehr, sich groß aufzubäumen!« Und solche Meldungen werden offensichtlich verstanden und ganz wörtlich genommen. Nicht die Gefahr von außen ist bedrohlich, sondern die Antwort darauf. Wie oft habe ich als Arzt erlebt – und jeder, der sich mit kranken Menschen abgibt, könnte ähnliche Erfahrungen berichten –, dass Menschen in einem hoffnungslosen Zustand sagten: »Ich darf noch nicht sterben. Ich muss erst noch dies oder jenes erledigen.« Und dann starben sie auch nicht, bis sie ihr Ziel erreicht hatten. Umgekehrt begegnet man immer wieder Menschen, denen eigentlich nichts fehlt. Doch sind sie lebensmüde. Sie sagen: »Ich mag nicht mehr!« In solchen Fällen ist alle ärztliche Kunst vergeben. Die Lebensflamme erlischt.

Unsere Gesundheit hängt auch von unserer Einstellung ab.

Wie oft können wir Ärzte einen direkten Zusammenhang zwischen einem besonders harten Schicksalsschlag und der unmittelbar nachfolgenden Erkrankung beobachten: Eine Frau verliert nach zehn Jahren glücklicher Ehe ihren Mann durch einen Verkehrsunfall. Sie ist erst 31 Jahre alt, aber von dem herben Verlust so tief betroffen, dass sie wenige Monate nach dem Tod ihres Mannes vorzeitig in die Wechseljahre kommt. Wieder nur mehrere Monate

II. Das alles behindert das Immunsystem

später muss sie sich einer schweren Krebsoperation unterziehen. Beides, das darf man mit Bestimmtheit sagen, sowohl die verfrühte Menopause wie auch die Krebserkrankung, wäre ihr ohne das Leid der jähen Trennung erspart geblieben. Diese Frau hat es selbst niemals laut ausgesprochen, dass sie nicht mehr leben möchte. Doch das, was sie empfand, was sie entgegen ihrer Äußerungen wirklich dachte und wollte, das ist von ihrem vegetativen Nervensystem und somit von den Hormondrüsen und nicht zuletzt vom Immunsystem verstanden worden: »Es lohnt sich nicht mehr. Ohne meinen Mann hat dieses Leben keinen Sinn mehr.« Das Immunsystem nimmt das ganz wörtlich. Man kann es nicht belügen!

Wer lebensmüde ist, wird krank.

Lassen Sie mich ein weiteres Beispiel anführen, das ebenso deutlich die Zusammenhänge zwischen Seele und Immunsystem widerspiegelt: Nach einer Brustkrebsoperation kam eine sehr liebenswerte Frau aus Innsbruck zu uns. Sie war die Mutter von vier Töchtern. Diese bereiteten ihr, wie sie mir erzählte, nur Kummer. Sie waren nicht verheiratet, hatten aber Kinder und verkehrten nach ihren Vorstellungen in den untersten sozialen Schichten. Sie hatte erfahren, dass zumindest eine der Töchter auch mit Rauschgift in Kontakt gekommen war. Als diese Frau mir ihr Herz ausschüttete, begann sie zu weinen und sagte: »Was habe ich nur falsch gemacht? Ich finde schon keinen Schlaf mehr, weil mich die furchtbare Schuld quält: Ich bin schuld, dass meine Kinder so missraten sind. Ich hätte sie besser erziehen müssen!«

Sollte es Zufall sein, dass diese Frau an Brustkrebs erkrankte? Ich kenne viele Dutzend ähnlicher Fälle, die beinahe wie eine Art Selbstbestrafung aussehen:

II. Das alles behindert das Immunsystem

Schuldgefühle verleiten das Immunsystem dazu, Fehler zuzulassen.

Am wichtigsten ist Ehrlichkeit sich selbst gegenüber.

Ich möchte noch einmal ausdrücklich betonen, und das sollten Sie unbedingt beherzigen und sehr wörtlich nehmen: Es genügt nicht, über die Zusammenhänge zwischen Gedanken, Nervensystem und Immunsystem Bescheid zu wissen. Man muss, um gesund zu bleiben, auch absolute Ehrlichkeit aufbringen. Sie können Ihrem Partner, den Kindern, den Eltern und den besten Freunden etwas vormachen. Die Zentrale Ihres Körpers, die die entsprechenden Signale an Organe, Drüsen, Immunsystem weitergibt, lässt sich nicht belügen. Niemals. Es nützt nichts, um wieder ein Beispiel zu nennen, sich selbst einreden zu wollen: »Ich habe meinen Krebs besiegt!« Wenn auch nur der geringste Zweifel an dieser Feststellung besteht, wenn man im Innersten fürchtet, dass es tatsächlich doch nicht so ist, dann wird das Immunsystem sich an den Zweifel und an die Befürchtungen halten. Mit Willensanstrengungen oder mit Selbsttäuschungen erreichen Sie überhaupt nichts, solange die tiefe Überzeugung fehlt. Sie können auch nicht so tun, als hätten Sie einen schweren Konflikt gelöst, eine bittere Enttäuschung verkraftet. Solange unterschwellig auch nur ein Rest von Kummer oder Angst oder Hassgefühlen zurückbleibt, solange hört Ihr Körper auf diese Signale.

Der Körper lässt sich nicht belügen.

Das bedeutet aber: Ein wirksames Immun-Training kann sich keineswegs auf ein körperliches Training beschränken, so hilfreich es sein mag, auch die Seele ist aufzumuntern. Körperliche Ertüchtigung könnte zwar die Muskeln kräftigen und zur besseren Durchblutung der Haut beitragen, vielleicht auch Herz und Kreislauf stärken. Für das Immunsystem ist es nur hilf-

II. Das alles behindert das Immunsystem

reich, wenn es zugleich Spaß bereitet und glücklich macht.
Das Immun-Training beginnt nicht in den Beinen, sondern im Kopf!
Das ist der vielleicht wichtigste Satz in diesem Buch. Sie sollten ihn aufschreiben und über den Schreibtisch hängen und keinen Tag beginnen, ohne sich daran erinnert zu haben!

Ein gesundes Immunsystem beginnt im Kopf!

4. Stress – und seine krank machenden Folgen

Ein besonders deutliches Beispiel für die Auswirkungen seelischer und gedanklicher Einwirkungen auf unser Immunsystem ist das, was wir gewöhnlich mit Stress bezeichnen. Gemeint damit ist nicht der tägliche Einsatz bis zur völligen Erschöpfung, sind auch nicht die Überfülle an Pflichten und das hohe Tempo, das uns abverlangt wird. Das alles macht noch nicht krank, solange eine gewisse Begeisterung und Freude damit verbunden ist. Der Stress, der hier als bedrohlich geschildert wird, ist der Zustand ständiger Angst, dem Leben nicht gewachsen zu sein, im Beruf, in der Partnerschaft, in der gesellschaftlichen Position zu scheitern. Wir steigern uns in einen maßlosen Ehrgeiz hinein, um tüchtiger zu sein als Konkurrenten. Wir fühlen uns bedroht, hintergangen, ausgenutzt, vielfach auch einfach hilflos und erfüllt von Argwohn. Damit aber setzen wir ständig einen im Grunde segensreichen Mechanismus in Gang, den die Natur als lebensrettende Notfallreaktion eingerichtet hat: Wie vor Jahrmillionen gibt es auch heute noch Situationen, in denen uns keine Zeit bleibt, lange Entscheidungen zu treffen. Es muss sofort und ganz spontan reagiert werden. Früher waren es Begeg-

Stress setzt eine Notfallreaktion des Körpers in Gang.

II. Das alles behindert das Immunsystem

Ohne Stressreaktion hätte der Mensch nicht überlebt.

nungen mit wilden Tieren, mit Feinden, mit Naturgewalten, die ein blitzschnelles Reagieren verlangten. Ohne den Stressmechanismus hätte die Menschheit keine Überlebenschance besessen. Heute stehen wir vielleicht einem heranbrausenden Auto auf der Straße gegenüber und können uns nur mit einem Sprung zur Seite retten. Ob wir nun springen, einen Schritt zurücktreten oder wie gelähmt stehen bleiben: es geschieht automatisch, ohne langes Überlegen. Unser Organismus hat auf Reflex geschaltet und nach dem »eingefleischten Programm« gehandelt – ob das nun richtig war oder nicht. Dabei hat er zugleich Kräfte entfaltet, über die wir normalerweise vielleicht gar nicht verfügen.

Diese Stressreaktion wurde nur möglich, weil unser Organismus auf einen Sinnesreiz hin, der Gefahr signalisierte, schlagartig alles abgeschaltet hat, was die sofortige Reaktion hätte behindern können. Dieses Abschalten kann man beispielsweise beim Autofahren beobachten: Mitten im Satz verstummt der Fahrer, reißt das Steuer herum oder tritt auf die Bremse. Er kommt weder dazu, das Ausweichmanöver zu überdenken und zu planen, noch kann er die begonnene Denkleistung zu Ende bringen. Das Gefährliche an solchen stressbedingten Denkausfällen ist ja gerade, dass das rasche und rechte Verhalten in Fleisch und Blut übergegangen sein muss. Wenn das nicht der Fall ist, reagieren wir verhängnisvoll falsch.

Unter Stress schaltet der Körper bestimmte Vorgänge ab.

Wie das Denken, so werden in solchen Augenblicken auch viele andere Körperfunktionen abgeschaltet, etwa die Verdauung, die Wärmeregulierung, sexuelle Ansprechbarkeit und vieles andere mehr. Alle Kräfte werden gebraucht, die Voraussetzungen für eine sofortige, ungewöhnliche Leistung zu schaf-

II. Das alles behindert das Immunsystem

fen. Es wird noch einige Zeit ein Rätsel bleiben, wieso das alles überhaupt so blitzartig funktionieren kann. Doch die Stressmechanismen sind ein eindrucksvolles Beispiel dafür, wozu unsere Körperkräfte im Notfall fähig sind:

Es schießen »Aufweckhormone« ins Blut; Herzschlag und Atmung gehen schneller und heftiger; der Blutdruck steigt an. Im Nu sind die Muskeln um das Doppelte besser durchblutet und mit »Betriebsstoffen«, also mit Zucker und Fetten, versehen; selbst das Blut wird enzymatisch verändert, damit es gegebenenfalls schneller gerinnt: Stressalarm, das hieß früher eben Aufrüstung für den Kampf um Leben und Tod. Zweifellos ist er eine der imponierendsten Leistungen unseres Organismus, eine perfekte Antwort auf eine Bedrohung aus der Umwelt.

Stress lässt Aufweckhormone ins Blut schießen.

Das Fatale an dieser Reaktion ist nicht, dass es sie heute noch gibt. Wie gesehen, geraten wir nach wie vor in Situationen, in denen uns nur eine Stressreaktion retten kann. Schlimm ist dagegen, dass wir unentwegt auf völlig überflüssige Weise in solchen Stress geraten, obwohl nicht die geringste Gefahr oder Bedrohung gegeben ist. Es ergeht uns wie den Versuchstieren in der Kampferwolke: Unser Kopf vermeldet dem Organismus eine Gefahr, die gar nicht existiert. Und der ist wieder einmal zur Reaktion gezwungen.

Gefährlich ist der Dauerstress ohne reale Bedrohung.

Stress wird heute ausgelöst bei einer Begegnung mit dem Chef, durch Termindruck, Karrieresucht, Partnerschaftsprobleme – und nicht zuletzt durch die Angst vor Leid und Krankheit. Jedes Mal aber, wenn solche Befürchtungen, Sorgen, Versagensängste auch nur in geheimsten Gedanken auftauchen, wird der Alarm ausgelöst – mit allen »Abschaltungen« und

II. Das alles behindert das Immunsystem

»Ankurbelungen«. Unser Körper muss völlig verändert reagieren.

Hier soll keineswegs der Stress verteufelt werden. Ohne die gesunde Form der starken Anspannung wäre keine echte Leistung möglich und auch kein rechtes Wohlbefinden. Stress als Mobilisator der Stoffwechselprozesse ist ein unschätzbarer Heilfaktor – vorausgesetzt, er wird nicht zum einseitigen Dauerzustand; vorausgesetzt auch, wir sorgen nach jeder Stresssituation für einen natürlichen Abbau der Stressfolgen: Der Zucker, die Fette müssen wieder aus dem Blut, ohne dass der Organismus gezwungen wird, komplizierte Stoffwechselprozesse in Gang zu setzen. Das Blut muss von der erhöhten Gerinnungsfähigkeit befreit werden, damit sich keine Thromben bilden und somit kein Infarkt. Was uns hier aber am meisten interessiert – obwohl das alles auch mit dazugehört: Das Immunsystem muss Zeit und Gelegenheit finden, zur normalen Aktivität zurückzukehren. Wie wir gesehen haben, verändert das »Aufweckhormon« Adrenalin die Aktivität zumindest mancher Abwehrzellen. Adrenalin ist aber bei jeder Stresssituation entscheidend beteiligt. Akuter Stress hemmt das Immunsystem kurzzeitig, andauernder Stress dagegen führt zu einem erhöhten Risiko, an Infekten und Krebs zu erkranken, sowie zu Herz-Kreislauf-Erkrankungen. Wie wir gesehen haben, verändert das »Aufweckhormon« Adrenalin die Aktivität zumindest mancher Abwehrzellen. Adrenalin ist aber bei jeder Stresssituation entscheidend beteiligt. Nach dem biologischen Grundgesetz, das wir am Anfang dieses Buches kennen gelernt haben, muss eine pausenlose Alarmsituation zur Überforderung und damit zur Erschöpfung führen. So gibt es längst keinen Zweifel mehr daran, dass viele vermeintliche »Erkältungen«

Ein gewisses Maß an Stress ist gesund.

Adrenalin schwächt die Abwehrzellen.

II. Das alles behindert das Immunsystem

nicht aus Temperaturveränderungen resultieren, sondern durch übermäßigen Stress und durch zu wenig entspannenden Schlaf zustande kommen. Auch »Verschnupfungen« des Gemüts und Ärger können – wie der Volksmund sehr richtig sagt – »Erkältungen« auslösen. Wir sind dann »verschnupft«!

Manche Erkältung ist stressbedingt.

Für unser Thema »Immun-Training« ist besonders alarmierend, was Professor Dr. Hans Selye, der Vater der Stressforschung, nachweisen konnte: Unentwegter Über-Stress führt zu Entzündungen und Verkümmerungen der Nebennierenrinde, womit dem Körper dann so wertvolle Hormone wie Cortison und andere fehlen. Dauer-Stress richtet schwerste Schädigungen an der Milz und an anderen Lymphknoten an. Kurz gesagt: Menschen, die unentwegt in übermäßigem Stress stehen, sind besonders infektionsanfällig. Um es noch einmal herauszustellen: Nicht die harte Arbeit macht krank, nicht einmal die Arbeitswut, nicht das zeitweise übermäßige Pensum. Das Immunsystem wird geschädigt durch den pausenlosen sinnlosen Alarm. Nicht zuletzt deshalb gehört bei uns in der Schwarzwald Privatklinik Obertal das Autogene Training schon beinahe unverzichtbar zu jeglichem Immun-Training. Der moderne Mensch braucht kaum etwas anderes so notwendig wie die Fähigkeit, richtig abzuschalten, immer wieder tief durchzuatmen, sich zu entspannen und an etwas Erfreuliches zu denken. Das muss in jeder Situation gelingen.

Autogenes Training gegen Dauerstress

5. Rufen Sie Ihre körpereigenen »Drogen« ab!

Die Freude muss immer und überall dabei sein, denn mit ihr im Bunde ist alles andere lösbar.

II. Das alles behindert das Immunsystem

Woher soll sie kommen, wie sollte ich mich, solange die Sorgen drücken, freuen können – und worüber, wenn ich doch nur verzweifelt und trostlos bin? Ist es nicht unmenschlich und unmöglich zugleich, zu fordern, ich soll mich über irgendetwas freuen, wenn ich gerade meinen Partner verloren habe? Wie kann ein moderner Mensch sich angesichts der Umweltzerstörungen und der doch sehr zweifelhaften Zukunft der Menschheit überhaupt noch freuen? Sind wir nicht gezwungen, uns immer noch mehr Sorgen zu machen?

Freude setzt körpereigene Drogen frei.

Das ist genau der Punkt, an dem das Immun-Training ansetzen muss: Unser Immunsystem kann sich nur befreit und ungehemmt seinen vielfältigen Aufgaben widmen, wenn die »Sperre« im Kopf gelöst wird. Sie zu lösen ist aber Aufgabe körpereigener Drogen, die ein kleines Zentrum in unserem Gehirn herstellt. Diese Drogen aber gelangen nur ins Blut, wenn sie in der Freude »abgerufen« werden.

Unser Gehirn ist unter anderem ein Drogenlabor.

Diese Entdeckung ist ebenfalls noch ganz neu: In unserem Gehirn gibt es einen kleinen Bezirk, der nichts mit Denken, Erinnern, Speichern von Erfahrungen zu tun hat. Er ist ein Hochleistungslabor von unglaublicher Fähigkeit: In ihm werden »Drogen« produziert. Ihrer chemischen Struktur nach sind sie manchen Rauschgiften zum Verwechseln ähnlich. Wenn diese Drogen, man nennt sie Endorphine, ins Blut gelangen, vermitteln sie jenes bekannte Glücksgefühl, das uns gelegentlich überfällt, wenn wir wunderschöne Musik hören, einem besonders sympathischen Menschen begegnen oder sonst ein »bewegendes« Erlebnis haben. »Bewegend« ist ganz richtig, denn immer dann, wenn wir etwas Beglückendes, Schönes in uns aufnehmen und uns darüber freuen

II. Das alles behindert das Immunsystem

– und wäre es nur der Anblick einer kleinen Blume am Wegesrand –, schüttet unser Gehirnlabor seine »Glücksdrogen« ins Blut. Und dann fühlen wir uns plötzlich wie berauscht, beschwingt, innerlich wohl. Genau diese Voraussetzungen braucht aber unser Immunsystem, um ungehindert alle Kräfte sammeln und ordnen zu können. Denn die »Drogen« gelangen auch zu ihm.

Das Immunsystem braucht die körpereigenen Glücksdrogen.

Die Versorgung unseres Körpers mit Endorphinen ist nun wiederum von den beiden grundlegenden Fehlern bedroht: Entweder rufen wir die Drogen nicht mehr ab, weil wir uns in bitterer Resignation eingeredet haben, diese Welt habe doch nichts Beglückendes zu bieten. Dann wird unser »Labor« im Gehirn seine Produktion früher oder später einstellen. Oder wir lassen so viele Reize auf uns hereinprasseln – mit pausenloser Musikberieselung, mit stundenlangem Fernsehen, mit unmäßigen Gaumenfreuden und dergleichen mehr –, dass sich das »Drogenlabor« erschöpft oder das Immunsystem auf die Drogen nicht mehr reagiert.

Resignation und Reizüberflutung lassen den Drogenfluss versiegen.

Der erste Schritt zu einem effektiven Immun-Training heißt deshalb: Wir dürfen keine Verbitterung zulassen, was immer uns begegnet sein mag. Wir dürfen uns bei aller Traurigkeit, bei noch so großen Enttäuschungen nicht den kleinen Alltagsfreuden verschließen, sondern müssen sie in uns aufnehmen. Wir müssen unsere Sinne öffnen und sie die Kostbarkeiten des Lebens kosten lassen – über die Augen, die Ohren, die Nase, die Zunge, über die Haut –, und zwar ganz bewusst, sonst bleiben die selbst fabrizierten Drogen verschlossen in ihrem Labor. Wir benötigen sie aber im Blut. Unser Immunsystem braucht sie! Wenn wir aber verbittert sind, haben wir nur dann

II. Das alles behindert das Immunsystem

eine Chance, unsere Gesundheit zu retten oder wiederherzustellen, wenn es uns gelingt, diese Verschlossenheit gegenüber unserer Umwelt zu durchbrechen und zu innerer Ausgeglichenheit und Lockerheit zurückzufinden.

Genau dasselbe gilt im Falle einer gestörten Gesundheit: Die erste Frage dürfte nicht lauten: Warum hat das ausgerechnet mich getroffen – wie so viele Patienten herumgrübeln. Sie müssten sich fragen: Wie kann ich es anstellen, dass ich wieder eine positive Lebenseinstellung zurückgewinne, damit die Heilkräfte meines Körpers erfahren, dass ich wirklich an einer Genesung interessiert bin?

Lassen Sie Ihre Heilkräfte wissen, dass Sie wieder gesund werden wollen.

Ich persönlich bin überzeugt davon – auch das gehört hierher –, dass die immer häufiger zu beobachtenden Allergien auch viel mit der Angst vor Giften und Schadstoffen in unseren Lebensmitteln, in unserer Luft, im Wasser zu tun haben. Vielleicht ist es uns gar nicht bewusst, dass diese Angst beim Atmen und beim Essen immer dabei ist. Das Immunsystem verspürt sie – und reagiert. Die Befürchtungen lassen sich gewiss nicht einfach vom Tisch wischen. Die Gefahren sind nun einmal größer geworden. Doch vielleicht gewinnen wir nach und nach doch etwas mehr Vertrauen in die wunderbaren Fähigkeiten unseres Immunsystems, sodass sich dieses tatsächlich beruhigen lässt und seine Irritation aufgibt, weil die falschen Signale ausbleiben.

Allergien durch Angst vor Umweltgiften und Schadstoffen?

Auf der anderen Seite muss der Mensch unserer Tage für ein Eindämmen der Reizflut sorgen. Ich habe es schon in früheren Büchern erwähnt und möchte es hier wiederholen: Gemessen an der Summe der Erlebnisse eines Menschen noch vor 100 Jahren, sammeln wir durch das, was über die modernen Medien

II. Das alles behindert das Immunsystem

auf uns hereinstürmt, ein Vielfaches an. Das alles aber will, im wahrsten Sinn des Wortes, »verdaut« sein. Jede seelische Regung vor dem Fernsehgerät löst vielfältige Reaktionen in unserem Körper aus. Wenn wir mit dem Krimihelden zittern, dann können wir unserem Körper nicht vormachen, es handle sich ja nur um ein Spiel, um etwas Unwirkliches. Er empfindet die Wirklichkeit des Erlebens. Er schüttet Adrenalin aus, um nur eine Reaktion zu erwähnen. Er setzt damit die Abwehrzellen in erhöhten Alarmzustand. Wir dürfen das nicht als Bagatelle abtun. Deshalb ist heute eine Abschirmung von Umweltreizen nötig, weil sonst, wenn das nicht geschieht, unser Immunsystem vorzeitig erschöpft ist.

Auch ein Fernseh-Krimi alarmiert unser Immunsystem.

Umgekehrt, das sollte viel mehr als bisher beachtet werden, ist die Möglichkeit der psychischen Einwirkung auf somatisches Geschehen doch auch eine riesige Chance. Man spricht bis heute in der so genannten Psychosomatik, dem Wissenschaftszweig der Medizin, der sich mit den psychischen Ursachen für körperliche Leiden und umgekehrt mit körperlichen Ursachen für psychische Leiden befasst, immer nur von dem, was krank macht. Unsere Seele ist aber auch die denkbar stärkste Heilkraft, die wir bewusst einsetzen müssen. Wir sollten deshalb viel mehr als bisher betonen, dass nicht nur Krankheiten psychisch bedingt sind, sondern auch die Gesundheit. In der Naturheilkunde ist das immer schon selbstverständlich gewesen: Wir sollten die Freude und das Glück als Heilkraft einsetzen! Und zwar täglich. Wenigstens für ein paar Minuten. Das ist immer und überall möglich. In der größten Hetze, wenn es uns gelingt, für ein paar Minuten abzuschalten, die Augen zu schließen und uns etwas Schönes vorzustellen. Der Gedanke

Unsere Seele ist unsere stärkste Heilkraft.

II. Das alles behindert das Immunsystem

an ein köstliches Essen lässt das Wasser im Munde zusammenlaufen. Das ist ganz wörtlich zu nehmen. Die Vorstellung einer friedlichen Landschaft, einer beglückenden Begegnung regt auf genau die gleiche Weise unser Immunsystem zu gesunden Reaktionen an.

Sprechen Sie mit Ihrem Immunsystem – am besten in Bildern.

Übrigens sagen viele Leute – und das leuchtet mir ein: Wenn man mit seinem Körper, seinen Organen, seinem Immunsystem sprechen möchte – das sollte man wirklich tun –, dann müsse man keine Worte verwenden, sondern Bilder. Weil die Imagination die Ursprache des Lebens darstellt. Je klarer und deutlicher ein Bild vor unser geistiges Auge tritt, desto besser wird es von unserem Körper verstanden.

6. Verhängnisvolle Antibiotika

Zu den schlimmsten »Sünden« an unserem Immunsystem gehört heute zweifellos die viel zu häufige, oft unsinnige Anwendung von Antibiotika und »chemischen Keulen«, die uns rasch wieder auf die Beine helfen sollen. Keiner soll merken, dass wir krank waren.

Zu häufiger, sinnloser Antibiotika-Einsatz ist gefährlich.

Um es ganz klar zu sagen: Dank der Antibiotika, denen wir unendlich viel verdanken, haben sich die Bilder von Gesundheit und Krankheit so grundlegend verändert, dass man sich heute kaum mehr vorstellen kann, wie die gesundheitliche Situation früher gewesen ist.

Früher, das heißt in diesem Fall nicht etwa vor Jahrhunderten, sondern vor nicht mehr als 50 Jahren. In den 30er-Jahren gab es noch keine Antibiotika. Damals stellte eine Diphtherie beispielsweise eine tödliche Bedrohung dar. Heute begegnet uns die Krankheit seltener. Wenn eine Diphtherie als Epide-

II. Das alles behindert das Immunsystem

mie auftrat, raffte sie viele tausend Kinder dahin. Eltern und Ärzte mussten beinahe tatenlos zusehen, wie das Kind mit dem Tode rang und schließlich qualvoll erstickte. Selbst ein Luftröhrenschnitt war nicht immer die Rettung. Die Ausscheidungsgifte der Bakterien konnten zu einer Nervenlähmung führen, etwa zu einer Lähmung der Atemmuskulatur. Oder die Krankheit schien bereits überwunden, dann zeigte sich ein rheumatisches Fieber, das zu Deformationen der Herzklappen führte – ebenfalls eine Komplikation, die es heute praktisch nicht mehr gibt. Noch leben unter uns viele Eltern, die sich noch sehr lebhaft an die Tage und Nächte erinnern, in denen sie zwischen Bangen und Hoffen am Kinderbett wachten. Und es gibt auch noch viele zehntausend Bundesbürger, die Jahre in einer Lungenheilanstalt verbringen mussten und viel Glück hatten, dass sie jemals wieder gesund wurden. Wenn damals ein Kind an einer Gehirnhautentzündung erkrankte, beteten die Eltern um einen raschen Tod, weil sie befürchten mussten, im Falle der Genesung müsste es geistig schwer behindert weiterleben. In den meisten Fällen war es so.

Diphtherie – ohne Antibiotika lebensgefährlich

Dank gezielter Impfungen, vor allem aber dank der Antibiotika, scheinen bakterielle Infektionen heute keine bedrohliche Rolle mehr zu spielen. Das Wort Bazillen, einst kaum weniger Furcht einflößend als heute das Wort AIDS, ist aus unserem Sprachschatz verschwunden.

Über Nacht lassen sich heute Krankheiten besiegen, die vor einem halben Jahrhundert noch lebensbedrohend waren. Ein Riesenerfolg der Medizin! Die Frage ist nur, ob die Krankheiten wirklich besiegt sind.

Können Antibiotika wirklich Krankheiten besiegen?

II. Das alles behindert das Immunsystem

Die Situation stellt sich heute folgendermaßen dar: Wenn ein Kind heute an einer Angina erkrankt, einer Krankheit, die sein Leben normalerweise nicht bedroht, dann injiziert ihm der Arzt eine Million Einheiten Penicillin. Am nächsten Tag schon fühlt sich der kleine Patient fieberfrei. Er verspürt keine Halsschmerzen, keine Gliederschmerzen mehr. Er möchte aufstehen und herumtollen. Und irgendwie ist es ja auch nicht einzusehen, warum das Kind im Bett bleiben sollte.

Antibiotika schaffen Resistenzen.

Doch was hat sich tatsächlich ereignet? Der Organismus des Kindes ist mit einem Fremdstoff überschwemmt worden, der die Bakterien am Wachstum hindert und sie vernichtet. Nur ein gewisser Teil der Bakterien ist umgekommen – naturgemäß waren es die schwächeren. Das Kind fühlt sich wieder wohl, weil das Immunsystem angesichts der stark verminderten Krankheitserreger den »Großalarm« abgeblasen hat. Doch die Infektion ist keineswegs aus der Welt geschafft. Mit einer zweiten Antibiotika-Behandlung kann wieder nur ein Teil der Bakterien vernichtet werden. Es sieht tatsächlich so aus, als bliebe jedes Mal ein Teil übrig, wie oft man auch Antibiotika einsetzt. Und immer sind es naturgemäß die stabilsten Bakterien. Diese haben inzwischen aber dazugelernt und wissen sich schließlich gegen Antibiotika zu behaupten. Sie sind resistent geworden.

Zu frühes Absetzen der Antibiotika führt zu Rückfällen.

In sehr vielen Fällen wird das Antibiotikum viel zu früh abgesetzt, weil keine Krankheitsanzeichen mehr gegeben sind. Dann aber ist in vier Wochen mit einer neuen Angina, vielleicht auch mit einer Infektion an ganz anderer Stelle, etwa mit einer Harnleiterinfektion, zu rechnen. Diese zurückgekehrte Krankheit ist aber schon wesentlich bedrohlicher als die ursprüng-

II. Das alles behindert das Immunsystem

liche. Die Krankheitserreger fanden mittlerweile Gelegenheit, weiter in den Organismus vorzudringen. Um ihnen beizukommen, muss ein anderes, bereits stärkeres Antibiotikum eingesetzt werden. Zugleich ist das Immunsystem aber auch sehr intensiv damit beschäftigt, das Penicillin aus dem Blut zu schaffen. Denn es gehört ja nicht dorthin. Wäre es verwunderlich, wenn das Immunsystem, das derart traktiert wird, niemals voll zum Zuge kommt, sondern immer wieder abgebremst und zugleich überbelastet wird, sich eines Tages nicht mehr auskennt? Ganz abgesehen davon, dass dieses System nie mehr die Chance bekommt, sich selbst im Training fit zu halten.

Antibiotika überlasten und bremsen das Immunsystem.

Ich schildere das deshalb so eindringlich, weil ich klar machen möchte, wie verhängnisvoll es sein kann, die Befreiung von Krankheitssymptomen mit der Rückgewinnung der Gesundheit zu verwechseln. Ich habe schon aufgezeigt, dass nicht die Krankheitserreger diese Symptome verursachen, sondern dass sie zum Abwehrkampf gehören, dass sie Maßnahmen des Immunsystems sind und wichtige Waffen gegen Krankheitserreger. Ich muss es hier ganz deutlich sagen: Wer bei jeder Kleinigkeit Antibiotika einsetzt, dessen Immunsystem ist letztlich untrainiert und obendrein auch noch geschwächt – und damit im wirklichen Ernstfall auch nicht in der Lage, perfekt zu funktionieren. Es ist kein Zeichen einer Schwäche, wenn sich ein erwachsener Mann einmal oder auch zweimal im Jahr mit einem grippalen Infekt ins Bett legt, um seinem Organismus damit die Chance zu geben, sich einmal voll zu bewähren. Auch die Chefs sollten endlich einsehen, dass dies kein »Krankfeiern« ist, weil ihre Mitarbeiter arbeitsscheu sind. Der

Es ist keine Schande, sich mit einer Grippe ins Bett zu legen.

II. Das alles behindert das Immunsystem

Erkrankte, der sich zu Hause auskuriert, steckt seine Kolleginnen und Kollegen nicht an, er ist für die Firma wertvoller, wenn er nach acht Tagen wieder gesund und leistungsfähig zurückkehrt, als wenn er nur mit schwerem Kopf herumhängt und übermäßig viele Fehler macht.

7. Das Ökosystem in unserem Körper

An dieser Stelle sollten wir zu den richtungsweisenden Gedanken zurückkehren, die schon angeklungen sind und Ihnen vielleicht etwas absonderlich vorkamen. Nicht zuletzt die Risiken einer ungezügelten Antibiotika-Anwendung zwingen uns zu solchen Überlegungen: Ist es nicht höchste Zeit, dass wir uns um eine ganz neue Einstellung bemühen zu dem, was wir unter Gesundheit verstehen? Wer von uns ist tatsächlich noch gesund?

Die meisten Patienten leiden an mehreren Erkrankungen.

Es geschieht heute relativ selten, dass wir Ärzte Patienten begegnen, die eindeutig an einer einzigen gesundheitlichen Störung leiden. Wenn sie endlich zum Arzt finden, sind fast immer schon mehrere Beschwerden zusammengekommen. Um nur ein Beispiel für derartige »multiple Erkrankungen« herauszugreifen: Frau Elvira L., 37, kam vor Jahren zu uns nach Obertal, weil sie seit zehn Jahren unter schwersten Migräneanfällen litt. Diese traten mittlerweile zweimal wöchentlich auf. An diesen Tagen war Frau L. arbeitsunfähig. Aller Wahrscheinlichkeit nach hätte sie noch lange gewartet, wären die heftigen Schmerzen nicht gewesen.

Bei der ersten gründlichen Untersuchung ergab sich dann eine ganze Reihe zusätzlicher Leiden: Schultersteife, schmerzhafte Versteifungen der Lendenwirbel,

II. Das alles behindert das Immunsystem

chronische Bronchitis im Anfangsstadium, Allergie gegen verschiedene Substanzen in kosmetischen Präparaten. Frau L. berichtete, dass sie fünf- bis sechsmal im Jahr an Halsschmerzen leidet. Die Mandeln hatte man ihr schon entfernt, als sie noch ein Kind war, doch die häufigen Infektionen waren geblieben. In einem solchen Fall muss man sich unwillkürlich fragen: Was hat diese noch so junge Frau so gründlich falsch gemacht, dass es zu einer derartigen Zerrüttung der Gesundheit kommen konnte? Trotz großer Tüchtigkeit in ihrem Beruf als Innenarchitektin hatte sie schon zwei Mal ihren Job verloren, weil die Arbeit während ihrer allzu häufigen Abwesenheit liegen geblieben war. Und wie so oft in ähnlichen Situationen hatte sie sich viele hämische Bemerkungen anhören müssen: »Dir fehlt doch nur ein verständnisvoller Lebenspartner. Dein Frust macht dich krank!« Oder auch: »Du solltest endlich Sport treiben und deine Zimperlichkeit ablegen!« Doch Frau Elvira L. war weder verzärtelt noch depressiv. Ihr Krankheitsbild fiel auch keineswegs aus dem üblichen Rahmen. Nein, sie gehörte zu jenem immer größer werdenden Heer von Patienten, die durch massive medikamentöse Eingriffe das »Ökosystem der Innenwelt« zum Kippen gebracht haben.

Massiver Medikamenteneinsatz macht oft erst richtig krank.

Ein Umdenken ist notwendig: Vor wenigen Jahrzehnten träumten wir Ärzte noch davon, wir könnten die Krankheiten endgültig aus der Welt schaffen, indem wir einen Krankheitserreger nach dem anderen kurzerhand ausrotten. Wir haben den Bakterien, Viren, Pilzen den Kampf angesagt. Und das schien auch ganz logisch zu sein: Herrscht nicht tatsächlich in unserem Organismus von der Geburt bis zum Tode ein gnadenloser, unerbittlicher Kampf zwischen

Krankheiten lassen sich nicht endgültig aus der Welt schaffen.

II. Das alles behindert das Immunsystem

Angreifern und Abwehrkräften? Ist die Natur in uns nicht ebenso auf Fressen und Gefressenwerden eingestellt, wie das auch um uns herum in der Natur der Fall ist?

Wir dürfen das Gleichgewicht der Natur nicht stören.

Gewiss. Aber so wie draußen ist es auch in unserem Körper: Das Leben in seinen tausendfältigen Artentfaltungen ist auf alle Arten angewiesen. Wir haben inzwischen eingesehen, dass man Stechmücken nicht ausrotten kann, ohne das Leben der Frösche, der Vögel und anderer Tiere mit zu gefährden. Und wenn es keine Frösche und Vögel mehr gibt, dann nehmen statt der Stechmücken Raupen und anderes »Ungeziefer« überhand, sodass die neue Plage größer ist, als die alte es war. Wir müssen eine neue, noch schlimmere Ausrottungskampagne starten. Wir haben gelernt, dass wir mit Massenvernichtung nicht in das sehr labile Gleichgewicht der Naturkräfte eingreifen dürfen, weil wir sonst unsere Erde in eine leblose, vergiftete, unfruchtbare Öde verwandeln, mit der Gefahr, dass resistente, aggressive und damit krank machende Schädlinge überleben. Wenn wir dagegen dafür sorgen, dass alle Lebewesen, Pflanzen, Tiere und der Mensch, ihren gesunden Lebensraum finden, dann wird das natürliche Gleichgewicht dafür sorgen, dass keine Art überhand nehmen kann und auch keine bedrohlich wird.

Ein funktionierendes Abwehrsystem weiß sich zu wehren.

Warum eigentlich sollte das in unserem Körper anders sein? Ein gesundes Immunsystem weiß sich zu wehren und jeder Gefahr Herr zu werden. Wenn wir dagegen massiv eingreifen, dann zerrütten wir das Ökosystem. Wir riskieren, dass nicht nur das ausgerottet wird, was uns bedrohen könnte, sondern wir entziehen auch hilfreichen, nützlichen Mikroorganismen, auf die wir angewiesen sind, die Lebensgrund-

II. Das alles behindert das Immunsystem

lagen – und machen unter Umständen andere stark, die ihre natürlichen Feinde verloren haben.

Es war ein Schock für die Menschheit, als sie vor 150 Jahren zur Kenntnis nehmen musste, dass es auf unserer Haut, in unserem Mund, in den Atemorganen, im Darm von Bakterien, Viren und Pilzen nur so wimmelt, dass diese winzigen »Tierchen« und das »Unkraut« überall und jederzeit milliardenfach zugegen sind – auch wenn wir uns noch so gründlich gewaschen haben. Dieser Schock hat einen tiefen Abscheu und eine starke Feindschaft gegen diese unheimliche Welt der Mikroorganismen ausgelöst – gerade so, als wären wir plötzlich von einer unsichtbaren, allgegenwärtigen Heimtücke befallen, die wir unter allen Umständen wieder loswerden müssen. Wenn wir ehrlich sind, müssen wir zugeben, dass sich an dieser Einstellung bis heute nur wenig geändert hat. Abscheu und Angst sind noch gegenwärtig.

Mikroorganismen leben überall auf und in unserem Körper.

Dabei haben wir völlig übersehen, dass wir ohne die Mikroorganismen gar nicht leben könnten. Nur sehr wenige der vielen tausend Arten sind überhaupt Krankheitserreger. Wichtig erscheint, dass sie dort bleiben, wo sie hingehören. So können beispielsweise Colibakterien im Blut schwere Krankheiten auslösen, während sie im Darm nicht nur ständig wertvolle Hilfe bei der Verdauung leisten, sondern auch das für Leber und Blut so wichtige Vitamin K bilden. Wir können daher froh sein, dass sie in großen Mengen im Darm zugegen sind. Bei einer Antibiotika-Behandlung werden sie zum Beispiel zugleich mit den Krankheitserregern vernichtet. Wir leiden dann entsprechend unter Durchfall und anderen Verdauungsstörungen, bis es die Colibakterien wieder in ausreichender Zahl gibt. Die Anzahl der uns be-

Unsere Verdauung ist auf Colibakterien angewiesen.

II. Das alles behindert das Immunsystem

wohnenden Mikroorganismen ist wesentlich größer als die unserer Körperzellen.

Unser Organismus, das gilt es endlich einzusehen, wäre niemals zustande gekommen, wären nicht schon seine Vorformen enge Lebensgemeinschaften mit den Mikroben eingegangen. Sie leben also seit Jahrmillionen in uns – und mit uns. Und auch das ist drinnen wieder genauso wie draußen: Bakterien vernichten Viren und »grasen« Pilzweiden ab. Harmlose Bakterien fressen gefährliche – schon auf der Haut, noch bevor jene in den Körper eindringen können. Viren befallen Bakterien und bringen sie um. Das alles ist für uns nur deshalb so schwierig einzusehen, weil diese Welt so winzig klein ist, sodass wir uns das alles nicht vorstellen können. Etwa die Größenverhältnisse einzelner Bakterien und Viren: Manche Bakterien sind so groß, dass andere neben ihnen dem Floh auf der Haut eines Elefanten gleichen. Ähnliche Größenunterschiede gibt es auch bei den Viren. Die Viren selbst könnte man beinahe schon als Mini-Mikroorganismen der Bakterien bezeichnen. Der Blick in die Mikrowelt ist mindestens ebenso faszinierend wie der Blick in den Makrokosmos. Beide sind gleich unendlich.

Darum geht es jetzt: Unser Immunsystem – ein Teil dieses vielgestaltigen Lebens – greift nur dort ein, wo eine wirkliche Gefahr droht und wo die Symbiose unserer Innenwelt zerstört werden könnte. Es duldet keine Mikroorganismen im Blut, in der Lymphe und im Zellgewebe. Darüber hinaus wirkt es nur regulierend, aber niemals radikal ausrottend.

Wenn wir nun mit starken Medikamenten in die Welt unserer Mikroorganismen eingreifen, dann gleichen wir jenen, die mit Giftgasen ganze Landstriche ent-

Ohne Symbiose mit Mikroorganismen wäre unser Organismus niemals entstanden.

Unser Abwehrsystem vernichtet Mikroorganismen nur da, wo sie schädlich sind.

II. Das alles behindert das Immunsystem

lauben, damit den Lebensraum zerstören, das Trinkwasser vergiften und sich selbst schlimmste Schäden zufügen. Wir können von Glück sagen, wenn das Immunsystem noch so intakt ist, dass es den riesigen Schaden wieder repariert. Aber wie lange kann es das, wenn bereits eine neue Vernichtungswelle anrollt, noch ehe die Schäden und Vergiftungen durch die vorangehende auch nur einigermaßen beseitigt sind?

Wer wahllos Antibiotika einsetzt, muss sich darüber im Klaren sein, dass er sich damit zwar schnell wieder auf die Beine hilft, dass er seinem Immunsystem aber die Chance der Heilung nimmt. Er muss sich deshalb nach der Behandlung verstärkt darum bemühen, das geschädigte, verwirrte Abwehrsystem wieder aufzubauen.

Antibiotika nehmen unserem Körper die Chance zur Selbstheilung.

Nicht wenige Ärzte sind heute überzeugt davon, dass gefährliche Virusinfektionen wie etwa AIDS nur deshalb überhaupt so schlimm werden konnten, weil wir zuvor mit Antibiotika und anderen »Vernichtungsmitteln« das Abwehrsystem grundlegend geschwächt und für die Viren überhaupt anfällig gemacht haben.

8. Eine große Gefahr für das Immunsystem

Der Begriff AIDS bezeichnet eine letztendlich tödliche Schwächung des Immunsystems; die vier Buchstaben sind die Abkürzung von »Acquired Immune Deficiency Syndrome«, was mit »Erworbenes Abwehrschwäche-Syndrom« übersetzt wird. Was diese Krankheit so gefährlich macht, ist die Tatsache, dass sie einen ganz entscheidenden Bestandteil des Immunsystems ausschaltet – die Helferzellen. Sie sind es, die normalerweise weitere Immunzellen wie

AIDS vernichtet die Helferzellen.

II. Das alles behindert das Immunsystem

Ohne Helferzellen ist das Immunsystem wehrlos.

die B-Zellen und die Makrophagen (mehr darüber in Kapitel V) mobilisieren und dadurch die Abwehrkraft des Körpers aufbauen.
Gegen die Erreger von AIDS jedoch können sie sich selbst nicht helfen. Diese so genannten humanen Immundefekt-Viren (abgekürzt: HIV) befallen die Helferzellen, vermehren sich in ihnen und zerstören sie. Ohne Helferzellen aber ist der Körper wehrlos gegen viele Erreger, die ein gesunder Mensch ohne Schwierigkeiten abwehrt; dazu gehören bestimmte Infektionen sowie Tumoren, die an sich selten sind.
Anfangs wehrt sich das Immunsystem noch erfolgreich. Es aktiviert Helferzellen und bildet maßgeschneiderte Antikörper gegen die HI-Viren. Diese jedoch ändern immer wieder ihr Erscheinungsbild, sodass immer wieder neue Abwehrwaffen gegen sie gebildet werden müssen. Über Jahre hinweg vermag so das Immunsystem zwar, die HI-Viren in Schach zu halten; die meisten infizierten Menschen sind während dieser Zeit beschwerdefrei. Dann aber bricht die Abwehr zusammen, die Erreger vermehren sich explosionsartig, die Krankheit AIDS bricht aus und endet, leider, in nahezu allen Fällen mit dem Tod des Betroffenen.
Eine effektive Therapie gegen das erworbene Abwehrschwäche-Syndrom gibt es bis heute nicht.

Ein Heilmittel gegen das HI-Virus wurde bisher nicht gefunden.

Trotz aller Bemühungen von Medizinern, Pharmakologen und anderen Wissenschaftlern widerstehen die HI-Viren noch immer jedem Medikament. Mit Kombinationen verschiedener Arzneimittel ist es lediglich möglich, die Überlebenszeit der Betroffenen zu verlängern. Forschungsarbeiten haben allerdings neue Erkenntnisse erbracht, die eventuell die Grundlage für wirksamere Gegenmittel bilden könnten.

II. Das alles behindert das Immunsystem

So ist es endlich gelungen, das Rätsel zu lösen, warum verhältnismäßig wenig HI-Viren genügen, um viele Helferzellen auszuschalten: Sie zwingen eine infizierte Helferzelle, bestimmte Eiweißstoffe herzustellen und freizusetzen; diese Proteine befallen andere, gesunde Helferzellen und lösen in ihnen ein genetisches Programm aus, das sie zum Selbstmord durch so genannte Apoptose zwingt – ohne direkten Kontakt mit den Erregern gehen die Immunzellen zugrunde. Diese Erkenntnis birgt einen neuen Ansatz für die Therapie. Wenn es schon nicht gelingt, die HI-Viren selbst zu vernichten, dann sollten zumindest ihre tödlichen Botenstoffe abgefangen werden, um den Schaden unter den Helferzellen zu begrenzen. Es wird viel Geld kosten und auch viel Zeit vergehen, bis erwiesen ist, ob das möglich ist – oder nicht.

HI-Viren zwingen Helferzellen zum Selbstmord.

Zurück zu den Antibiotika:
Es gibt ein fehlgeschlagenes »Menschen-Experiment«, das solche Vermutungen stützt: Die kleine mexikanische Grenzstadt Tijuana, südlich von Los Angeles, stellt seit Jahrzehnten für die USA ein schwieriges Gesundheitsproblem dar. Mit 28 000 Prostituierten steht der Ort im Ruf, das größte Freudenhaus der Welt zu sein. Um die US-Pendler wenigstens vor ansteckenden Krankheiten zu schützen, schlossen vor Jahrzehnten die Vereinigten Staaten von Amerika und Mexiko einen Vertrag, der alle Dirnen verpflichtete, lebenslang vorbeugend Antibiotika einzunehmen. Dieser »Versuch« musste schließlich abgebrochen werden, weil zu viele dieser Frauen besonders anfällig für Pilzerkrankungen und »Erkältungen« geworden waren und in relativ jungen Jahren an Viruserkrankungen starben.

Antibiotika erhöhen das Risiko für Pilzerkrankungen.

Ebenfalls in den USA, dem Land mit der strengsten

II. Das alles behindert das Immunsystem

Vitamin-B-Mangel kann durch Antibiotika entstehen.

staatlichen Gesundheitsbehörde, die es aber immer noch erlaubt, dass Antibiotika wie Lutschbonbons in Supermärkten angeboten werden, brachte eine wissenschaftliche Untersuchung das erschreckende Ergebnis: Patienten, die sehr häufig mit diesen Medikamenten behandelt werden, erkranken wesentlich häufiger als der Bevölkerungsdurchschnitt an Blutarmut, leiden überdurchschnittlich häufig unter Depressionen und mangelnder Konzentrationsfähigkeit. Diese Krankheiten und Beschwerden sind unter anderem die Folgen von Vitamin-B-Mangel, der bei einer Antibiotika-Behandlung rascher als sonst eintreten kann, weil die Vitamin produzierenden Bakterien vernichtet werden.

9. Hormone – und das Immunsystem

In der Medizin ist weniger oft mehr.

»Je mehr – desto besser!« Für manche Bereiche der Wirtschaft und des Geschäftslebens mag das durchaus gelten. Mit Sicherheit falsch ist dieser Satz überall dort, wo es um Gesundung und Heilung geht. Weil wir es so ganz anders gewohnt sind, fällt es uns allen reichlich schwer, das einzusehen: Mehr Medikamente, höhere Dosen, stärkere Wirkkräfte – müssen sie denn nicht schneller zur Heilung, zumindest zur Besserung führen? Nicht nur Patienten, auch wir Ärzte haben es oft nicht leicht, uns gegen solches Denken zur Wehr zu setzen – zumal die Patienten von uns nur allzu oft nichts anderes erwarten als die möglichst rasche Befreiung von Schmerzen und Beschwerden. Es war ein schwieriger Lernprozess, einzusehen, dass Gesundheit nicht in der besonderen Qualität und Fülle eines ganz bestimmten Stoffes oder in der Perfektion einer einzigen Funktion besteht. Alle Kräfte

II. Das alles behindert das Immunsystem

und Substanzen in unserem Organismus haben ihre »Gegenspieler«. Alle Funktionen müssen fein aufeinander abgestimmt sein, damit wir uns wohl und vital fühlen. Nicht nur die polaren Kräfte von Yin und Yang, wie die Chinesen gewisse Energieströme vor vielen tausend Jahren schon nannten, müssen sich die Waage halten. Jede antreibende Kraft sieht sich einer »Bremse« gegenüber. Jedes Hormon hat sein Gegenhormon. Auch für die Immunkräfte gibt es »Weckkräfte« und »Blocker«. Sobald in diesem Spiel der tausendfältigen Ausgewogenheiten eine leichte Störung eintritt, ist die Gesundheit gefährdet, weshalb der Organismus umgehend für ein gesundes Auspendeln der gegensätzlichen Kräfte sorgen muss.

Beim Immunsystem kommt es auf die Ausgewogenheit der Kräfte an.

Für diese Einsichten liefern uns die Hormone unseres Körpers ein besonders eindrucksvolles Beispiel. Wenn wir von Hormonen sprechen, denken wir zuerst, vielleicht sogar ausschließlich, an die Sexualhormone. Doch sie bilden nur einen kleinen Teil der Hormonfülle, die unser Leben regelt. Neben ihnen gibt es die Schilddrüsenhormone, die als Motor der Stoffwechselprozesse fungieren; die Hormone der Nebennieren, die unter anderem aufwecken und beruhigen, also die beiden Seiten des vegetativen Nervensystems, Sympathikus und Parasympathikus, steuern; die Thymosine der Thymusdrüse, die unsere Elite-Abwehrzellen schulen, die Superhormone verschiedener Gehirndrüsen, denen als Steuerungskräfte aller anderen Hormone besondere Bedeutung zukommt. Diese Aufzählung ist keineswegs vollständig. Nur die wichtigsten und bekanntesten Hormongruppen seien hier erwähnt.

Eine Vielzahl von Hormonen steuert unsere Körpervorgänge.

Ein Beispiel soll wieder zeigen, wie Hormone gegeneinander wirken können: Matthias G. war noch nicht

II. Das alles behindert das Immunsystem

zwei Jahre alt, als seine Eltern die grausame Wahrheit erfahren mussten: Der Junge hat Rheuma. Er litt entsetzliche Schmerzen, konnte sich bald kaum mehr bewegen, weshalb er auch nicht laufen lernte. Matthias kam in eine Rheuma-Kinderklinik, wo er nach den damals üblichen Methoden behandelt wurde: Kältetherapie, kombiniert mit Bewegungsübungen. Und Cortison. Die Krankheit nahm den gewohnten schubweisen Verlauf: Bald schien sie überwunden. Wollten die Eltern eben neue Hoffnung schöpfen, schlug sie wieder mit voller Wucht zu. Und nach und nach zeigten sich die schlimmen Nebenwirkungen der Cortison-Behandlung. Der Junge blieb im Wachstum zurück. Mit zwölf Jahren war er erst 121 Zentimeter groß. Es bestand wenig Hoffnung, dass er noch wachsen würde. Denn auf Cortison, ein entzündungshemmendes und schmerzlinderndes Hormon der Nebennierenrinde, konnten die Ärzte, so schien es, nicht verzichten. Sie standen vor dem Dilemma: entweder höllische Schmerzen und zerstörerische Entzündungen – oder Linderung der Schmerzen mit Cortison, was im Kindesalter nicht ohne Wachstumsbehinderungen bleibt.

Cortison verzögert das Wachstum bei Kindern.

1980 kam der Vater mit Matthias zu uns nach Obertal, weil er von der Thymus-Therapie und ihren Erfolgen bei Rheumaleiden gehört hatte. Inzwischen ist Matthias erwachsen und immerhin knapp 160 Zentimeter groß. Er hat keine Beschwerden mehr und kann seinem Beruf in einem Fotolabor nachgehen. Das Cortison konnte nach und nach abgesetzt werden. Seine volle Größe wird Matthias nicht mehr erreichen. Doch er hat dank der richtigen Therapie, die leider viel zu spät angewendet wurde, mehr erreicht, als er noch erhoffen durfte.

Die Thymus-Therapie kann Cortison ganz oder teilweise überflüssig machen.

II. Das alles behindert das Immunsystem

Heute hat die Schulmedizin andere Möglichkeiten der Therapie als damals. Dennoch können bei begleitender naturheilkundlicher Therapie unter anderem immunmodulierend mit Thymosand®-Peptiden Medikamente eingespart und damit auch deren Nebenwirkungen verringert werden.

Die Erklärung dafür müsste eigentlich jeden, der etwas von Erkrankungen des rheumatischen Formenkreises versteht und der über das Immunsystem einigermaßen Bescheid weiß, überzeugen: Bei vielen Rheumaerkrankungen greifen irritierte Immunkräfte das eigene Gewebe an. Und zwar stellt man sich diesen Prozess – ganz einfach dargestellt – etwa so vor: Nach heftigen Immunprozessen gegen Krankheitserreger, also echte Antigene, aber auch gegen harmlose Substanzen, nämlich Allergene, ist das Blut mit Immunkomplexen überschüttet. Antigene und Antikörper bilden zusammen Moleküle, die zwar ungefährlicher geworden sind, aber nach wie vor zugegen sind und aus dem Blut eliminiert werden müssen. Es ist zu bedenken, dass nach einer Krankheit die Gesundheit erst dann wieder vollständig hergestellt worden ist, wenn das Blut wieder nahezu frei von Immunkomplexen ist. In einem Organismus, der über ein perfekt funktionierendes Immunsystem verfügt, wird diese Leistung rasch erbracht. Die Immunkomplexe werden enzymatisch zerlegt und ausgefiltert.

Bei Rheuma greift die Abwehr körpereigenes Gewebe an.

Ein gesundes Immunsystem räumt schnell mit Immunkomplexen auf.

Wenn nun ein Immunsystem sehr hektisch auf ein Antigen reagiert und nicht nur die passende Zahl an Antikörpern herstellt, sondern einen Überschuss davon, dann koppeln sich immer noch mehr Antikörper an die Antigene an, sodass riesige Gebilde entstehen, bestehend aus mehreren Antigenen und

II. Das alles behindert das Immunsystem

Schwach durchblutete Körperstellen sind besonders gefährdet.

Autoimmunkomplexe werden mittels Plasmapherese aus dem Blut gespült.

noch mehr Antikörpern. Mit diesen Riesenmolekülen hat das Immunsystem nun seine Probleme – vor allem dann, wenn bereits eine neue »Invasion« bekämpft werden muss. Die Riesenmoleküle zirkulieren frei im Blut und setzen sich vornehmlich dort, wo der Blutfluss ins Stocken gerät und wo er von Natur aus sowieso nicht der druckvollste ist, also in ungenügend bewegten Gelenken und in verspannten Muskeln, an Zellwänden ab. Die Gelenke sind in diesem Fall deshalb so stark gefährdet, weil sie eine Schwachstelle der Blutversorgung darstellen. Die Knorpelregionen sind nicht direkt an den Blutkreislauf angeschlossen. Diese Gewebe werden nicht von Blutgefäßen durchzogen, sondern die Blutversorgung geschieht durch den entstehenden Druck und Sog bei Muskelbewegungen. Man kann also hier ganz deutlich feststellen: Ohne ausreichende Bewegung keine genügende Versorgung und Entsorgung. Und man muss gleich hinzusetzen: Die beste Vorbeugung gegen rheumatische Gelenkserkrankungen ist die Bewegung der Gliedmaßen.

Wenn Abwehrzellen nun feststellen, dass solche Immunkomplexe auf Zellmembranen festgeklebt sind, greifen sie diese »Verunreinigungen« an. Es entsteht eine Entzündung, die leider allzu oft nicht mehr abgebremst werden kann. Die Immunkräfte gehen dann dazu über, das »kranke« Gewebe mehr und mehr abzubauen. Das Gelenk wird nach und nach zerstört von den eigenen Immunkräften. Man spricht deshalb von einer autoaggressiven Fehlfunktion. In diesen Fällen wird die Plasmapherese, die einem partiellen Plasmaaustausch dient und bei der auch die Autoantikörper entfernt werden, eingesetzt.

Früher, als man über solche Zusammenhänge noch

II. Das alles behindert das Immunsystem

nicht Bescheid wusste – und das ist wiederum noch gar nicht so lange her –, hat man die Schmerzen und die Entzündungen der Gelenke mit Wärme behandelt. Man konnte damit die Schmerzen teilweise schneller lindern, und man wusste ja, dass Wärme den Entzündungsprozess beschleunigt, und hoffte, damit die Krankheit rascher zum Abklingen zu bringen. Doch da es bei diesem Prozess kein Antigen auszuschalten gilt, sondern das eigene Körpergewebe als Antigen missverstanden wird, hat man damit die Entzündung nur verstärkt und den Zerstörungsprozess beschleunigt. Deshalb wendet man heute in allen Rheumakliniken Kälte an. Sie dämpft die Schmerzen ebenfalls, drosselt den Entzündungsprozess und verlangsamt somit den Zerstörungsvorgang. Doch das kann selbstverständlich die Krankheit nicht heilen, sondern nur verzögern. Gleichzeitig versucht man, die mit Kälte vorübergehend schmerzfrei gewordenen Gliedmaßen zu bewegen, damit die Blutversorgung auf diese Weise wenigstens etwas verbessert wird.

Kälte lindert Rheumaschmerzen und Entzündungen.

Cortison ist nun nicht nur ein vorzügliches Schmerzmittel, sondern es reduziert zugleich die Entzündung und es unterdrückt die Immunkräfte. Cortison – richtiger müsste man eigentlich von den Corticosteronen sprechen – ist eines der über 40 bisher bekannten Steroid-Hormone der Nebennierenrinde. Seine Entdeckung und die Möglichkeit der Anwendung gehört zweifellos zu den großen medizinischen Errungenschaften der letzten 50 Jahre. Bei manchen Rheuma-Erkrankungen und Allergien, besonders aber beim sehr schmerzhaften Schulter-Arm-Syndrom, kann eine sofortige Cortison-Injektion tatsächlich für immer von der Krankheit befreien. Auch wir Ärzte an

Das Cortison ist ein Nebennierenrindenhormon.

II. Das alles behindert das Immunsystem

Cortisone sollten nicht prinzipiell abgelehnt werden.

der Schwarzwald Privatklinik Obertal setzen die Cortison-Behandlungen speziell bei Rheuma-Patienten keineswegs schlagartig ab, sondern wir versuchen, das Cortison Schritt für Schritt überflüssig zu machen. Die momentan verbreitete Ablehnung der Cortisone durch Patienten ist deshalb nur dort berechtigt, wo dieses Hormon bereits zur riskanten – nicht immer notwendigen – Dauerbehandlung geworden ist. Denn einerseits stellen die Nebennierenrinden ziemlich rasch die eigene Produktion von Cortisonen ein, sobald diese ständig und in hohen Dosen künstlich dem Körper zugeführt werden. Dabei können diese Drüsen verkümmern, womit dann auch andere Hormone, wie etwa das Aldosteron, nicht mehr ausreichend gebildet werden. Andererseits dürfen wir unser Immunsystem nicht unentwegt supprimieren, weil sonst zum Rheuma oder zur Allergie oder zum Krebs bald schwere Infektionen hinzukommen können.

Permanente Immunsuppression ist bei Rheuma nicht angebracht.

Deshalb sind wir seit langem zu der Einsicht gelangt, dass es gut sein kann, das Immunsystem zu Beginn einer Rheuma-Erkrankung gewissermaßen zu schocken, doch das kann wirklich nur unmittelbar nach Ausbruch der Krankheit der Fall sein. Eine unkontrollierte nichtselektive Immunsuppression über Monate und Jahre ist ein unsinniges und gefährliches Unternehmen und ganz unangebracht bei degenerativen Erkrankungen.

Cortisone sind Gegenspieler der Thymus-Hormone. So wie die Entstehung entzündlicher Rheumaformen gesehen wird, nützt es dauerhaft wenig, die Immunkräfte nur zu unterdrücken. Wir müssen einen Weg finden, sie von ihrer Irritation zu befreien, sie also gewissermaßen nachzuschulen. Eine wesentliche

II. Das alles behindert das Immunsystem

Rolle spielt die Ernährung. Eine vorwiegend lacto-vegetabile Kost wirkt eher antientzündlich, da sie kaum entzündungsfördernde Stoffe, wie die Arachidonsäure enthält wie im Buch »Rheuma Stopp« beschrieben. Andere Faktoren wie die Abhärtung und die Bewegungstherapie sind hilfreich, aber nicht ausreichend für eine optimale Nachschulung und schon gar nicht die Therapie mit Cortisonen.

Bei Rheuma auch auf die richtige Ernährung achten

In diesem Zusammenhang sollte noch einmal darauf hingewiesen werden, warum es so wichtig ist, mit Wetter und Witterung vertraut zu werden: Kleinste Veränderungen der Temperaturen, des Luftdrucks, der elektrostatischen Aufladung der Luft, der Luftfeuchtigkeit wirken bereits sehr massiv auf einen untrainierten Körper. Die Nebennierenrinden schütten Hormone aus, als Reaktion auf die vom Körper als Stress empfundenen Einwirkungen. Diese Hormone bewirken aber als Gegenspieler der Thymus-Hormone eine sofortige Immunschwächung.

Mit den Sexualhormonen und ihrer Ausschüttung ist es ganz ähnlich. Auch sie werden zumindest teilweise ebenfalls in den Nebennieren gebildet. Zwei wichtige Beobachtungen charakterisieren wiederum ihren Gegenpart zu den Abwehrkräften: Bekommt ein junges Mädchen zu früh die »Pille«, also weibliche Sexualhormone, dann stoppt es damit sein Wachstum. Das ist genauso wie bei den Cortisonen. Die Epiphysenfugen an den Knochen schließen sich vorzeitig. Damit ist das Wachstum dann abgeschlossen.

Die »Pille« stoppt das Wachstum junger Mädchen.

Erinnern wir uns daran, dass die Thymusdrüse nicht nur die Abwehr »klug« macht, sondern neben anderen Faktoren auch für das Wachstum mitverantwortlich ist.

II. Das alles behindert das Immunsystem

Wer die Pille nimmt, neigt eher zu Pilzinfektionen.

Das zweite: Seitdem Millionen Frauen die »Pille« nehmen, beobachten Frauenärzte weit häufiger als früher Pilzinfektionen. Ob die hormonelle Kontrazeption auch verstärkt zu bakteriellen und viralen Infektionen führt, lässt sich bislang nicht eindeutig nachweisen, weil die meisten Infektionen statistisch nicht zu erfassen sind. So viel ist allerdings sicher: Der Anstieg der Pilzinfektionen ist kein Zufall. Die Hormone der Pille versetzen den weiblichen Organismus in einen Zustand, der hormonell der Schwangerschaft zumindest ähnlich ist, wie auch in dem Buch »Natürliche Medizin für Frauen« beschrieben. Und Schwangerschaft, das haben wir ja erfahren, bedeutet Immunsuppression zum Schutz des keimenden Lebens. Das bedeutet: Millionen Frauen leben mit einem ständig geschwächten Immunsystem. Die Hormone der Pille blockieren die Thymus-Faktoren, wodurch Krankheitserreger nicht so zügig angegangen werden können, wie das nötig wäre.

Hormonumstellungen schwächen das Immunsystem.

Es kann nicht meine Aufgabe sein, den Frauen zu raten: Lasst die Finger von der Pille! Es gibt viele und gute Gründe für eine Frau, die Pille oder andere Hormonpräparate zu nehmen. Denn wir wissen ja auch, dass ein plötzlicher Hormonabfall in der Menopause das Abwehrsystem ebenso gründlich durcheinander bringen kann wie die Hormonumstellung in der Schwangerschaft und der plötzliche Hormonanstieg in der Pubertät. Unser Immunsystem ist nicht etwa dann besonders stark, wenn möglichst wenig Sexualhormone im Blut sind, sondern dann, wenn sich die Steuerungspeptide der Thymusdrüse und die Hormongruppen der Sexualorgane und der Nebennieren die Waage halten. Die Östrogene, daran kann es keinen Zweifel geben, bedeuten für eine Frau

II. Das alles behindert das Immunsystem

Jugendkraft. Sie sorgen für eine straffe Haut und stabile Knochen. Deshalb tut eine Frau ab 35 gut daran, den Hormonspiegel überprüfen zu lassen, um notfalls einen starken Abfall auszugleichen. Es wäre also falsch, des Immunsystems wegen auf Sexualhormone zu verzichten oder gar anzunehmen, ein aktives Sexualleben, bei dem viele Hormone ins Blut ausgeschüttet werden, könnte das Immunsystem schädigen. Keinesfalls.

Allerdings: Wenn eine Frau regelmäßig und über viele Jahre die Pille eingenommen hat und nun eine besondere Krankheitsanfälligkeit beobachtet, dann muss sie auch in Erwägung ziehen, die einseitige Hormonzufuhr könnte das Gleichgewicht des Hormonhaushaltes empfindlich gestört haben. Dann müsste sie sich mit ihrem Frauenarzt darüber unterhalten, ob es nicht zweckmäßig wäre, die Pille einmal für einen gewissen Zeitraum abzusetzen, damit der Organismus die Chance bekommt, sich wieder einzupendeln. Währenddessen kann sie sich mit einer anderen Methode der Empfängnisverhütung, die ohne Hormone auskommt, vor einer ungewollten Schwangerschaft schützen.

Die Pille kann zu einer erhöhten Krankheitsanfälligkeit führen.

10. Gesundheitskrise: Immuno-Pause!

Vor einigen Jahren entdeckten und beschrieben die Psychologen, dass jeder Mensch um die Mitte seines Lebens in eine schwere Krise gerät: Manche hängen ihren Beruf an den Nagel und fangen etwas ganz Neues an, werden vielleicht sogar zum »Aussteiger«. Andere lassen sich scheiden, um an der Seite eines jüngeren Partners noch einmal das große Glück zu probieren. Wieder andere kleiden sich plötzlich wie

Die Midlife-Crisis – Umbruchphase in der Lebensmitte.

II. Das alles behindert das Immunsystem

ihre eigenen Kinder, kaufen einen Sportwagen und versuchen so, die Jugend, die ihnen zu entgleiten droht, noch einmal einzufangen und bewusst zu erleben.

Was bei dieser so genannten »Midlife-Crisis« bisher völlig übersehen wurde, das sind die somatischen Hintergründe. Jeder weiß, dass alle Menschen – wenngleich Männer nicht so ausgeprägt wie die Frauen – in die Wechseljahre kommen: Die Natur hat es so eingerichtet, dass die Sexualhormone langsam versiegen. Es beginnt das Altern. Wir sprechen von der Menopause.

Frauen und Männer kommen in die Wechseljahre.

Doch das ist nicht mit der Gesundheitskrise um die Lebensmitte gemeint. Oft schon lange vor den Wechseljahren, nämlich bereits um das 40. Lebensjahr, zeigen sich gesundheitliche Störungen, die wir noch sehr viel ernster nehmen müssen. Denn sie sind ein Hinweis für vorzeitiges, viel zu früh einsetzendes Altern. Und leider gar nicht selten werden sie zum Startschuss für chronische Leiden oder auch für Krebs. Uralte Erfahrungen zeigen, dass Menschen um die 60 oft gesünder sind als die 50-Jährigen. Sie haben die Krise gemeistert, jenen Augenblick, der als Immuno-Pause bezeichnet wird.

Schon vor den Wechseljahren kommen wir in die Immuno-Pause.

Die Situation zeigt sich etwa folgendermaßen: Rund vier Jahrzehnte lang haben wir die beruhigende Erfahrung gemacht: Um gesundheitliche Störungen braucht man sich keine allzu großen Sorgen zu machen. Der Körper ist immer wieder in der Lage, Fehler zu korrigieren und die Gesundheit einigermaßen wiederherzustellen. Das ist auch tatsächlich so, glücklicherweise. Das Wunderwerk Immunsystem scheint uns selbst grobes Fehlverhalten zu verzeihen. Es funktioniert so fantastisch, dass wir geradezu mör-

II. Das alles behindert das Immunsystem

derisch mit unserer Gesundheit umgehen können. Wir essen viel zu viel und zu schwer. Wir nehmen Genussgifte in großen Mengen zu uns. Wir rauchen. Wir holen in aufreibendem Stress das Letzte aus uns heraus. Wir unterdrücken gewaltsam jedes Krankheitsanzeichen. Wir überschreiten die Grenzen natürlicher Müdigkeit, nehmen Medikamente und Mittel, die uns wach halten – und später Beruhigungs- und Schlafmittel, die uns Schlaf schenken sollen. Tatsächlich geht das in den meisten Fällen über die Jahrzehnte recht gut. Warum also sollte das plötzlich um das 40. Lebensjahr nicht mehr so sein?

Bis zur Lebensmitte verzeiht der Körper Raubbau.

Es ist nicht mehr so, weil der Organismus, allen voran das Immunsystem, erschöpft ist. Plötzlich wird die Erwartung: »Das wird schon wieder!« zum gefährlichen Bumerang: Der Körper, der den Raubbau bisher klaglos hingenommen hat, kann sich selbst nicht mehr helfen. Wir haben die letzten Reserven erschöpft.

Das ist aber der Augenblick, in dem so oft akute Erkrankungen plötzlich ausbleiben, weil der Körper sich nicht mehr kraftvoll gegen Krankheitserreger aufzubäumen vermag. Gleichzeitig aber offenbaren sich die ersten Alterskrankheiten: Diabetes, chronische Bronchitis, Arteriosklerose, Krebs, Rheuma und dergleichen mehr.

Wenn akute Erkrankungen ausbleiben, ist oftmals die Abwehr geschwächt.

Dem Entstehen all dieser Krankheiten aber liegt ein erschöpftes Immunsystem zugrunde.

So mahnt der angesehene Arzt und Wissenschaftler Professor Dr. Roy L. Walford von der Universität von Kalifornien mit Recht: »Wollte man die durchschnittliche Lebenserwartung des Menschen wesentlich verlängern, so könnte das mit Maßnahmen geschehen, die in der Mitte des Lebens einsetzen und nicht

II. Das alles behindert das Immunsystem

an dessen Ende.« Und er fügt hinzu:»Wenn es gelänge, den Eintritt der typischen Altersleiden Krebs, Koronarsklerose, Apoplexie (Hirnschlag) und senile Demenz durchschnittlich nur um 15 oder 20 Jahre zu verzögern, so wäre das für die Altersgruppe der 60-Jährigen zumindest im Effekt gleichbedeutend mit einer Heilung von diesen Krankheiten.«

Die Maßnahmen, die unsere Gesundheit erhalten oder wiederherstellen könnten, werden nicht zuletzt deshalb zum rechten Zeitpunkt versäumt, weil es sich noch nicht herumgesprochen hat, dass es die Immuno-Pause gibt. Wir vertrauen immer noch auf Heilkräfte, die inzwischen aber nicht mehr in der Lage sind, unsere Erwartungen zu erfüllen. Wir warten, bis es zu spät ist.

Viele wissen nicht, dass es die Immuno-Pause gibt.

Warum es zu dieser Immuno-Pause kommt, das ergibt sich aus dem Zusammenspiel der beschriebenen Faktoren, die unser Immunsystem pausenlos und zugleich vielfältig unterdrücken, überfordern, irritieren: Keine gesunde Anpassung an das Wetter; kein vernünftiges Auskurieren banaler Infektionen; übermäßiger Stress und das Versäumnis, die Folgen der Stressreaktionen abzubauen; Überlastungen des Organismus mit einer zu kalorienreichen und falschen Ernährung; zu wenig sportliche Betätigung; zu wenig seelische Aufheiterung und damit eine Fehlsteuerung des Immunsystems; mangelhafte Entspannung; Reizüberflutung. Kurz gesagt: Wir verlangen von unserem Immunsystem unentwegt Höchstleistungen, ohne es trainiert zu haben.

Ungesunde Lebensführung lässt das Immunsystem erlahmen.

Um nur zwei Zusammenhänge zu nennen, die zur Erschöpfung des Immunsystems führen:
Wie gesehen, ist die Thymusdrüse bei erwachsenen Menschen nicht mehr so prall, wie sie es beim

II. Das alles behindert das Immunsystem

Jugendlichen noch gewesen ist. Doch der gesunde Erwachsene verfügt immer noch über eine funktionsfähige Thymusdrüse. Beim Kranken ist die Drüse verkümmert und besteht weitgehend aus funktionsunfähigem Fettgewebe. Wir haben aber auch erfahren, dass die Möglichkeit eines Fehlers sprunghaft mit Zahl und Geschwindigkeit der Zellteilungen ansteigt. Daraus müssen wir folgern: Je hektischer Abwehrzellen sich teilen müssen, um ihren Aufgaben gewachsen zu sein, desto größer ist die Gefahr, dass sich in den Zellaufbau ein Fehler einschleicht. Dieser Fehler wird dann aber bei jeder Teilung weitergegeben. Erst sind es nur zwei fehlerhafte Abwehrzellen, dann vier, dann acht, dann 16, dann 32. Die Zahl verdoppelt sich ständig. Und T-Lymphozyten geben außerdem auch noch ihre falschen Informationen an andere weiße Blutkörperchen weiter. Wenn es in dieser Situation keine funktionsfähige Thymusdrüse mehr gibt, dann besteht auch keine Möglichkeit mehr, den entstandenen Fehler zu korrigieren. Denn das »Wissen« wird ja keinen neuen Zellen mehr mitgegeben, sondern nur noch »weitervererbt«. Es gibt keine »Schule« mehr, die etwas lehren könnte.

Je häufiger sich die Abwehrzellen teilen, desto öfter passieren Fehler.

Ohne funktionierende Thymusdrüse können die T-Lymphozyten nicht lernen.

Das alles ist wieder vereinfacht dargestellt. In Wirklichkeit können in der Phase der Erschöpfung, in der Immuno-Pause, auch Botenstoffe ausfallen, die zum Eingreifen auffordern, oder es können die Blocker fehlen oder überhand nehmen, sodass Immunreaktionen unterbleiben oder fehlerhaft ablaufen.

Der zweite Punkt: Wenn wir an unsere Bauchspeicheldrüse denken, dann fällt uns sofort das Insulin ein. Wir wissen, dass eine falsche Lebensweise zunächst über eine Rezeptorstörung der Zellen zu einer vermehrten Ausschüttung von Insulin und

II. Das alles behindert das Immunsystem

Die Bauch-speicheldrüse ist eine Enzymfabrik.

schließlich zur Erschöpfung der Insulinproduktion führen kann, womit dann ein Altersdiabetes gegeben ist. Nun ist die Produktion des Insulins aber tatsächlich nur eine »Nebenbeschäftigung« der Bauchspeicheldrüse. Das Insulin wird in den Inselzellen hergestellt, daher der Name. Die Hauptaufgabe des Organs ist die Herstellung des Pankreassaftes mit seinen wertvollen Enzymen. Eine ausreichende Enzymversorgung ist aber die Voraussetzung für ein perfekt funktionierendes Immunsystem. Ohne Enzyme sind die Abwehrzellen weithin hilflos, weil sich Schadstoffe, Gifte, Krankheitserreger regelrecht hinter Fibrinschichten verstecken. Fibrin ist der Blutfaserstoff, der zur Blutgerinnung benötigt wird, im Falle einer Verletzung eben – und nur dann. Abwehrzellen greifen das Fibrin nicht an, weil sie es als körpereigenes Gewebe erkennen. Eiweiß spaltende Enzyme dagegen bauen die Fibrinnetze über den Verstecken ab. Diese Erkenntnis ist ungemein wichtig im Hinblick auf die Bekämpfung von Krebszellen, aber auch von Bakterien: Beide können sich hinter solchen »Tarnnetzen« verbergen und somit vor Fresszellen schützen.

Bakterien und Krebszellen tarnen sich mit Fibrinnetzen.

Ist eine Krebszelle erst einmal von einem Fibrinnetz umhüllt, können ihr die Abwehrzellen nicht mehr beikommen. Deshalb kann sie unbehelligt zum Tumor heranwachsen. Gegen einen Bakterienherd hinter dem Fibrinnetz kann auch das stärkste Antibiotikum nichts mehr ausrichten. Die Krankheitserreger sind ebenfalls in Sicherheit, können sich vermehren und ihre Gifte ausscheiden.

Niemand kann vernünftigerweise davon ausgehen, bei der Erschöpfung der Bauchspeicheldrüse würde nur die Insulinproduktion, nicht aber die Herstellung des Pankreassaftes vermindert.

II. Das alles behindert das Immunsystem

Das bedeutet aber: Um das 40. Lebensjahr dürfen wir nicht einmal auf erste Hinweise eines beginnenden chronischen Leidens warten. Wir müssen schon hellhörig werden, wenn wir nicht mehr krank werden, wenn die sonst mehr oder weniger regelmäßige Erkältung ausbleibt oder kaum verspürt wird. Wir sind nicht etwa mit dem Alter besonders stabil geworden, sondern das Immunsystem offenbart eine unübersehbare Schwäche. Wenn wir bis dahin versäumt haben sollten, ein vernünftiges Immun-Training durchzuführen, wäre der Augenblick gekommen, keine Stunde mehr zu zögern. Denn was jetzt versäumt wird, kann nie wieder gutgemacht werden.

Spätestens um die 40 sollten wir beginnen, unser Immunsystem zu trainieren.

III
So erkennen Sie Fehler und Schwächen des Immunsystems

Damit Sie es immer nachschlagen und die Verfassung Ihres Immunsystems selbst überprüfen können, sollen hier die wichtigsten Hinweise auf ein geschwächtes, geschädigtes oder irritiertes Immunsystem zusammengefasst werden:

1. Erkältungen: Nach drei Wochen müssen sie ausgeheilt sein!
Eine Erkältung – oder auch zwei, vielleicht sogar drei Erkältungen im Jahr –, eine Angina, eine »Grippe« oder auch eine echte Influenza, in Kinderjahren eine Kinderkrankheit –, das alles sind keine Hinweise auf ein schwaches Immunsystem. Bedenklich werden solche Infekte erst, wenn sie häufiger auftreten und wenn nach der Erkrankung nicht jeweils die volle Gesundheit wiederhergestellt werden kann. Dann sollte das Immunsystem durch natürliche Wirkstoffe aus der Heilpflanze Roter Sonnenhut (enthalten in Echinarell®, rezeptfrei, Apotheke) gestärkt werden. Jeder Schnupfen, der länger dauert als drei Wochen, ist eine ernsthafte Gesundheitsbedrohung. Das gilt

Bei häufigen Infekten hilft Roter Sonnenhut.

III. So erkennen Sie Fehler des Immunsystems

auch für Eiterherde an Zahnwurzeln, für eine belegte Zunge, für Wunden, die nicht heilen.

2. Akne: Der Immun-Schutzmantel der Haut darf nicht zerstört werden!

Unreine Haut in der Pubertät deutet auf eine Abwehrschwäche hin.

Akne und andere Hautunreinheiten während der Pubertät zeigen die hormonbedingte Immunsuppression in dieser Zeit an. Sie verschwinden in aller Regel um das 25. Lebensjahr von selbst wieder, wenn die Hormonumstellungen abgeschlossen sind. Nicht mit übertriebener Hygiene lässt sich die Akne beseitigen. Sie kann sogar die Infektion verschlimmern, weil sie die vorderste Front des Immunsystems, den Schutzfilm auf der Haut, zerstört. Stattdessen muss man für eine etwas trockenere Haut sorgen – und für ein Immunsystem, das keine zusätzlichen Überlastungen erfährt. Ganz praktisch: Noch sorgfältiger als sonst müssen während der Pubertät Infektionen ausgeheilt werden, muss die Nahrung mit Vitaminen aus dem Vital-Plus-Programm (siehe Kapitel VI) angereichert werden, zusätzlich müssen Enzyme (z. B. in Enzym-Wied®) angewendet werden, und man muss die Wetteranpassungen trainieren.

3. Herpes: Das Immunsystem darf keinen Fehler dulden!

Herpes-Viren befallen häufig immundefiziente Menschen.

Herpes-Infektionen zeigen nicht unbedingt an, dass man zugleich auch für andere Infektionen besonders anfällig ist, doch sie sind ein Zeichen dafür, dass das Immunsystem nicht voll perfekt funktioniert. Deshalb darf man sie nicht als etwas Lästiges hinnehmen, sondern man muss alles tun, dass sie ausgeheilt werden.

III. So erkennen Sie Fehler des Immunsystems

Mit Enzymen (z. B. in Enzym-Wied® enthalten) lässt sich auf diesem Gebiet oft überraschend schnell etwas erreichen. Keine Antibiotika, da es sich um einen Virus handelt!

4. Warzen: Dahinter steckt eine Virusinfektion!

Warzen siedeln sich besonders häufig in der Schwangerschaft, in der Pubertät und in der Immuno-Pause auf der Haut an. Sie sind ebenfalls ein Hinweis auf eine geduldete Virusinfektion – und somit ein Zeichen für ein geschwächtes Immunsystem. Wieder handelt es sich nicht nur um einen Schönheitsfehler, mit dem man sich abfinden könnte, sondern um eine Infektion, die ein Immun-Training erfordert.

Warzen sind ein Grund, das Immunsystem zu trainieren.

5. Immuno-Pause: Das Abwehrsystem ist erschöpft!

Wenn um das 40. Lebensjahr akute Erkrankungen mit Fieber und Entzündungen ausbleiben, darf man sich nicht einbilden, man wäre endlich gesünder als bisher. Wahrscheinlich ist das Gegenteil der Fall: Die Infektionen werden vom Immunsystem nicht mehr unter Aufbietung aller Kräfte bekämpft. Das wäre dann ein sehr deutlicher und ernsthafter Hinweis dafür, dass die Immuno-Pause bereits eingesetzt hat. In diesem Fall wäre nicht nur ein Immun-Training, sondern eine gezielte Immun-Therapie nötig, in der man zugleich das richtige Immun-Training erlernt.

Mit 40 droht die Immuno-Pause.

6. Antibiotika: Schmerzfrei ist noch lange nicht gesund!

Wer sich einer unumgänglichen Antibiotika-Be-

III. So erkennen Sie Fehler des Immunsystems

handlung unterziehen musste, darf trotz Wohlbefindens und der wiedergewonnenen Leistungsfähigkeit nicht dem Irrtum verfallen, er wäre wieder völlig gesund. Schmerzfreiheit und auch Beschwerdelosigkeit sind keine Garanten für Gesundheit. Die volle Gesundheit ist erst wieder erreicht, wenn alle Immunprozesse abgeschlossen sind. Dafür muss nach der Antibiotika-Behandlung unbedingt gesorgt werden – mit einem sinnvollen Immun-Training! Dazu gehört auch eine gezielte Vitaminversorgung mithilfe der Vital-Plus-Kombi-Packung (gibt es rezeptfrei in jeder Apotheke), weil diese während der Antibiotika-Behandlung gestört wurde. Auch eine Darmsanierung im Sinne der Symbioselenkung, die auch als mikrobielle Therapie bezeichnet wird, fördert die Regeneration der Mikroflora und führt damit zu einer besseren Leistung des Immunsystems.

Nach Antibiotika-Einsatz muss die Darmflora wieder aufgebaut werden.

7. Verstopfung: Falsche Therapie stört nicht nur die Darmflora!

Ähnliches gilt für Erwachsene, die unter chronischer Verstopfung leiden und die deshalb regelmäßig Abführmittel verwenden: Sie verlieren wichtige Mineralstoffe wie Kalium, mit der fatalen Folge, dass die Neigung zu Verstopfung noch gefördert wird. Darüber hinaus wird die Darmflora geschädigt bis hin zu Vitaminmangel und damit auch Blutarmut und anderen Folgen. Nicht selten sind Blähungen und Verstopfung ein Hinweis auf eine mangelhafte Enzymversorgung. Und das bedeutet wiederum: Gefährdung des Immunsystems.

Abführmittel verstärken eine Verstopfung nur.

III. So erkennen Sie Fehler des Immunsystems

8. Bluthochdruck: Auch Arteriosklerose kann auf Immunschwäche hinweisen!

Wenn sich in der Mitte Ihres Lebens plötzlich der Blutdruck erhöht, ist das meistens ein Hinweis auf Gefäßverengungen und Gefäßversteifungen infolge einer Arteriosklerose. Auch sie hat, das legen zumindest neueste Forschungen nahe, mit einer Abwehrschwäche zu tun. So finden sich häufiger in den Gefäß-Ablagerungen bestimmte Keime, die die Gefäße entzündlich verändern. Viele Wissenschaftler sind heute überzeugt davon, dass sich Fette und Kalk nicht auf der gesunden Intima, der zarten Innenhaut der Arterien, ablagern können, sondern dass dies erst dann geschieht, wenn dort die Intima geschädigt ist, so auch durch erhöhte Homocysteinwerte, wie in dem Buch »Herz Fit« beschrieben. Auch erste Anzeichen einer Arteriosklerose wären also eine dringende Aufforderung, ein gezieltes Immun-Training zu beginnen.

Ein geschwächtes Immunsystem zeigt sich auch an den Gefäßen.

9. Haut: Hormone müssen sich die Waage halten!

Wenn die Haut nach dem 30., 35. Lebensjahr trocken und faltig wird, zeigt sie an, dass die Produktion der Sexualhormone langsam abnimmt. Dann muss man davon ausgehen, dass auch andere Hormone und hormonartige Stoffe, vor allem jene, die für das Immunsystem so wichtig sind, nicht mehr in ausreichendem Maße vorhanden sind. Denn im gesunden Körper halten sich die hormonalen Kräfte ja die Waage. Auch das müsste Anlass sein, mit dem Immun-Training ernst zu machen, eventuell eine Immun-Therapie zu erwägen.

Nachlassende Sexualhormone lassen die Haut austrocknen.

III. So erkennen Sie Fehler des Immunsystems

10. Steife Glieder: Beugen Sie dem Rheuma vor!

Morgensteifigkeit kann das erste Anzeichen für Rheuma sein.

Nahezu unbedeutende Anzeichen einer Gliedersteifigkeit am Morgen nach dem Aufstehen sind häufig ernste Anzeichen für ein beginnendes Rheumaleiden. Auch das darf keinesfalls auf die leichte Schulter genommen werden. Denn in diesem Stadium ist noch wirksame und rasche Hilfe möglich wie mit der Rheuma-Komplex-Therapie, die in dem Buch »Rheuma-Stopp« beschrieben ist. Denken Sie an die gute alte Faustregel, die nahezu für alle chronischen Leiden gilt: Eine Heilung braucht so lange, wie das Entstehen der Krankheit Zeit in Anspruch nahm. Erwarten Sie von Ihrem Arzt nicht, dass ein Leiden, das sich im Zeitraum von Jahren entfaltet hat, in wenigen Stunden oder Tagen beseitigt werden könnte.

11. Allergien: Das Immunsystem muss reguliert werden!

Wer eine Allergie hat, dessen Körper ist mit Immunkomplexen überladen.

Allergien sind keine Bagatelle. Sie zeigen an, dass das Immunsystem falsch reagiert. Es muss unbedingt reguliert werden, weil sonst der Körper unentwegt mit den bedrohlichen Immunkomplexen überschwemmt ist. Für das Immunsystem bedeutet deren Beseitigung eine ganz enorme Belastung. Außerdem: Wer eine Allergie duldet, darf niemals sicher sein, dass sein Immunsystem nicht auch bei anderen Leistungen grobe Fehler begeht. Eine Allergie muss nicht geduldet werden. Es gibt sehr wirksame Therapien dagegen wie in dem Buch »Allergie Stopp« beschrieben. Dazu gehört die unspezifische Desensibilisierung mit Desarell®, (rezeptfrei, Apotheke).

III. So erkennen Sie Fehler des Immunsystems

12. Diabetes: Der Körper braucht Enzyme!

Wenn sich ein Altersdiabetes eingestellt hat, muss man davon ausgehen, dass auch die Enzymproduktion in der Bauchspeicheldrüse nicht mehr ausreichend ist. Enzyme gehören zu einem perfekt funktionierenden Abwehrsystem, weshalb Diabetiker sorgfältig auf eine ausreichende Enzymversorgung achten sollten, was mit Enzym-Wied® gut möglich ist. Auch eine gute Versorgung mit allen Mikro-Nährstoffen, die für den Zuckerstoffwechsel benötigt werden, ist erforderlich, wie in dem Buch »So gut wie gesund« beschrieben.

Bei Altersdiabetes auf eine gute Versorgung mit Enzymen und Mikro-Nährstoffen achten.

13. Stress: Bewegung baut die Folgen ab!

Wer bei der Arbeit, privat, im Straßenverkehr in heftigen Stress geraten ist, sodass er am liebsten aus der Haut gefahren wäre, wer sich nach einem arbeitsreichen Tag völlig erschlagen fühlt, obwohl er keinerlei körperliche Arbeit geleistet hat, der muss wissen, dass sein Immunsystem in Stressreaktionen unnötig mobilisiert und aktiviert, zugleich aber auch von wichtigen Abwehraufgaben abgezogen wurde. Der Organismus ist aufgerüstet, und es kostet ihn viel Mühe, wieder normale Verhältnisse im Blut zu schaffen. Der Betroffene muss durch körperliche Bewegung, die über ein paar Schritte zur nächsten Straßenbahnhaltestelle hinausgeht, dafür sorgen, dass überschüssige Fette und Zucker auf natürliche Weise aus dem Blut geschafft werden. Ein Stressbewältigungs-Training, wie es in unserer Schwarzwald Privatklinik Obertal durchgeführt wird, sorgt auch später daheim für eine bessere Stressstabilität.

Bewegung hilft Stressreaktionen abbauen.

III. So erkennen Sie Fehler des Immunsystems

14. Sorgen: Für Freude muss immer Platz bleiben!
Wer in Sorgen erstickt oder seiner Niedergeschlagenheit nicht Herr werden kann, wer Groll oder gar Hassgefühle nährt, muss wissen, dass er damit massiv sein Immunsystem unterdrückt. Er muss unbedingt zu Lebensmut und Freude zurückfinden, sonst wird er bald ernsthaft krank sein. Zu jedem Immun-Training gehört deshalb die innere Entspannung und die Bereitschaft, sich wieder zu freuen. Ohne Freude erhält das Immunsystem keine Anregungen, das Leben zu schützen und gesund zu erhalten.
Autogenes Training ist in solchen Fällen eine besonders hilfreiche Methode. Wer sich mit Rauschmitteln oder mit Medikamenten »aufgemöbelt« hat, gab seinem Immunsystem falsche Signale, sodass es stark irritiert und fehlgesteuert wurde. Da unser Immunsystem lernfähig ist, besteht die Gefahr, dass es in Zukunft stets auf ähnliche Reize hin falsch reagiert.

Kummer und Sorgen führen zu Abwehrschwäche.

15. Ernährung: Übermäßiges Essen behindert das Immunsystem!
Wer zu viel, zu fett, zu süß gegessen hat, zwang sein Immunsystem, die Abwehrzellen im Verdauungstrakt zu konzentrieren und sich dort explosionsartig zu vermehren. Sie müssen also von möglichen Infektionsherden abgezogen werden, wodurch die Abwehraufgaben dort vorübergehend nicht mehr mit der nötigen Intensität durchgeführt werden können. Das bedeutet eine massive Überbelastung des Immunsystems, und es erhöht das Risiko, dass eine Infektion verschleppt wird.

Falsches Essen blockiert die Abwehrkräfte.

III. So erkennen Sie Fehler des Immunsystems

16. Mikro-Nährstoffe: Vier »Säulen« für eine optimale Versorgung

Wer sich nicht bestmöglich vollwertig ernährt hat, dem fehlen sehr wahrscheinlich Mikro-Nährstoffe wie Vitamine sowie Mineralstoffe und Spurenelemente. Denn Obst und Gemüse in der üblichen Menge, in der sie verzehrt werden, genügen als Quellen vielfach nicht für eine ausreichende Versorgung. Sehr viele Nahrungsmittel enthalten weniger Mikro-Nährstoffe, als angenommen wird; zudem kann der Körper einen erhöhten Bedarf haben, oder er vermag zu wenig davon aufzunehmen. Das bedingt einen Mangelzustand und darüber hinaus eine Schwächung des Immunsystems. Und das erfordert eine zweckgerichtete Optimierung der Ernährung mit dem Vital-Plus-Programm. Seine vier »Säulen« umfassen ausgewählte Vitamine, Mineralstoffe und Spurenelemente in der richtigen Zusammensetzung und in der richtigen Menge. Sie sind in der Vital-Plus-Kombi-Packung rezeptfrei in jeder Apotheke erhältlich (mehr darüber in Kapitel VI). Diese Therapie umfasst auch Carotinoide und nicht nur Beta-Carotin als schützende immunmodulierende Substanzen.

Zur optimalen Ernährung gehören auch ausreichend Mikro-Nährstoffe.

IV
So trainieren Sie
Ihr Immunsystem

Wie also muss ein effektives Immun-Trainingsprogramm aussehen?
Nach allem, was wir bisher erfahren haben, kann es sich bei diesem Training nicht um ein Programm handeln, das mit ein paar Übungen zwischen Aufstehen und Frühstück erledigt werden könnte. Es geht vielmehr darum, in der Lebensgestaltung einige wichtige Veränderungen vorzunehmen, die alle dazu beitragen, dass unser Immunsystem in jeder Situation die richtige Antwort findet. Es muss lernen, weder zu hektisch noch zu zaghaft, weder übermäßig noch zu schwach zu reagieren. Vor allem aber muss es in jedem Augenblick richtig handeln. Wir müssen dafür sorgen, dass das, was es gelernt hat, nicht durch Fehlinformationen verfälscht wird. Und wir müssen es vor allem vor pausenlosen Überforderungen bewahren und es gleichzeitig so in Übung halten, dass es im Ernstfall voll einsatzfähig ist. Und wir müssen zusehen, dass es von unserer Seele die richtigen Signale bekommt.

Unser Immunsystem muss lernen, auf jede Situation adäquat zu reagieren.

Das hört sich weit schwieriger an, als es tatsächlich ist. Wenn wir erst einmal damit begonnen haben, bei der

IV. So trainieren Sie Ihr Immunsystem

Das Immun-Training verlangt keine Höchstleistungen von Ihnen.

grundsätzlichen Einstellung zum Leben und bei allen Aktivitäten an unser Immunsystem zu denken, es sinnvoll zu trainieren und gleichzeitig zu schonen, wird uns dieses Training bald in Fleisch und Blut übergegangen sein. Unser ganzes Leben wird dabei aber leichter, angenehmer, vor allem aber beschwerde- und schmerzfrei. Ein erstrebenswerteres Ziel kann es wohl kaum geben. Um es noch einmal zu sagen: Von niemandem wird ein Martyrium, ein großer Verzicht, schon gar keine Maßnahme verlangt, die allen Spaß oder die Freude am Leben verderben könnte. Im Gegenteil: Wir sollen ja heiter, entspannt und fröhlich werden.

1. Das Immunsystem wird im Kindesalter geprägt

Die Muttermilch schützt Babys vor Infektionen.

Im Grunde beginnt das Immun-Training bereits unmittelbar nach der Geburt. Die Zeiten sind glücklicherweise vorbei, in denen junge Mütter glaubten, sie könnten dank ausgewogener Babynahrung auf das Stillen verzichten, weil es angeblich den Busen ruiniert. Die Muttermilch ist nicht nur von ihrer Zusammensetzung her die denkbar beste Nahrung für den Säugling. Sie enthält auch wertvolle Abwehrzellen, nämlich Antikörper. Mit der Muttermilch wird das Baby regelrecht gegen alle möglichen Krankheitserreger aufgerüstet. Es kann also gar nicht zu schweren Infektionen mit Fieber und Entzündungen kommen, weil die Spezialtruppen nicht erst gebildet werden müssen.

Der nächste Schritt ist schon etwas schwieriger. Wir impfen heute unsere Babys schon sehr früh gegen die so genannten Kinderkrankheiten. Das ist in aller Regel

IV. So trainieren Sie Ihr Immunsystem

auch gut so. Nur, das ist meine persönliche Meinung aufgrund jahrzehntelanger praktischer Erfahrungen: Wir sollten diese Impfaktionen nun nach und nach doch wieder auf die wichtigsten Impfungen beschränken. Auf jene Krankheiten nämlich, die wirklich lebensbedrohend werden könnten. Das Immunsystem eines Kindes ist unter normalen Umständen kein schwächliches Gebilde, das erst mit der Zeit an Stabilität gewinnen könnte. Es ist von Anfang an besonders stark. Was ihm noch fehlt, ist nur das entsprechende Training. Es ist deshalb nötig, dass ein Kind zumindest die eine oder andere der weniger gefährlichen Kinderkrankheiten durchsteht. Ohne Antibiotika. Ohne Maßnahmen, die das Fieber allzu gewaltsam senken. Im Kindesalter erfährt das Immunsystem seine Prägung. Später wird es so reagieren, wie es dies im Kindesalter gelernt hat.

Ohne Krankheiten kann das Immunsystem nicht lernen.

Dazu gehört nun auch, dass man nicht versucht, sein Kind vor Infektionsgefahren zu isolieren. Seine Immunität wird umso umfangreicher, je mehr Krankheitserregern es begegnen kann. Glücklicherweise sind wohl auch jene Zeiten vorbei, in denen Kinder aus gutbürgerlichen Familien nicht auf der Straße und nicht mit anderen Kindern zusammen spielen durften. Jede Begegnung mit der Umwelt stellt eine natürliche Impfung dar. Diese Chance des Immun-Trainings darf man keinem Kind nehmen.

Nur: Dies ist wahrhaftig kein Aufruf zur Schlamperei in Gesundheitsfragen! Wenn das Kind krank geworden ist, dann muss sein Körper auch die idealen Voraussetzungen finden, diese Krankheit auszukurieren. Man tut ihm keinen Gefallen mit einer massiven Medikamentenbehandlung. Stattdessen sollte man sich wieder an die bewährten alten Mittel erinnern:

Jede Krankheit muss sorgfältig auskuriert werden.

IV. So trainieren Sie Ihr Immunsystem

Bevorzugen Sie natürliche Heilverfahren.

Zwiebelwickel bei Halsentzündungen, Himbeersaft als leicht fiebersenkendes Mittel, eventuell Wadenwickel, damit das Fieber nicht übermäßig hoch ansteigt. Und dazu: Bettruhe. Und zwar so lange, bis die Körpertemperatur wieder zwei Tage lang normal geblieben ist. Das Kind, das so trainieren kann, wird hinterher doppelt und dreifach stabil sein. Verlangen Sie deshalb von Ihrem Arzt keine Medikamente, die es möglichst rasch wieder auf die Beine stellen, damit es wieder in die Schule gehen kann, sondern fragen Sie ihn, wie es auf natürliche Weise völlig gesund wird. Die Zeit vor der Pubertät ist für die Gesundheitserziehung eines Kindes besonders wichtig – das beginnt schon mit dem zehnten, elften Lebensjahr, weil es Vorsorge zu treffen gilt für die Jahre, in denen das Immunsystem durch die hormonellen Entfaltungen unterdrückt wird. In dieser Zeit müssen die wichtigsten Regeln einer gesunden Lebensweise dem Kind in Fleisch und Blut übergehen.

Die morgendliche Wechseldusche weckt und kräftigt den Körper.

Es muss lernen, dass die Wechseldusche in den Morgenstunden nicht in erster Linie der Reinlichkeit dient, weshalb Seife und andere Duschmittel auch nicht so wichtig sind. Die Wechseldusche hat vor allem dafür zu sorgen, dass der Organismus »aufwacht«, dass der Kreislauf und damit die Wärme-Kälte-Regulierung auf Trab kommen. Das Kind braucht nicht vor Wetter, Kälte und Regen geschützt zu werden – sein Körper muss sie verkraften lernen. Das Kind sollte Sport treiben, vor allem schwimmen, und bei jeder Witterung an die frische Luft.

Zu Hause aber gilt es, vor allem in den nasskalten Herbst- und Wintermonaten, dafür zu sorgen, dass die Luft in geheizten Räumen nicht zu trocken, dass die Zimmer nicht überhitzt sind. Denn zu trockene

IV. So trainieren Sie Ihr Immunsystem

Schleimhäute schwächen die Mobilität der Abwehrzellen in den Luftwegen.

Dies muss hier so hart formuliert werden, weil in der gesundheitlichen Verwahrlosung unserer Kinder eines der größten Gesundheitsprobleme unserer Tage gesehen werden muss. Es ist weithin tatsächlich so: Unseren Kindern und Jugendlichen fehlt es an nichts – ausgenommen die sorgfältige Betreuung ihrer Gesundheit und eine vernünftige Erziehung zu gesunder Lebensweise. Nicht zuletzt deshalb wird seit Jahren immer wieder gefordert, dass endlich das Fach Gesundheitserziehung in die Lehrpläne unserer Schulen aufgenommen wird. Wenn wir Ärzte heute kaum mehr einem Patienten über 50 Jahren begegnen, der nicht zumindest an einer leichten Form einer chronischen Bronchitis leidet, wenn wir zur Kenntnis nehmen müssen, dass drei Viertel aller Schlafprobleme älterer Menschen aus Atemproblemen resultieren, müssen wir gleichzeitig auch festhalten, dass diese schweren gesundheitlichen Störungen nicht erst im Alter entstanden sind, sondern zurückgehen auf die ersten groben Fehler in der Vorjugendzeit. Ein Wunder, dass die Heilkräfte so lange imstande waren, die entstandenen Schädigungen immer wieder einigermaßen zu »reparieren«.

Unfassbar, wie leichtfertig Eltern beispielsweise mit dem Schnupfen ihrer Kinder umgehen. Noch immer herrscht vielerorts die Meinung vor, zu einem lebendigen Kind gehöre zu den frischen roten Wangen auch die »Rotznase«. Das ist grundsätzlich falsch. Auf diesem Gebiet wird von Eltern unendlich viel gesündigt. Spätestens nach drei Wochen muss auch der heftigste Schnupfen wieder abgeklungen sein. Wenn das nicht der Fall ist, darf man nicht einfach annehmen,

Unseren Kindern fehlt die richtige Gesundheitserziehung.

Altersleiden gehen nicht selten auf Versäumnisse in der Jugend zurück.

IV. So trainieren Sie Ihr Immunsystem

das Kind hätte sich erneut erkältet, um abzuwarten, bis die »laufende Nase« von selbst versiegt. Nach drei Wochen müssen energische Maßnahmen ergriffen werden. Nicht, indem man dem Kind Medikamente eingibt. Sie würden nur den wahren Hintergrund vertuschen und in falscher Sicherheit wiegen. Doch indem man mit Heilkräutern und Inhalationen die Heilkräfte des Körpers unterstützt. Und indem man endlich mit einem gezielten Immun-Training beginnt. Wenn das alles nicht helfen sollte, müssen Sie unbedingt abklären, ob es sich tatsächlich um eine Infektion oder aber um eine Allergie handelt. In den Symptomen sind beide Gesundheitsstörungen einander zum Verwechseln ähnlich, sodass man sie nicht leicht voneinander unterscheiden kann. Hier hilft nur die sorgsame Beobachtung: Wenn ein Schnupfen sich nicht beseitigen lässt, vor allem aber, wenn er in bestimmten Situationen oder nur an manchen Orten auftritt, spricht vieles für eine Allergie. Das wäre kein Grund aufzuatmen. Es müsste stattdessen alles geschehen – auch beim Heuschnupfen –, den »Fehler« des Immunsystems zu beseitigen. Wir fürchten heute den so genannten Etagenwechsel. Das bedeutet, dass sich bei Fortbestehen der Allergiebereitschaft »Heuschnupfen« die Erkrankung zu einem allergischen Asthma mit schwerster Atemnot ausweiten kann. Dem Etagenwechsel also von der Nase in die Bronchien und in die Lunge. Denken Sie auch daran, dass sich Allergien nicht nur in Schnupfen oder Hautausschlägen äußern, sondern nicht gerade selten auch in großer Nervosität, in Aggressivität, in depressiven Verstimmungen oder auch in Schulversagen. Jede Allergie ist eine ungeheure Belastung des Immunsystems. Und jede Allergie besitzt die Ten-

Hinter einem hartnäckigen Schnupfen kann eine Allergie stecken.

Unbehandelt kann aus einem Heuschnupfen Asthma werden.

IV. So trainieren Sie Ihr Immunsystem

denz, sich von ursprünglich einer unverträglichen Substanz auf weitere auszudehnen. Auch bei Allergien wird die eigentliche Grundlage häufig in den frühen Jugendtagen gelegt. Sehen Sie deshalb zu, dass der Organismus Ihres Kindes möglichst wenig mit künstlichen Farbstoffen in Speisen, mit Konservierungsmitteln und anderen chemischen Zusätzen belastet wird.

Achten Sie auf wenig chemische Zusätze in der Nahrung.

2. Rauchen – das doppelte Risiko für das Immunsystem

Die weitaus schlimmste Belastung des Immunsystems der Atemwege ist aber ohne jeden Zweifel das Rauchen. Gerade weil es immer wieder verharmlost wird, muss genauer darauf eingegangen werden:
Speziell für das Atemsystem hat die Natur ein besonders geniales Abwehrsystem geschaffen. Die Atemluft strömt durch Nase und Mund in die Luftröhre und von dort in die Bronchien, die sich immer mehr verästeln und immer feiner und zarter werden, bis hin zu den Lungenbläschen, die wie Tautropfen die Enden der feinsten Ästchen abschließen. In den Lungenbläschen findet die Sauerstoffaufnahme des Blutes statt. Die Luft stößt auf feine Membranen, hinter denen sich die roten Blutkörperchen vorbeischieben, eines hinter dem anderen wie die Waggons eines endlosen Zuges. In einem komplizierten Prozess, an dem ganz wesentlich wieder Enzyme beteiligt sind, wird der Sauerstoff aus der Atemluft herausgelöst, durch die hauchdünne Wand geschoben und auf die Waggons aufgeladen.
Das Fantastische dabei: Der ganze Weg von der Nase bis zu den Lungenbläschen ist so ausgelegt, dass nor-

In der Lunge findet der Sauerstoffaustausch statt.

IV. So trainieren Sie Ihr Immunsystem

Die Nasenschleimhaut ist der erste Schutzwall gegen Fremdkörper.

malerweise nichts, aber auch gar nichts an Verunreinigungen bis zu den Lungenbläschen gelangen kann. Schon in der Nase werden die gröbsten Partikel der Luft zurückgehalten, wenn die Atemluft durch das Haarkleid in der Nase streicht. Feinere Teilchen bleiben wie das Insekt an einem Fliegenfänger hängen, denn die Schleimhaut der Nase sondert ein klebriges Sekret ab, von dem sich nichts, auch nicht Bakterien und Viren, mehr losreißen kann.

Die Fremdkörper werden mit dem Schleim nach außen weggeschafft. Denn der Schleim ist ständig in Bewegung zur Nase hin. Dafür sorgen Milliarden feinster Flimmerhärchen, die sich ständig aufrichten und wieder zurücklegen, sodass der Schleim vorwärtsgetrieben wird und schließlich ausgeschnäuzt werden kann.

In diesem Schleim – auch das gehört zum Immunsystem – befinden sich aber auch hilfreiche Bakterien und Abwehrzellen, die hereingeschleuderte Krankheitserreger sofort angreifen und vernichten.

Für den Fall, dass dieses perfekte Reinigungssystem einmal nicht ausreichend funktioniert, gibt es zusätzlich den Hustenreflex: Durch unwillkürliche Kontraktionen der Bronchien wird der Schleim oder auch ein Fremdkörper, der sich in ihm befindet, herausgeschleudert.

Der Zigarettenrauch überwindet alle Abwehrmaßnahmen der Luftwege.

Praktisch eine einzige Form der Luftverschmutzung kann diesen Reinigungsmechanismus überlisten: Im Zigarettenrauch befinden sich winzige Partikel, die weder an den Nasenhärchen noch am Schleim der Bronchien haften bleiben. Sie können bis zu den Lungenbläschen vordringen. Dort bleiben sie dann an den Membranen haften und verkleistern sie. Damit behindern sie nicht nur massiv die Sauerstoff-

IV. So trainieren Sie Ihr Immunsystem

aufnahme, sie zwingen zugleich die Abwehrzellen des Immunsystems, diesen Belag abzutragen, zu »verdauen« und über das Blut wegzuschaffen. Das Immunsystem eines Rauchers ist also mit einer sehr aufwendigen, zusätzlichen Arbeit belastet. Wenn es dazu nicht mehr imstande ist, kommt es zum gefürchteten Lungenkrebs, der zu den bösartigsten Krebsarten mit der höchsten Sterblichkeitsrate gehört.

Wer raucht, belastet sein Immunsystem übermäßig.

Hinzu kommt eine weitere Gefahr für die Gesundheit. Mit nur einem Zug aus der Zigarette gelangen zehn Billiarden (das ist eine Eins mit 16 Nullen) freie Radikale in den Körper. Das sind zwar kurzlebige, aber hochreaktive Substanzen. Werden sie nicht umgehend von speziellen Abwehrmechanismen unter Mithilfe der Vitamine A, C, E sowie von Carotinoiden – nicht nur Beta-Carotin und weitere Schutzfaktoren, die für ihre Aktivität die Spurenelemente Selen, Mangan, Kupfer und Zink benötigen – unschädlich gemacht, können sie die Membranen der Zellwände und das Erbmaterial im Zellkern schädigen und dadurch lebensgefährdende Krankheiten auslösen, unter anderem Krebs, aber auch Arteriosklerose, Altersleiden, chronische Entzündungen und eine globale Schwächung des Immunsystems.

Und noch eine schlimme Auswirkung hat das Rauchen auf den Reinigungs- und Abwehrprozess in den Bronchien: Das Nikotin lähmt die Bewegung der Flimmerhärchen. Sie sind beim Raucher nicht mehr in der Lage, den Schleim zügig zur Nase hin zu bewegen. Dadurch bekommen auch Krankheitserreger durch ihre längere Verweildauer die Chance, sich zu vermehren und eine Entzündung zu provozieren. Bei der akuten Bronchitis, der Folge einer solchen Infektion,

Durch das Nikotin können Erreger länger in den Atemwegen überleben.

IV. So trainieren Sie Ihr Immunsystem

Schleimhautabschwellende Medikamente sind nicht für den Dauergebrauch bestimmt.

schwillt die Schleimhaut an und sucht sich zu helfen, indem sie vermehrt Schleim absondert.
Viele, auch rezeptfreie Medikamente wirken entzündungshemmend. Die Schleimhaut schwillt also ab, sodass man wieder freier atmen kann. Das ist allerdings keine Therapie, sondern eine grobe Täuschung: Die Krankheitserreger sind damit keineswegs besiegt, sondern sie können sich nun im Gegenteil, weil die Abwehr gedrosselt wurde, besser entfalten. Wendet man solche Mittel über einen längeren Zeitraum oder allzu oft an, dann erreicht man damit, dass die Schleimhaut dicker wird und sich schließlich überhaupt nicht mehr zurückbilden kann.
Fast noch schlimmer sind die Folgen der Entzündung: Es entstehen in der Schleimhaut Narben. Dort, wo sie sich erstrecken, können keine Flimmerhärchen mehr wachsen. Die ursprünglich üppige »Wiese« wird zum Ödland, auf dem sich nichts mehr bewegt. Der Schleim setzt sich fest, wird immer zäher und kann schließlich nur noch mit großer Anstrengung abgehustet werden. Eine Erweiterung der Lungenbläschen mit eingeschränkter Atemleistung und verminderter Fähigkeit des Abhustens ist die Folgeerkrankung, auch als Emphysem bezeichnet.

3. »Fast Food« – eine kranke Generation wächst heran!

Unseren Jugendlichen fehlen Vitamine.

Ein zweites großes Gesundheitsproblem der Kinder und Jugendlichen ist die »Fast Food«-Ernährung: In den USA hat man bereits vor Jahren festgestellt, dass die Vitaminversorgung bei Jugendlichen noch weit verheerender ist als bei den Senioren in Altersheimen. Bei uns dürfte es mittlerweile genauso sein.

IV. So trainieren Sie Ihr Immunsystem

Man bekommt wahrhaftig das Grausen, muss man zusehen, wie diese junge Generation sich ernährt. Nur so im Vorbeigehen, ohne jegliche Ruhe, schlingen sie fette Pommes frites oder einen Hamburger und dazu reichlich Ketchup hinunter. Manche scheinen sich auch fast ausschließlich von Süßigkeiten zu ernähren. Unmissverständlich muss darauf hingewiesen werden: Wenn unsere Kinder nicht lernen, sich gesund zu ernähren, die Mahlzeiten einzuhalten und dabei einen gesitteten Stil zu entwickeln, dann wächst eine zur Krankheit verurteilte Generation heran. Dann werden diese Menschen ihre Immuno-Pause nicht erst mit 40 Jahren, sondern bereits mit 35 oder gar 30 Jahren erleben müssen. Einfach den Hunger stillen und speisen – das sind zwei völlig verschiedene Dinge. Unsere Kinder müssen wieder lernen, wenigstens einmal am Tag am Tisch zu sitzen und zu speisen. Ohne nervös auf dem Stuhl herumzurutschen. Ohne auf die Uhr zu blicken, ohne lärmende Musik im Hintergrund, ohne beim Essen zu lesen oder gar fernzusehen. Nicht nur der Körper muss Zeit haben, sich auf das Essen einzustellen, sondern auch die Seele.

Das Zusammenfinden am Tisch wird allerdings nur dann für Kinder nicht zur Plage, wenn man für eine gelöste, heitere, friedliche Atmosphäre sorgt. Mahlzeiten dürfen nicht dazu missbraucht werden, Auseinandersetzungen auszutragen, die Kinder zu rügen oder am Partner herumzunörgeln. Auch Sorgen sollten bei anderen Gelegenheiten, aber niemals bei Tisch besprochen werden, sonst fliehen die Kinder diese Begegnung, die sie als schlimme Bedrohung empfinden.

> *Fast Food macht auf Dauer krank.*

> *Zum gesunden Essen gehört auch eine angenehme Atmosphäre.*

IV. So trainieren Sie Ihr Immunsystem

4. Gesunder Schlaf – die Heilphase des Lebens

Früher war es üblich, dass Kinder um acht Uhr abends ins Bett geschickt wurden. Unsere Eltern haben noch gewusst, dass der erste, frühe Schlaf der gesündeste ist. Für die Schlafforscher gibt es heute keinen Zweifel mehr daran: In den ersten Stunden des Schlafes erholt sich der Körper. Im Schlaf werden nicht etwa alle Körperfunktionen abgeschaltet oder auf »Sparflamme« zurückgeschraubt, sondern manche, vor allem die des Immunsystems, werden dann, wenn wir die Augen zugemacht haben, erst richtig aktiv. Im Schlaf kann nachgeholt werden, was tagsüber versäumt wurde. Wenn wir zur Ruhe gefunden haben, arbeiten die Abwehrzellen auf Hochtouren. Der Schlaf ist nicht nur die Erholungsphase des Lebens, sondern auch seine eigentliche Heilphase. Auch daran sollte gedacht werden: Viele »Erkältungen« kommen zustande, weil der gesunde Schlaf fehlt.

Das ist der nächste Punkt, der bei der Gesundheitserziehung beachtet werden muss: Lassen Sie nicht zu, dass Heranwachsende abends stundenlang vor dem Fernsehgerät sitzen. Fangen Sie erst gar nicht damit an, sonst schaffen Sie es nie wieder, das Kind ins Bett zu schicken. Die gesundheitliche Belastung ist dreifach schwer wiegend: Zunächst werden die besten Stunden für Erholung und Heilung versäumt. Sodann sorgt das Miterleben einer spannenden Geschichte für enorme innere Aufregung und Verspannung – übrigens nicht nur bei Kindern. Adrenalinausschüttungen beschleunigen viele Stoffwechselprozesse, wobei aber wichtige Ergänzungen, wie etwa beschleunigtes und tieferes Atmen, das bei sportlicher Betätigung von selbst zustande kommt, ausfallen. Der Körper verharrt wie im Schreck. Und wie im Stress stauen sich Zucker

Der frühe Schlaf ist der gesündeste.

Exzessives Fernsehen verhindert die notwendige Erholung.

IV. So trainieren Sie Ihr Immunsystem

und Fette im Blut. Das Kind ist nach dem aufwühlenden Erlebnis innerlich so erregt, dass es keinen gesunden Schlaf finden kann. Die »Ordnungskräfte« haben viel Mühe, den gesunden Normalzustand wiederherzustellen. Aber das ist nur eine Seite. Vergessen Sie nicht: Alles, was das Kind erlebt hat, muss seine Seele im Schlaf »verarbeiten«. Der Schlaf ist entsprechend unruhig und von Träumen gestört. Das Kind wird es mit verstärkter Nervosität und Konzentrationsschwäche büßen müssen.

Stresssituationen werden im Schlaf verarbeitet.

Nun kommt aber noch eine dritte Fehlsteuerung hinzu: Allein schon das unbewegliche, verkrampfte Sitzen – ohne die zusätzliche Aufregung durch das Fernsehen – sorgt für eine »Aufladung«. Sie kennen das: Zieht man abends etwa einen Pullover aus synthetischem Gewebe über den Kopf, dann kann man Funken aufblitzen sehen und es knistern hören. Ein Wissenschaftler hat gemessen, welche Veränderungen dabei auftreten: Puls und Atmung werden automatisch schneller und flacher. Die Hautfeuchtigkeit steigt um rund zehn Prozent an. Vor allem aber lädt man sich statisch auf. Diese elektrische »Aufladung« kann organische Steuerbefehle verändern und stören. In unserem Organismus fließen nämlich nicht nur Gehirnströme, sondern der gesamte Stoffwechsel der Körperzellen ist abhängig von Unterschieden in der elektrischen Spannung.

Elektrostatische Aufladung stört die Organsteuerung.

In diesem Zusammenhang sollte nur kurz auf den so genannten Elektrosmog verwiesen werden. Dieser populäre Begriff steht für Auswirkungen auf den Menschen durch Strom in elektrischen Geräten im Haushalt und im Beruf sowie von elektromagnetischer Strahlung, die unter anderem beim Betrieb von Mobiltelefonen auftritt. Es mehren sich nicht nur die

IV. So trainieren Sie Ihr Immunsystem

Elektrosmog kann vielfältige Erkrankungen auslösen.

Indizien dafür, dass sie die Funktionen von Zellen und Organen empfindlich stören und darüber Krankheiten auslösen können, die von Schlafstörungen über Kopfschmerzen bis hin zu Krebs reichen. Es gibt neuere Forschungsergebnisse, die beweisen, dass der menschliche Organismus noch viel empfindlicher auf Elektrosmog reagiert, als bislang angenommen worden ist, und zwar bereits bei Werten, die 500-mal niedriger sind als der offizielle Grenzwert von 100 Mikrotesla bei 50 Hertz, der im Jahre 1996 in der Bundesrepublik gültig gewesen ist.

5. Pubertät: Keine fremden statt der eigenen »Drogen«!

Suchtmittel sind keine Lösung bei seelischen Problemen.

Während der Pubertät gilt es vor allem, der Tatsache eines natürlicherweise geschwächten Immunsystems Rechnung zu tragen. Das heißt vor allem: keine zusätzliche Überforderung und keine Unterdrückung der Immunkräfte. Nun sollte ein sicheres Gesundheitsbewusstsein dank einer gezielten Erziehung so sehr in Fleisch und Blut übergegangen sein, dass der Jugendliche, der in dieser Zeit so schwierige psychische Probleme zu bewältigen hat, sich richtig verhält, ohne nach Gesundheitsrezepten suchen zu müssen. Wichtig ist vor allem, dass keine Notwendigkeit entsteht, seelische Unsicherheiten in dieser Zeit mit irgendwelchen Suchtmitteln zu kompensieren, ob das nun Alkohol, Rauchen, Medikamente oder gar Rauschmittel sind. Alles, was den Körper zu zwanghaften Reaktionen veranlassen könnte – und Sucht ist nichts anderes als eine Abhängigkeit von Scheinbedürfnissen –, macht unfrei und zerstört die Gesundheit. In diesem Fall muss das Immunsystem, das

IV. So trainieren Sie Ihr Immunsystem

während der Pubertät sowieso schon durch die Sexualhormone supprimiert wird, sich mit Gift- und Schadstoffen herumschlagen. Um diese zu neutralisieren, muss es beispielsweise dafür sorgen, dass Gegengifte produziert werden, die das Gleichgewicht wiederherstellen. Hat es sich erst einmal an solche Produktionen gewöhnt, dann können sie selbst zum Gesundheitsproblem werden, sollte der Giftstoff nicht wie erwartet eintreffen. Auf diese Weise entstehen die Entzugserscheinungen.

Ich möchte hier nur andeuten, dass Süchtigkeit weiter verbreitet ist, als allgemein angenommen wird. Da der Körper auf alles reagieren muss, was ihm zugeführt und abverlangt wird, muss er automatisch in gewisse »Gewohnheiten« verfallen, sobald immer dieselben Antworten mit großer Regelmäßigkeit verlangt werden. Damit müssten auch die gesündesten Nahrungsstoffe ungesund werden, wenn sie einseitig verspeist werden. Belastende, zu fette, zu süße Speisen aber, etwa die mit Schlagsahne überhäuften Torten, sind für viele Menschen auch zu einer Droge geworden: Die Süßigkeit soll ersetzen, was man selbst nicht mehr an körpereigenen Drogen abzurufen vermag.

Alles Einseitige ist auf Dauer schädlich.

Auch Süßes kann zur Droge werden.

Sollen junge Menschen während der Pubertät nun außerdem etwas Besonderes tun, um ihre Abwehr zu kräftigen, etwa eine immunstärkende Therapie machen?

Wenn kein besonderer Umstand vorliegt, ist davon abzuraten. Das Immunsystem des gesunden Jugendlichen ist ja nicht zerrüttet, nicht zum Fehlverhalten verleitet. Es wurde naturbedingt lediglich vorübergehend etwas unterdrückt. In dieses natürliche Geschehen aber sollte man weder in der Pubertät noch in der Schwangerschaft massiv eingreifen. Notwendig

IV. So trainieren Sie Ihr Immunsystem

ist lediglich, dass der Organismus noch verantwortungsbewusster als sonst versorgt wird mit den nötigen Vitaminen, Mineralstoffen, Spurenelementen (Vital-Plus-Kombi-Packung) und mit Enzymen (Enzym-Wied®, Dragee), erhältlich in allen Apotheken.

Um es noch einmal zu sagen: In keiner anderen Zeit ist eine gesunde Ernährung mit viel »lebendiger« Nahrung, also rohem Gemüse und frischem Obst, so wichtig wie in der Pubertät. Dass der Jugendliche ausreichend Sport treibt, im Sommer schwimmt, im Winter vielleicht die Sauna besucht oder Kneipp'sche Methoden anwendet, das sollte sich von selbst verstehen.

Nie ist gesundes Essen so wichtig wie in der Pubertät.

6. Sport stärkt nicht automatisch das Immunsystem!

Heute ist bekannt, dass vor übermäßiger sportlicher Betätigung speziell in diesem Alter gewarnt werden muss. Schon lange weiß man, dass Spitzensportler besonders infektanfällig sind – und zwar speziell in dem Augenblick, in dem sie zum Wettkampf antreten sollen. Nahezu in jeder Woche einmal kann man lesen, dass ganze Fußballmannschaften von einem grippalen Infekt heimgesucht wurden und nur mit Spritzen fit gemacht werden konnten. Selbstverständlich kann man sagen, die Sportler haben sich gegenseitig angesteckt. Doch eigentlich sollte man davon ausgehen, dass Spitzensportler so austrainiert sind, dass sie über eine besonders stabile Gesundheit verfügen und sich nicht so leicht anstecken. Offensichtlich ist es nicht so. Wie viele Teilnehmer an Olympischen Spielen hatten vier Jahre lang hart trainiert auf den großen Augenblick der Bewährung hin. Und

Leistungssportler sind oft besonders infektgefährdet.

IV. So trainieren Sie Ihr Immunsystem

dann, wenn der große Tag endlich gekommen war, bekamen sie eine heftige Erkältung. Nahmen sie dagegen ein Medikament ein, gerieten sie in den Verdacht des Dopings. Wieder könnte man einwenden: Der große psychische Stress vor dem Wettkampf, das fremde Klima, die Reisen haben zu der akuten Erkrankung geführt. Und sicherlich tragen solche Faktoren auch dazu bei. Doch sie alleine erklären die Häufigkeit der Erkrankungen bei Leistungssportlern nicht. Deshalb befasst sich die Sportmedizin seit kurzem auch mit dem Thema »Sport und Immunsystem«. Im Januar 1990 fand in Paderborn erstmals ein internationales Symposium statt, das unter diesem Motto stand. Die Mediziner stellten sich die Frage, ob es denn tatsächlich so ist, dass in einem gesunden Körper auch ein gesundes Immunsystem gegeben ist. Und sie legten die Ergebnisse interessanter Untersuchungen vor, die jeder Jugendliche – auch der Breitensportler, der sich etwa auf einen Marathonlauf durch die Heimatstadt vorbereitet – kennen sollte: Schon zwischen den Wettkämpfen, also in den Pausen, das ergaben exakte Messungen, sind die Gamma-Globuline im Blut der Leistungssportler deutlich erniedrigt. Während eines anstrengenden Trainings fallen die Werte bis zu 70 Prozent unter die Normalwerte ab. Sie erholen sich innerhalb von 24 Stunden zwar wieder, bleiben aber auf dem ursprünglichen erniedrigten Level. Diese Ergebnisse konnten auch in Tierversuchen bestätigt werden: Ein Tumor in einem Nager wächst deutlich langsamer, wenn das Tier vorher in einem gemäßigten, angepassten Training zur Bewegung angehalten wurde. Setzte das Training erst beim schon krebskranken Tier ein, war die Heilwirkung des körperlichen Trainings geringer. Wurden die Tiere dagegen

Zu viel Sport schwächt das Abwehrsystem.

Moderates Training wirkt sich günstig auf das Immunsystem aus.

IV. So trainieren Sie Ihr Immunsystem

beim Training überanstrengt, dann wuchs der Tumor eher noch schneller.

Das bestätigt aber, was jeder erfahrene Arzt immer schon gewusst hat: Sport stärkt und festigt das Immunsystem nur, wenn er maßvoll angepasst an die individuelle Leistungskraft des Einzelnen ausgeübt und in einem behutsamen Training erst nach und nach gesteigert wird. Überanstrengungen im Sport – vor allem bei Jugendlichen in der Pubertät – schwächen das Immunsystem. Es muss deshalb unbedingt darauf geachtet werden, dass der Jugendliche keinen falschen Ehrgeiz entwickelt und damit in dieser Lebensphase sein Immunsystem ruiniert. Jedes Training verlangt Regelmäßigkeit – und Anpassung. Die Grenzen der Ermüdung und der Erschöpfung müssen eingehalten werden. Es ist gefährlich – nicht nur für die Muskeln –, nur gelegentlich die körperliche Tüchtigkeit auf der Skipiste oder in der Loipe demonstrieren zu wollen. Der Trainingseffekt wäre gleich null, das Risiko der Überforderung viel zu groß.

Der ehemalige Chefbundestrainer der deutschen Fechter, Emil Beck aus Tauberbischofsheim, der mit seinen Mannschaften von einem Sieg zum anderen eilte, war einer der Ersten, die erkannten, dass es im Sport nicht genügen kann, Talente zu entdecken und zu fördern. Auch mit einem zusätzlichen Konditionstraining kann es noch nicht getan sein. Damit Technik, schnelle Reflexe und Konzentrationsfähigkeit sich im Wettkampf optimal entfalten können, muss erst eine stabile Gesundheit als Grundlage gegeben sein. Der junge Mann mit Florett, Säbel oder Degen darf eben nicht einen Tag vor dem Wettkampf seinen Schnupfen bekommen, die Fechterin nicht zwei Stunden vorher einen allergischen

Jugendliche sollten sich sportlich nicht zu sehr verausgaben.

Beim Leistungssport ist eine stabile Gesundheit Voraussetzung.

IV. So trainieren Sie Ihr Immunsystem

Hautausschlag oder verfrüht ihre Tage. Durch die regelmäßigen Hormonumstellungen ist das Problem eines stabilen Immunsystems bei jungen Sportlerinnen noch sehr viel differenzierter als bei jungen Männern. Deshalb hatte Emil Beck schon vor Jahren bei uns Rat und Hilfe gesucht. Und dieser Schritt hat sich wahrhaftig gelohnt. Trainer und Immunologen sollten noch viel enger zusammenarbeiten. Es ist tatsächlich nicht gleichgültig, ob man in den Morgen- oder in den Nachmittagsstunden trainiert. Speziell das sportliche Training sollte viel genauer nach dem Rhythmus des Immunsystems ausgerichtet werden. In solchen Fällen arbeitet die Schwarzwald Privatklinik Obertal auch eng mit der Stiftung Deutsche Sporthilfe zusammen.

Beim Trainieren kommt es auch auf die Tageszeit an.

7. Erwachsensein: Ein Drittel weniger Kalorien

Um das 25. Lebensjahr ist das Wachstum abgeschlossen, die Pubertät längst vorbei. Dieses Lebensalter ist eine wichtige, bisher kaum beachtete Lebensschwelle: Der Organismus braucht nun deutlich weniger Nahrung. Er wächst nicht mehr. Gegenüber dem bisherigen Bedarf verringert sich die benötigte Kalorienmenge um ein ganzes Drittel! Doch wer weiß und beachtet das schon? Wer in diesem Alter seine Essensmengen nicht deutlich einschränkt, wird bald erhebliches Übergewicht besitzen. Es mag sich erst in späteren Jahren deutlich zeigen. Die Grundlage dafür wird schon um das 25. Lebensjahr gelegt: Nimmt ein junger Mann in dieser Zeit, weil er seine Nahrung nicht deutlich einschränkt, täglich auch nur 100 Kilokalorien über den Bedarf hinaus zu sich – das ist kaum mehr als eine Schnitte Brot –, kann sich allein daraus

Erwachsene brauchen weniger Kalorien als Jugendliche.

IV. So trainieren Sie Ihr Immunsystem

Junge Leute wissen oft nicht, wie ihre Seele die Gesundheit beeinflusst.

in zehn Jahren ein Übergewicht von 40 Kilogramm ergeben.
Wir leben schon in einer merkwürdigen Zeit: Junge Menschen finden heute alle Möglichkeiten vor, sich zu schulen, sich in Abendkursen, auf Schulungslehrgängen, in Managerkursen, auf Wochenendtagungen in speziellen Akademien immer noch perfekter auf die Anforderungen im Berufsleben vorzubereiten. Alles wird ihnen bis ins letzte Detail beigebracht, vom Umgang mit modernsten Computern über marktgerechtes Verhalten bis hin zum richtigen Auftreten und zum Styling der eigenen Persönlichkeit bezüglich Kleidung und Benehmen. Vielleicht erfahren sie am Rande auch noch, wie wichtig ein EKG in regelmäßigen Abständen sein kann. Doch keiner verliert ein Wort darüber, wie sie leben müssen, um von ihrer seelischen Verfassung her in Stressbewältigung und Infektabwehr gesund zu bleiben. Kaum einer der jungen Menschen, die künftig Wirtschaft und Politik maßgeblich mitbestimmen, erfährt etwas über die Bedeutung einer gesunden Ernährung oder gar über die Zusammenhänge einer Psycho-Neuro-Immunologie. Nicht zuletzt deshalb beobachten wir so viele fast schon verzweifelte Versuche junger Menschen, eigene Ernährungsexperimente zu versuchen – häufig ohne die geringste Ahnung von der Bedeutung der einzelnen Nahrungsbestandteile zu haben. Nicht selten verfallen sie in Einseitigkeiten, die höchst bedrohlich sind. Wäre es nicht an der Zeit, dass gerade in die Managerkurse das Thema Gesundheit, ganz speziell aber das Thema Immunologie aufgenommen wird? Ein Unternehmen ist nur so gesund wie der Mann an seiner Spitze. Er darf sich nicht damit begnügen, sich technisch, wirtschaftlich, organisatorisch, strukturell

Es sollte Gesundheitsseminare für Manager geben.

IV. So trainieren Sie Ihr Immunsystem

»für Europa« fit zu machen. Was nützt ihm letztlich das ganze Know-how, wenn er seine Ideen und Vorstellungen mangels eigener Leistungskraft oder auch der Krankheitsausfälle seiner Mitarbeiter wegen nicht verwirklichen kann? Gewinnen auf Dauer kann nur der Gesunde! Die Zukunft gehört dem Unternehmer, der sich verantwortungsbewusst vorbeugend um seine Gesundheit und die seiner Mitarbeiter kümmert, in erster Linie um das Immunsystem. Niemand muss lernen, was ein sekretorisches IgA ist. Das können wir den Ärzten überlassen. Doch wie segensreich, die Gesundheit stärkend die Freude sein kann, wie gesund ein herzhaftes Lachen ist, das zumindest müssten alle erfahren, die mit Menschen zu tun haben.

Nur der Gesunde kann gewinnen.

8. Immuno-Pause: Zeit für die »Nachschulung« der Immunkräfte!

Von der schwierigsten Gesundheitskrise, der Immuno-Pause um das 40. Lebensjahr, nicht selten schon früher, wurde schon berichtet. Würde das, was bisher dargelegt wurde, auch nur einigermaßen befolgt, könnte sie ganz deutlich hinausgezögert, vielleicht sogar so weit in ihren Auswirkungen gedämpft werden, dass sie tatsächlich keine bedrohliche Rolle mehr spielen würde. Da dies nur in den seltensten Fällen der Fall ist, kann es auch nicht mehr genügen, in der Mitte des Lebens nun eifrig mit einem Immun-Training zu beginnen. Dieses muss einhergehen mit einer totalen Auffrischung der Immunkräfte, sonst kommt es zu spät. Auffrischung bedeutet in diesem Fall fast immer eine gezielte »Nachschulung« des Immunsystems. Man muss sich darüber im Klaren sein: Bei einer

In der Lebensmitte braucht das Immunsystem eine Auffrischung.

IV. So trainieren Sie Ihr Immunsystem

*Thymosand®
stimuliert und
moduliert das
Abwehrsystem.*

Erschöpfung der Kräfte ist ein Training nicht mehr imstande, neue Lebendigkeit zu wecken. Erst muss die Grundlage dafür geschaffen werden, dass es überhaupt etwas zu trainieren gibt.

Deshalb haben wir die Schwarzwald Privatklinik Obertal zu einem Immun-Training-Center ausgebaut, in dem die Möglichkeit geboten wird, sich sowohl ein effektives Immun-Training anzueignen als auch die »Nachschulung« mithilfe natürlicher, immunstärkender und immunmodulierender Therapien, allen voran unserer Thymosand®-Therapie, einzuleiten. Etwa um das 40. Lebensjahr, das wäre der günstigste Zeitpunkt, sollte sich jeder bewusst machen, dass der Augenblick gekommen ist, nicht länger auf den berühmten »Schuss vor den Bug« zu warten. Die »Sünden« haben sich summiert. Die Hinweise, dass die Gesundheit nicht mehr die stabilste ist, häufen sich:

Regelmäßige Kopfschmerzen, verstärkte Wetterfühligkeit, Konzentrationsprobleme, große Nervosität, Schlafschwierigkeiten, allergische Erscheinungen, Morgensteifheit der Glieder, das sind noch die kleinsten Übel, mit denen man sich herumzuschlagen hat. Man weiß selbstverständlich, dass der immer häufigere Griff zu Tabletten keine Lösung der Probleme darstellt. Doch man braucht sie, um ein bisschen wacher zu sein oder besser einschlafen zu können, um den Kreislauf zu stabilisieren, um die Verdauung zu regeln. Berufliche und private Konflikte scheinen weder Zeit noch die Möglichkeit einzuräumen, endlich etwas für die Gesundheit zu tun. Und wenn dann endlich der Urlaub kommt, bucht man doch wieder eine Reise in ein möglichst exotisches Land, lädt man sich neue gesundheitliche Belastungen auf.

*Oft belasten
wir uns im
Urlaub noch
zusätzlich.*

Und das alles, obwohl niemandem verborgen blei-

IV. So trainieren Sie Ihr Immunsystem

ben kann, wie schwer andere diese Fehler büßen müssen; obwohl man sich bewusst ist, dass man dieselben Fehler wie jene begeht und damit ein ähnliches Schicksal riskiert; obwohl mittlerweile eigentlich jedem klar geworden sein müsste, wie schwer es ist, chronische Leiden auch nur zu lindern, von einer Heilung ganz zu schweigen. Rund zehn Millionen Bundesbürger dürften unter Rheuma leiden. Noch größer ist das Heer der Allergiker. Die Zahl der Diabetiker steigt ständig an. Herzinfarkt und Schlaganfall suchen immer noch jüngere Menschen heim. Täglich sterben etwa 1300 Menschen in unserer Heimat an den Folgen einer Herz-Kreislauf-Erkrankung.

Die Angst vor solchen Leiden wird verdrängt von der noch größeren Befürchtung, der Arzt könnte bei der Untersuchung etwas Schlimmes entdecken. Und so wartet man ab. Ein Jahr um das andere. Und vertut die besten Chancen. Bis es zu spät ist!

Bei Krankheitszeichen rechtzeitig zum Arzt!

Der gezielte Gesundheitsurlaub um das 40. Lebensjahr aber könnte den gefürchteten Leistungsknick leicht um zehn, 15, vielleicht sogar 20 Jahre hinausschieben. Er könnte vor allem über die Immuno-Pause hinweghelfen und damit den chronischen Leiden die Voraussetzungen entziehen. Er könnte speziell unseren Frauen die schwierige Phase der Menopause erträglicher machen und die damit verbundenen Folgen wie Depressionen oder Osteoporose zumindest deutlich mildern. Die gezielte Vorbeugung um 40 mit der Auffrischung des Immunsystems könnte unsere Kliniken wesentlich entlasten. Dafür gibt es handfeste Belege. Wenn sich heute Krankenkassen am liebsten in »Gesundheitskassen« umtaufen möchten, dann deshalb, weil sie das erkannt haben: Die Versuche, chronische Leiden zu heilen, verschlingen Milliarden.

Die Immun-Therapie kann chronischen Leiden vorbeugen.

IV. So trainieren Sie Ihr Immunsystem

Jeder ist für seine Gesundheit selbst verantwortlich.

Ein Gesundheitsurlaub gibt dem Körper neue Kraft.

Mit einem Bruchteil dieses Geldes könnte vorbeugend dafür gesorgt werden, dass die Therapien weitgehend überflüssig werden. Doch das setzt ein grundlegendes Umdenken voraus: Meine Gesundheit ist nicht Sache eines Arztes, der mich wieder auf die Beine stellen muss, wenn mich das Schicksal heimgesucht hat, sondern sie ist meine ureigenste Sache. Ich selbst muss mich darum bemühen – und mich zu den notwendigen Maßnahmen aufraffen. Rechtzeitig!

Die Idealvorstellung eines Gesundheitsurlaubs könnte etwa folgendermaßen aussehen: Um das 40. Lebensjahr wird ein vierwöchiger Urlaub nicht am Strand mit intensiver Sonnenbestrahlung, nicht auf strapaziösen Reisen, nicht in neuer Stressbelastung verbracht, sondern in gesunder, beruhigender Atmosphäre und völlig getrennt von beruflichen und familiären Störungen – möglichst in einem heilklimatischen Kurort ohne Trubel und Verkehr, ohne Industriebelastungen oder landwirtschaftliche Belastungen durch Pestizide oder Gülle. Ein Ort mit noch gesundem Quellwasser wie Obertal/Buhlbach.

Am Anfang dieses Urlaubs steht die gründliche ärztliche Untersuchung, die den Immunstatus überprüft und besondere Gesundheitsrisiken wie Übergewicht, zu hohe Blutfettwerte, beginnende Arteriosklerose, zu hohe Harnsäure, Herzleistung und vieles andere diagnostiziert. Der fachkundige Arzt entscheidet dann, welche Maßnahmen zur Revitalisierung nötig sind. Vielfach empfiehlt er eine immunmodulierende Therapie mit Thymosand-Peptiden, die Sanotrop-Therapie zur Harmonisierung und Aktivierung des Organstoffwechsels, Heilfasten und/oder ein Gefäßtraining mit Ozon-Eigenblut-Infusionen. Ein ergometrisch kontrolliertes Kreislauftraining, eine Sauerstoff-Aktiv-

IV. So trainieren Sie Ihr Immunsystem

Therapie oder die Sauerstoff-Intensiv-Therapie kann angezeigt sein. Sehr wesentlich sind die entsprechenden Psychotherapien, besonders das Autogene Training. Wahrscheinlich kombiniert er die eine oder andere dieser natürlichen Therapien mit anderen, sodass der Gesundheitsurlaub wie ein großer Kundendienst beim Auto alle wichtigen Funktionen neu einstellt und gleichzeitig dafür sorgt, dass man ein hilfreiches Trainingsprogramm mit nach Hause nimmt. Wer einen solchen Gesundheitsurlaub einmal mitgemacht und seinen Segen für die Gesundheit hinterher verspürt hat, der versucht in aller Regel, ihn möglichst regelmäßig zu wiederholen. »In diesen Wochen«, so sagt ein Patient, ein Unternehmer, immer wieder, »verdiene ich das meiste Geld. Denn wenn ich nach Hause komme, bringe ich so viele neue Ideen und Anregungen mit, dass meine Mitarbeiter schon beinahe mit Bangen meiner Rückkehr entgegensehen. Sie ahnen, was auf sie zukommt.«

Tun Sie regelmäßig etwas für Ihren Körper.

Als die Anti-Aging-Welle aufkam, fragten viele unserer Patienten: Was soll daran neu sein? Wir als Patienten der Schwarzwald Privatklinik Obertal praktizieren dies seit Jahrzehnten mithilfe unserer dortigen Ärzte. Und so hören wir häufiger: »Schauen Sie mich an. Ich bin über 80, an allem interessiert und vital dank Obertal.« Kaum zu glauben, doch unser täglicher Alltag.

V
Immun-Therapie mit Thymosand®

1. Von »Helferzellen« und »Suppressoren«
Ist es tatsächlich möglich, ein geschwächtes, unterdrücktes, irritiertes Immunsystem wieder dahin zu bringen, dass es alle seine vielfältigen Funktionen zügig und perfekt erfüllt? Diese Frage war seit den Entdeckungen Sandbergs über ein Vierteljahrhundert heftig umstritten – trotz aller Erfolge bei der Anwendung der Thymus-Extrakte. Sandberg selbst hat 1961, aus den USA nach Schweden zurückgekehrt, eine eigene Klinik eröffnet und sich gegenüber dem Heer seiner Kritiker behauptet. Bis zu seinem Tod im Jahre 1989 – er starb hochbetagt – hat er mit seinem Extrakt thx weit über 200 000 Patienten behandelt. Zuletzt arbeitete er mit fünf verschiedenen Zentren zusammen. Zu ihm sind längst nicht mehr nur Krebskranke gekommen, sondern er nahm sich aller chronischen Leiden an. Man hat ihm sehr genau auf die Finger gesehen. Doch weder bei ihm noch bei den Ärzten, die mit seinem Extrakt behandelten, ereignete sich auch nur ein einziger Zwischenfall, der ein Verbot gerechtfertigt hätte. Die Schweden, die mit Kunstfehlerprozessen und Klagen gegen Arzneimittelhersteller alles andere als zimperlich sind und sehr

Sandbergs Behandlung mit Thymus-Extrakt

V. Immun-Therapie mit Thymosand®

schnell aktiv werden, hätten schon bei Kleinigkeiten das thx verboten. Doch die gab es nicht.

Heute ist die Thymus-Therapie in Schweden – wie in vielen Ländern der Erde, etwa in England, Frankreich, Polen, Israel, Jugoslawien – voll anerkannt. Schweden war auch das erste Land, in dem man Thymus-Extrakte aus der Apotheke beziehen konnte. Bei uns hat sich diese so wirksame Therapie zwar noch nicht so weit durchsetzen können, wie es den Patienten zuliebe zu wünschen wäre, aber sie hat sich in der Zwischenzeit zunehmend mehr Anerkennung verschafft.

Die Thymus-Therapie ist in vielen Ländern längst anerkannt.

In jüngster Zeit ist es Wissenschaftlern gelungen, mithilfe der so genannten monoklonalen Antikörper Methoden zur Zählung der Immunzellen zu entwickeln und somit auch ihre spezifischen Zuständigkeiten im Immunsystem genauer zu erforschen. Man hat also, vereinfacht ausgedrückt, Antikörper geschaffen, von denen man wusste, dass sie auf ganz bestimmte Antigene reagieren. Diese Antikörper wurden radioaktiv markiert, sodass man genau verfolgen konnte, wie und wo sie angreifen, vor allem aber, welche »Initialzündung« und welche »Bremse« sie brauchen, damit der Angriff überhaupt bemerkt und dann maßvoll abgewehrt wird, ohne dass die Reaktion über das Ziel hinausschießt.

Auf diese Weise fand man heraus: etwa 10 bis 20 Prozent der peripheren Blutlymphozyten sind so genannte B-Lymphozyten. Sie produzieren die Antikörper, die gegen bakterielle und virale Infektionen so wichtig sind. Sie reagieren bei Allergien auch auf harmlose Stoffe, etwa auf Blütenpollen.

Die B-Lymphozyten produzieren Antikörper.

65 bis 80 Prozent der Blutlymphozyten sind T-Lymphozyten. Das sind also jene, die in der Thymusdrü-

V. Immun-Therapie mit Thymosand®

se geschult wurden. Sie sind hauptsächlich zuständig für die Abwehrkraft der Körperzellen. Und sie steuern und kontrollieren über Botenstoffe, die so genannten Lymphokine, das gesamte Immunsystem. Unter diesen T-Lymphozyten hat man nämlich Untergruppen identifiziert, die auf nichtgeschulte Abwehrzellen einwirken. Da gibt es T-Helferzellen. Sie regulieren die Antikörperproduktion der B-Lymphozyten, die ohne diese Hilfe offensichtlich nicht in der Lage wären, ihre Aufgabe zu erfüllen. Dann gibt es unter den T-Lymphozyten die T-Suppressoren. Sie sorgen dafür, dass von vorneherein nicht zu viele B-Lymphozyten gebildet werden. Schließlich gibt es unter den Suppressorzellen noch »Spezialisten«, die virusinfizierte Zellen zerstören. Von den T-Lymphozyten, so könnte man es also ausdrücken, wird Regie geführt über die Notwendigkeit und Heftigkeit eines Abwehrkampfes. Andere Abwehrzellen sind von ihren Anweisungen abhängig. Wenn ein Fehler passiert, sind stets die T-Lymphozyten dafür verantwortlich zu machen, nicht ihre »Hilfstruppen«. Interessanterweise ist in einem gesunden Immunsystem das Verhältnis zwischen Helferzellen und Suppressoren im Mittel zwei zu eins.

Es gibt verschiedene T-Lymphozyten: Helfer- und Suppressorzellen.

Neben den B- und den T-Lymphozyten gibt es innerhalb des Immunsystems noch verschiedenartige Killerzellen, Makrophagen und eine Fülle weiterer Abwehrzellen. Insgesamt hat man bis jetzt weit über 100 Subpopulationen klassifiziert!

Über 100 verschiedene Abwehrzellen sind heute bekannt.

Die Killerzellen haben eine wichtige Funktion bei der Vernichtung von Krebszellen und Viren. Die Makrophagen, man nennt sie auch Fresszellen, wirken ebenfalls zellzerstörend auf Viren und krankes Gewebe, auf Schadstoffe, Fremdeiweiß und dergleichen.

V. Immun-Therapie mit Thymosand®

Sie sind die großen »Aufräumer« im Organismus. Auch diese Abwehrzellen wirken nicht einfach selbstständig drauflos, sondern stehen in Verbindung mit T-Lymphozyten.

Die neue Methode macht es nun möglich, sehr genau den Immunstatus zu ermitteln – zu verfolgen, wie er sich bei Krankheiten verändert – aber auch, welche positiven oder negativen Auswirkungen Medikamente auf den Immunstatus haben.

Um die wichtigsten Ergebnisse vorwegzunehmen:
– Es ist eindeutig nachgewiesen, dass bei 95 Prozent aller chronischen Leiden – aber auch bei Krebsleiden – das Immunsystem geschwächt ist.

Bei fast allen chronischen Erkrankungen ist die Abwehr geschwächt.

– Es konnte belegt werden, dass nahezu alle Therapieformen, die heute an den großen Kliniken zur Bekämpfung von Krebs angewendet werden, zugleich immunsuppressiv sind.
– Es konnte zugleich auch bestätigt werden, dass sich ein unterdrücktes Immunsystem wieder aufrichten und ein irritiertes durch Immunmodulation regulieren lässt.

Damit ist aber genau das bestätigt worden, was wir Ärzte immer schon behauptet haben, die wir uns seit mehr als einem Vierteljahrhundert mit natürlichen Behandlungsmethoden um das Immunsystem bemühen.

Das Immunsystem ist regenerationsfähig.

Schon Anfang der 80er-Jahre hat Professor Dr. John R. Hobbs, Experte für Immunologie am Westminster Hospital in London, Aufsehen erregt mit seiner Feststellung, dass bei jedem fünften der in der Klinik untergebrachten Patienten eine Immundefizienz nachgewiesen werden kann.

Die Forschungen laufen auf vollen Touren, sodass beinahe täglich mit neuen Einsichten gerechnet wer-

V. Immun-Therapie mit Thymosand®

den darf. Hier sollen nur noch ein paar Einzelergebnisse gestreift werden: Bei Autoimmunerkrankungen, also etwa bei manchen entzündlichen Rheumaleiden, besteht ein Missverhältnis zwischen Helfer- und Suppressorzellen. Das Verhältnis ist deutlich zugunsten entzündungsfördernder Zellen und Faktoren verschoben. Es leuchtet ein, dass man allein mit einer undifferenzierten Stärkung des Immunsystems diese »Immundysregulation« nicht beheben kann. Man muss das gesunde Verhältnis von »Antreibern« und »Blockern« wiederherstellen.

Vielen Krankheiten liegt eine Immundysregulation zugrunde.

Bei AIDS-Patienten fand man es genau umgekehrt. Viel zu wenig Helferzellen im Verhältnis zu anderen Immunzellen und -faktoren.

Vor allem bei viralen Infektionen lässt sich eine zeitweilige, gelegentlich sogar chronische Immunsuppression nachweisen. Bei der Gürtelrose (Herpes zoster) sind die Suppressorzellen aktiviert und zugleich Funktionsstörungen bei den Makrophagen gegeben.

Bei Krebspatienten existiert häufig kein normales Verhältnis der Immunzellen untereinander. Dies lässt sich oft schon nachweisen, bevor überhaupt ein Tumor diagnostiziert werden kann. Nach einer Chemotherapie, nach Bestrahlungen oder Cortisonbehandlungen – auch das lässt sich zeigen – findet sich eine Immunsuppression.

Krebstherapien unterdrücken das Immunsystem meist.

Selbst bei Diabetes – wer hätte es bei dieser Krankheit schon erwartet – lässt sich häufig eine Disharmonie zwischen Helfer- und Suppressorzellen nachweisen.

Kein Zweifel: Wer gesund bleiben will, der muss sich in erster Linie um sein Immunsystem kümmern. Bei ihm laufen alle Fäden zusammen. Auch in Zukunft

V. Immun-Therapie mit Thymosand®

Fehlregulierungen des Immunsystems können erkannt werden, bevor eine Krankheit ausbricht.

werden wir noch immer neue erstaunliche Dinge über diese »Gesundheitszentrale« in unserem Körper erfahren.

Ist Ihnen aufgefallen, was bei der Aufzählung der Verschiebungen innerhalb der Thymus-Lymphozyten so ganz am Rande angeklungen ist? Ja, die Möglichkeit, solche Entgleisungen rechtzeitig zu diagnostizieren – noch bevor sich ein Knoten in der Brust oder ein Tumor in der Leber gebildet hat! Das ist eine völlig unerwartete, riesige Chance einer ganz neuen Früherkennung. Man könnte sie direkt als »Vorerkennung« bezeichnen, weil sie möglich macht, bereits den Fehler zu identifizieren, der zur Krankheit führen könnte – lange bevor diese entstanden ist. Und weil es tatsächlich möglich ist, den Fehler des Immunsystems auch zu beheben, kann man dann auch der Erkrankung vorbeugen.

Das ist eine der besten Nachrichten der letzten Jahre aus dem medizinischen Bereich und weitere Forschungsergebnisse sind viel versprechend.

Bei uns an der Schwarzwald Privatklinik gehört seit vielen Jahren die Bestimmung des Immunstatus zur Routine unserer Laboruntersuchungen. Wir können mit diesen Messungen auch verfolgen, inwieweit sich das Bild während der Behandlung verändert hat.

Labortests geben Auskunft über den Immunstatus.

Diese Untersuchungen werden zwar immer komplizierter, weil immer neue Untergruppen von Immunzellen erkannt werden. Aber auch die Forschungsarbeiten an neuen vereinfachten Tests gehen weiter, die eines Tages möglicherweise sogar vom Hausarzt angewendet werden könnten.

Um nur anzudeuten, wie das aussehen könnte: In Heidelberg provozieren Wissenschaftler bei freiwilligen Studenten kleine Brandblasen am Unterarm.

V. Immun-Therapie mit Thymosand®

Dann zählen sie die Abwehrzellen, die sich in der Lymphflüssigkeit der Blase gesammelt haben. Dieses Verfahren hat den Vorteil, dass man nicht direkt in den Organismus hineingeht, sondern gewissermaßen an der Oberfläche hantieren kann. Die Wissenschaftler können nämlich an der Flüssigkeit in der Brandblase, ohne den Organismus im Geringsten zu belasten, immunstimulierende Substanzen exakt testen. Und sie können Therapien Schritt für Schritt verfolgen, laufend darüber informiert, welche Gruppen des Immunsystems sich bei welchen Stoffen wie verändert haben.

Immunstimulierende Substanzen im Test

Sicherlich wird man den Patienten in naher Zukunft keine Brandblasen am Unterarm zumuten. Doch es lässt sich wohl ein noch einfacherer Weg finden. Der Anfang ist gemacht. Es ist unglaublich, welche Fortschritte seit den ersten zaghaften Schritten Sandbergs erzielt werden konnten.

2. Immun-Therapie – die vierte Säule in der Krebsbehandlung

Selbstverständlich waren uns Ärzten in Obertal die Arbeiten Sandbergs nicht verborgen geblieben. Im Jahre 1975 schon fuhr ich für acht Tage nach Schweden, um Sandberg in Aneby zu besuchen und an Ort und Stelle nachzuprüfen, ob etwas dran ist an seiner neuen Heilmethode. Mir ist es nicht besser ergangen als so vielen anderen: Ich war erfüllt von Skepsis. Schließlich hatte ich miterlebt, wie viele »Sensationsmeldungen« bei näherem Hinsehen wie Seifenblasen zerplatzt, als Missverständnisse oder als voreilige Äußerungen entlarvt worden waren, die einer eingehenden Prüfung nicht standhalten konnten. Das

V. Immun-Therapie mit Thymosand®

Dr. Sandbergs Thymus-Extrakt stellte einen medizinischen Durchbruch dar.

Thymus-Peptide können ein angeschlagenes Immunsystem wieder ins Lot bringen.

Schlimme daran waren die vielen falschen Hoffnungen, die geweckt wurden.

Ich besichtigte das Institut in Aneby, ließ mir zeigen, wie der Thymus-Extrakt gewonnen wird, studierte Krankengeschichten und diskutierte nächtelang mit Sandberg. Natürlich sprach ich auch mit vielen Patienten, um etwas über deren Erfahrungen zu hören. Meine Skepsis wich mehr und mehr. Ich konnte mich davon überzeugen: In Aneby wurde Bemerkenswertes geleistet: Sandberg hatte es geschafft, ein angeschlagenes Immunsystem neu zu formieren. Das musste so etwas wie ein Durchbruch in der Heilkunst sein.

Als ich nach Obertal zurückkehrte, war ich erfüllt von dem starken und sicheren Gefühl, etwas ganz Wichtiges mitzubringen. Sandberg kam bald darauf zum Gegenbesuch in den Schwarzwald. Er blieb vier Wochen lang. Nach dieser Zeit stand für uns Ärzte an der Schwarzwald Privatklinik Obertal fest, dass die Immun-Therapie mit Thymus-Peptiden in der Tat die Möglichkeit bietet, das Immunsystem wieder zum gesunden und normalen Funktionieren zurückzuführen, um es einmal ganz einfach auszudrücken. Heute dürfen wir stolz darauf sein, diese Therapie erstmals in Deutschland zur klinischen Anwendung gebracht zu haben.

Inzwischen ist unendlich viel geschehen. Meine Kollegen und ich haben die immunmodulierende Therapie mit Thymosand®-Peptiden im Jahre 1977 zum ersten Mal in Deutschland klinisch angewendet. Seitdem haben wir an der Schwarzwald Privatklinik Obertal ohne Unterbrechung ungezählte Thymosand-Injektionen verabreicht, mit vielen überzeugenden Behandlungserfolgen und ohne einen einzi-

V. Immun-Therapie mit Thymosand®

gen gravierenden Zwischenfall. Aus dem ursprünglichen Thymus-Gesamtextrakt von Sandberg (thx) haben wir ein natürliches Immunpharmakon entwickelt, das unter der Bezeichnung Thymosand® zu einem Begriff geworden ist.

Thymosand® ist ein standardisiertes, naturidentisches Arzneimittel. Das bedeutet: Es enthält die wichtigsten immunregulatorischen Wirkstoffe aus dem Thymus stets in gleich bleibender Menge und Aktivität, in höchster Reinheit und ohne Konservierungsstoffe. Seine Wirkung steht außer Zweifel. Sie beruht auf den Wirkstoffen der Substanzklasse der so genannten Biological Response Modifier (abgekürzt: BRM), was gleichbedeutend mit »Bioregulatoren« ist.

Die Wirkung von Thymosand® ist erwiesen.

Thymosand® wird mithilfe der hochmodernen Technik einer speziellen Ultrafiltration hergestellt und seine Sicherheit durch das VirVal®-Verfahren gewährleistet. Das weltweit durch Patente geschützte Validierungsverfahren für diese spezielle Ultrafiltration gewährleistet den höchstmöglichen Arzneimittelsicherheitsstandard; zudem werden dabei die Thymus-Peptide geschont und sogar noch angereichert. Dank VirVal® hat Thymosand® mit einer Faktorensumme von fast 40 einen nahezu doppelt so hohen Sicherheitsstandard, wie er für die Anwendung von Arzneimitteln aus biologischem Material vom Gesetzgeber neu gefordert wird. Das Immunpharmakon ist also viel sicherer, als es das Gesetz verlangt.

Thymosand® ist unbedenklich und sicher in der Anwendung.

Thymosand® unterscheidet sich deshalb in Qualität, Wirkung, Sicherheit, Unbedenklichkeit grundlegend von anderen so genannten Thymus-Extrakten und Thymus-Präparaten. Thymosand® ist für uns das optimale Mittel für eine Immunmodulation, also für eine

V. Immun-Therapie mit Thymosand®

Überschießende Immunreaktionen werden durch Thymosand® gehemmt.

gezielte Verbesserung der körpereigenen Abwehrkräfte zum Normalen und Gesunden: Übermäßige Immunreaktionen, etwa bei Allergien, werden durch die von außen zugeführten Thymus-Peptide gehemmt und dadurch wieder normalisiert. Autoimmunprozesse, bei denen Immunzellen körpereigenes Gewebe als fremd verkennen und angreifen, werden gebremst, indem Thymosand® diese falsche Immunantwort korrigiert; das macht es vor allem bei der Behandlung der chronischen Polyarthritis mit Entzündungen in vielen Gelenken so wertvoll.

Bei einer Immundefizienz werden die geschwächten körpereigenen Abwehrkräfte durch das Immunpharmakon derart gestärkt, dass die dabei gehäuft auftretenden Infektionen besser abgewehrt bzw. leichter geheilt werden können.

Nicht nur, weil die von mir veranlasste Grundlagenforschung die klinischen Ergebnisse bestätigt hat, sondern auch aus der jahrzehntelangen Erfahrung aller Ärzte der Schwarzwald Privatklinik Obertal hat sich erwiesen, dass Thymosand® alle Anforderungen an einen höchst wirksamen Immunmodulator erfüllt. Ich selbst lasse mich konsequent mindestens alle sechs Monate mit Thymosand® behandeln.

Als ehemaliger ärztlicher Direktor und Mitglied des wissenschaftlichen Beirats der Schwarzwald Privatklinik Obertal hielt ich jahrelangen Informationsaustausch mit namhaften Immunologen auf der ganzen Welt. Für einen Gedankenaustausch zwischen Wissenschaftlern und Ärzten wurde erstmals im Jahre 1988 das »Internationale Experten-Forum Immun-Therapie« ins Leben gerufen, das seitdem etwa alle zwei Jahre von der Schwarzwald Privatklinik Obertal

V. Immun-Therapie mit Thymosand®

organisiert wurde. Dies geschah besonders unter dem Gesichtspunkt, dass allein die Umsetzung von der Theorie in die Praxis für den Patienten ausschlaggebend ist und besonders neue Erkenntnisse schnell umgesetzt werden sollten. Er fragt nicht nur nach Forschungsergebnissen, sondern will vom therapeutischen Nutzen profitieren. Im Juni 1994 trafen sich Wissenschaftler aus vielen Ländern in der norwegischen Hauptstadt Oslo zu diesem Experten-Forum. Bei dieser Gelegenheit wurden neue Erkenntnisse über die Anwendung der Thymus-Peptide vorgetragen sowie neue Beweise für die Wirksamkeit von Thymosand®, unter anderem aus einer gemeinsamen Untersuchung von Dr. Thomas Nebe vom Klinikum Mannheim der Universität Heidelberg-Mannheim und den Kollegen an der Schwarzwald Privatklinik Obertal in Baiersbronn. Insgesamt 274 Patienten im Alter zwischen 50 und 80 Jahren nahmen daran teil. Hauptdiagnosen waren Immundefizienz mit stark erhöhter Anfälligkeit für Infektionen, Immundysregulation bei chronischer Polyarthritis mit Entzündungen in vielen Gelenken und Atemwegserkrankungen. Die Patienten wurden über drei Wochen hinweg mit insgesamt 15 bis 20 Injektionen mit Thymosand® in individueller Dosierung behandelt.

Studie zur Wirksamkeit von Thymosand®

Die Erfolge dieser Immun-Therapie bestätigten unsere Erfahrungen. Bei nahezu allen Patienten erhöhte sich die Zahl der zytotoxischen T-Lymphozyten; das sind Immunzellen, die Viren direkt angreifen und die auch Krebszellen töten. Mit anderen Medikamenten ist es noch nicht gelungen, hauptsächlich diese Gruppe von Immunzellen zu vermehren. Zudem bewirkte Thymosand®, dass der Autoimmunprozess bei chronischer Polyarthritis gemildert wurde. Als Folge

Vor allem zytotoxische T-Lymphozyten werden angeregt.

V. Immun-Therapie mit Thymosand®

Immun-Therapie ohne unangenehme Nebenwirkungen

Thymus-Peptide kommen in der Krebsnachsorge zur Anwendung.

dessen zeigte sich bei nahezu allen Patienten »eine hochsignifikante (statistisch eindeutig gesicherte) Besserung des klinischen Gesamteindrucks und parallel dazu eine ebenfalls hochsignifikante Abnahme pathologischer (krankhafter) Laborwerte des Immunstatus«, berichtete Dr. Nebe auf diesem »4. Internationalen Experten-Forum Immun-Therapie« in Oslo. Von großer Bedeutung ist ein weiteres Ergebnis der Untersuchung: Kein Patient verspürte unerwünschte Nebenwirkungen durch Thymosand®, bei keinem musste die Immun-Therapie mit den Thymus-Peptiden vorzeitig abgebrochen werden.

1998 fand das Experten-Forum in Florenz statt, wo sich wiederum namhafte Wissenschaftler aus aller Welt trafen. Highlights waren: »Das Verhältnis der verschiedenen T-Lymphozyten, die den Krankheitsverlauf mitbestimmen«, »Thymus-Peptide« als Vermittler zwischen Psyche, Neuro-Endokrinium und »Immunsystem«, »Mangelernährung bedingt Störungen der zell- und zytokinvermittelten Immunologie«.

Mit Thymosand® behandeln wir nicht nur Allergien, chronische Bronchitis, Infektanfälligkeit, Rheuma und viele andere Leiden, sondern wir setzen es auch innerhalb der vierten Säule in der Krebstherapie ein, wenn zuvor auf konventionellem Wege durch Operation, Bestrahlung und Chemotherapie eine erfolgreiche Entfernung der Tumormasse stattgefunden hat. Da aber alle drei Behandlungsmaßnahmen das Immunsystem schädigen und zerstören, ist das wichtigste Element der vierten Säule in der Krebstherapie die Immunmodulation, damit es nicht zur Ausbildung von Kleinstmetastasen oder banalen Infekten kommt.

Das Beispiel der kleinen Anke aus Hamburg zeigt, wie

V. Immun-Therapie mit Thymosand®

das gemeint ist. Dieser Fall ist deswegen besonders interessant, weil er so lange zurückliegt, dass man nun wahrhaftig nicht mehr von einem vorübergehenden Aufflackern sprechen kann, wie das bei Krebs so oft beobachtet wird:

Als Anke, gerade neun Jahre alt, am 16. Juni 1976 mit heftigen Bauchschmerzen nach Hause kam, vermutete der eiligst herbeigerufene Arzt zuerst eine Blinddarmentzündung. Die Röntgenaufnahme zeigte dann allerdings einen Schatten am rechten Eierstock. Die Ärzte entfernten einen kindskopfgroßen Tumor. Der histologische Befund ergab Krebs: Adeno-Karzinom. Leider war auch bereits der junge Körper voller Metastasen. In den Leisten konnte man die Tochtergeschwülste schon ertasten. Das Urteil der Professoren an der Hamburger Universitätsklinik lautete: aussichtslos! Anke wurde mit Zytostatika behandelt, doch der Mutter teilte man unmissverständlich mit: »Wir können für Ihr Kind nichts mehr tun. Machen Sie dem Kind noch eine schöne Zeit!« Eine deprimierende Prognose!

Ein neunjähriges Mädchen mit Eierstockkrebs

Anke magerte ab, verlor infolge der Chemotherapie sämtliche Haare. Sie wollte nicht mehr essen, nicht mehr spielen und hatte auch sonst jede Freude am Leben verloren. Aus dem übermütigen Mädchen war ein trauriges Bündel geworden. Das Ende schien absehbar und unentrinnbar.

In dieser verzweifelten Situation hörte Ankes Mutter von der »Wundermedizin« Thymus-Therapie. Sie ließ nicht locker, bis der »Versuch« gewagt wurde. In den ersten 14 Tagen tat sich so gut wie nichts. Der Zustand Ankes blieb unverändert schlecht. Ich erhöhte die Thymosand®-Dosis. Anke bekam insgesamt zweimal 20 Injektionen.

Ein Versuch mit Thymus-Peptiden wird gewagt.

V. Immun-Therapie mit Thymosand®

Anke besiegt den Krebs.

Etwa einen Monat nach Beginn der Therapie zeigte sich plötzlich doch eine deutliche Besserung. Das Blutbild des Kindes normalisierte sich. Die Metastasen verschwanden. Die Haare wuchsen wieder. Anke begann mit großem Appetit zu essen. Sie wuchs und fand zu ihrer ursprünglichen Fröhlichkeit zurück. Und so blieb es. Zwei Jahre nach der Behandlung war die bösartige Krankheit nicht zurückgekehrt. Der Arzt, der Anke operiert und sie anschließend nach Hause geschickt hatte, weil er der Meinung war, einen hoffnungslosen Fall vor sich zu haben, konnte bei einer Nachuntersuchung keine Spur von Krebs mehr finden.

Anke ist inzwischen eine hübsche, lebensfrohe junge Frau. Zum letzten Mal war sie zu einer Kontrolle am 28. Februar 1987 bei uns. Erneut wurde festgestellt: Sie ist vollkommen gesund.

Damit ist sicher nicht zu beweisen, dass Thymosand® das Krebsheilmittel schlechthin ist. So einfach ist die Heilkunst nicht. Auch würde ich allem, was ich bisher darzustellen versuchte, gründlich widersprechen.

Thymosand®: kein Allheilmittel gegen Krebs, aber wichtig in der Nachsorge

Wer statt einer notwendigen Operation versuchen wollte, sein Krebsleiden mit Thymosand® zu heilen, hätte mich gründlich missverstanden. Was gezeigt werden konnte, ist das: Krebsleiden haben mit einem geschwächten Immunsystem zu tun. Deshalb kann es keine bessere Möglichkeit der Krebsvorsorge geben als ein gezieltes Immun-Training.

In diesem Sinne werden immunaufbauende Maßnahmen heute nahezu allgemein in der Onkologie als vierte Säule in der Krebstherapie – nach der Operation, der Chemotherapie, der Bestrahlung – anerkannt, und Thymosand®, ist zweifellos ein ganz wichtiges, tragendes Element dieser vierten Säule.

V. Immun-Therapie mit Thymosand®

Die Immun-Therapie als vorbeugende, begleitende und nachsorgende Maßnahme ist heute im Kampf gegen Krebs so gut wie unverzichtbar. Alle, die besonders krebsgefährdet sind, weil ihr Immunsystem nicht mehr fehlerfrei seine Aufgaben erfüllen kann, sollten zunächst an eine Immun-Therapie denken, etwa an eine Thymosand®-Therapie.

Wenn Ihr Krebsrisiko erhöht ist, sollten Sie Ihr Immunsystem stärken.

Dazu gehören auch alle, die eine Krebsbehandlung hinter sich haben, etwa eine Operation oder eine Chemotherapie. Die eigentliche Gefährlichkeit der Krebsleiden besteht in aller Regel nicht im früh erkannten primären Tumor, sondern in dem häufigen erneuten Aufflammen der ursprünglichen Krankheit, indem sich Metastasen des ursprünglichen Tumors gebildet haben, weil frei zirkulierende Krebszellen vom Immunsystem nicht vernichtet wurden. Seltener kommt es nach Krebserkrankung zu einer neuen Krebserkrankung. Deshalb muss nach jeder zytostatischen Behandlung, die das Immunsystem schwächt und nahezu zerstört, zuerst dafür Sorge getragen werden, dass das Immunsystem wieder aufgebaut wird.

3. Die »Immune Surveillance Line« muss wieder aufgebaut werden

Die Erfahrungen bei Organtransplantationen haben es uns sehr deutlich vor Augen geführt: Ein gesundes Immunsystem erkennt das fremde Gewebe sofort und macht sich daran, es zu vernichten. Da es fast unmöglich ist, einen Spender zu finden, dessen Organ nicht als »fremd« erkannt würde, muss das Immunsystem des Empfängers in aller Regel gewaltsam supprimiert werden, um damit die Abstoßung zu ver-

Ein funktionierendes Abwehrsystem versucht alles Fremde zu eliminieren.

IV. Immun-Therapie mit Thymosand®

meiden. Durch diese Suppression steigt das Krebsrisiko um das 70fache an. Außerdem wird der Patient sehr anfällig für Infektionen, und diese nehmen oft lebensbedrohende Formen an.

Wie schon mehrfach wiederholt, wird auch bei Krebstherapien das Immunsystem unterdrückt. Das scheint deshalb dringend geboten, weil auch bei der vorsichtigsten, schonendsten Operation viele Millionen Krebszellen ins Blut gelangen. Sie versuchen sofort, sich irgendwo festzusetzen, um dort wieder zu einem Tumor heranzuwachsen. Weil die Abwehrzellen in ihrer geschwächten Position nicht zupacken können, ist die Gefahr einer Rückkehr der Krankheit sehr groß. Um das zu verhindern, gehört es heute häufig zur Krebsbehandlung, dass nach der Operation der Körper bestrahlt oder mit Zytostatika »nachbehandelt« wird. Damit bewirkt man zugleich eine neue, zusätzliche Schwächung und Schädigung des Immunsystems.

Chemotherapie und Bestrahlung schädigen die Abwehr.

Hier ist die Thymosand®-Therapie, ergänzt durch eine Therapie mit Enzym-Wied® als vierte Säule der Krebstherapie gefordert: Speziell die Krebsnachsorge darf nicht länger in der Zerstörung des Immunsystems bestehen, sondern sie muss darauf ausgerichtet werden, das Abwehrsystem so früh wie möglich wieder so zu stärken und zu regulieren, dass der Körper wieder mit Krebszellen von sich aus fertig werden kann. Keine andere Heilmethode vermag dies nach unserer Erfahrung so schonend und durchgreifend wie die Thymosand®-Therapie. Seit fast 30 Jahren wird die Thymosand®-Therapie vieltausendfach an der Schwarzwald Privatklinik Obertal erfolgreich angewandt. Das heißt aber: Nützen Sie nach der üblichen Krebsbehandlung den ersten sich bietenden Augen-

Thymosand® baut das Immunsystem schonend wieder auf.

IV. Immun-Therapie mit Thymosand®

blick, und unterziehen Sie sich einer Immun-Therapie. Damit erhöhen Sie die Chancen, dass der Krebs nicht zurückkehrt. Das unterdrückte Immunsystem kann die »Immune Surveillance Line« wieder aufbauen – so nennen US-Wissenschaftler den intakten Immunschutz gegenüber Krebs – und Sie so vor dem Rückfall schützen – und vor vielen möglichen Infektionen, die in dieser Situation besonders bedrohlich sein können. Auf Thymosand®, Mikro-Nährstoffe wie Vitamine und Spurenelemente, Enzyme und eine optimale Ernährung zur Aktivierung und Harmonisierung des Immunsystems sollte heute keine Krebsnachbehandlung mehr verzichten.

Ein intaktes Immunsystem schützt vor einem Krebs-Rückfall.

Bei Patienten mit einem geschwächten Immunsystem ist es sogar ratsam, schon vor einer Behandlung mit Operation, Hormonen, Zytostatika eine Thymosand®-Therapie durchzuführen. Damit kann man zumindest erreichen, dass das Immunsystem gestärkt wird und deshalb die Belastungen durch die aggressive Therapie und die Überschwemmung des Organismus mit Krebszellen besser verkraften kann. Oft genug haben wir allerdings auch erlebt, dass dank der Therapie eine Operation überhaupt überflüssig geworden ist. Hierzu nur eines von vielen Beispielen: Zu uns nach Obertal war das Ehepaar B. aus Karlsruhe gekommen. Frau Luise B., 60 Jahre alt, als Patientin mit einer Arthrose, ihr Mann, Otto B., 77, als Begleiter und »Feriengast«. Er wollte, wie er uns sagte, gemeinsam mit seiner Frau die herrliche Gegend und das gesunde Klima genießen. Einer meiner Kollegen begegnete ihm eines Tages ganz zufällig in der Empfangshalle. Unser »Feriengast« ging gebückt und unsicher, sein Gesicht war grau und erkennbar vom Leid gezeichnet. Dem kundigen Arzt wurde sofort klar:

Die Thymus-Therapie hat schon manche Krebsoperation überflüssig gemacht.

V. Immun-Therapie mit Thymosand®

Dieser Mann ist krank! Deshalb sagte er bei der nächsten Behandlung zu Frau B.: »Schicken Sie mir doch gelegentlich Ihren Mann vorbei. Ich fürchte, er braucht unsere Hilfe noch nötiger als Sie!«
Da brach Frau B. in Tränen aus. »Sie haben Recht, Herr Doktor. Aber meinem Mann kann keiner mehr helfen. Er hat ein Prostatakarzinom. Wir haben es ihm bisher verschwiegen. Der Professor in Heidelberg lehnt eine Operation ab, weil die Geschwulst schon zu groß ist. Auch würde Ottos Herz das nicht mehr verkraften. Wir sind ja gerade deshalb hier, um uns noch ein paar schöne Tage zu machen. Doch für Otto sind sie leider gar nicht schön. Er leidet entsetzlich.«
Mein Kollege gab nicht nach. »Schicken Sie mir Ihren Mann trotzdem. Wir können ihm zumindest seine Schmerzen lindern.«
Otto B. kam dann tatsächlich und wurde mir vorgestellt. Die Untersuchung bestätigte die Angabe seiner Frau: Prostatakrebs. Der Patient war völlig abgemagert, sein Gesundheitszustand sehr schlecht.
Um es kurz zu machen: Herr Otto B. unterzog sich einer Thymosand®-Therapie und hatte nach sechs Wochen bereits sieben Pfund zugenommen. Vital und frisch besuchte er uns zu einer Kontrolluntersuchung. Der Tumor war tatsächlich kleiner geworden. Inzwischen hielt der Heidelberger Professor die Operation für überflüssig, weil der Tumor von der Größe her keinerlei Problem darstellte. Der Urologe stand vor einem Rätsel: »Jetzt verstehe ich überhaupt nichts mehr«, gestand er seinen Mitarbeitern. »Erst konnte ich nicht mehr operieren, weil der Tumor zu groß und der Gesundheitszustand des Patienten zu schlecht war. Jetzt ist die Operation unangebracht, weil sich das Karzinom in einem Zustand befindet, der einen

Ein Prostatakarzinom schmilzt unter Thymosand®-Therapie dahin.

V. Immun-Therapie mit Thymosand®

Eingriff noch nicht nötig erscheinen lässt. Was ist inzwischen geschehen?«

Solche Therapieerfolge sind keineswegs die ganz große oder seltene Ausnahme. Und sie zeigen, dass auch das Immunsystem eines älteren Menschen offensichtlich noch lernfähig ist. Es geht einfach nicht nur darum, ein starkes Immunsystem zu besitzen. Noch entscheidender ist, dass es richtig und bestimmungsgemäß handelt – in jeder Situation.

Auch das Abwehrsystem älterer Menschen kann noch dazulernen.

Lassen Sie mich das an einem weiteren Beispiel erklären, das die Zusammenhänge besonders deutlich macht: Leukämiekranke Kinder können heute mit den modernen Methoden in den meisten Fällen geheilt werden. Selten kehrt die bösartige Krankheit zurück! Dann müssen derart hohe Dosen von Medikamenten bzw. Strahlen verabreicht werden, dass dabei auch die so genannten Stammzellen im Knochenmark zerstört werden. Ohne Gegenmaßnahmen wäre das für den Patienten ebenso tödlich wie die Krebskrankheit selbst. Denn aus den Stammzellen entwickeln sich alle Formen der Blut- und Lymphzellen; dazu gehören die B- und T-Lymphozyten, die Makrophagen (Fresszellen) und die verschiedenen Formen der Granulozyten als Immunzellen sowie die roten Blutkörperchen, die den Organismus mit Sauerstoff versorgen, und die Blutplättchen, die für die Blutgerinnung unerlässlich sind. Ohne sie würde der Patient das Opfer von banalen Infektionen oder inneren Blutungen werden.

Werden die Stammzellen im Knochenmark zerstört, ist der Körper wehrlos.

Um das zu verhindern, wird in diesen Fällen eine Transplantation von Knochenmark durchgeführt. Es ist derart regenerationsfähig, dass aus relativ kleinen Mengen in wenigen Wochen ein voll funktionsfähiges Organ entsteht, das wieder alle Blut- und Lymph-

V. Immun-Therapie mit Thymosand®

Einen geeigneten Knochenmarkspender zu finden, ist äußerst schwierig.

Neue Methoden der Knochenmarktransplantation machen Hoffnung.

zellen bildet. Voraussetzung dafür ist allerdings ein geeigneter Spender, dessen Knochenmark mit dem des Patienten so identisch ist, dass es vom Immunsystem nicht abgestoßen wird. In den meisten Fällen eignet sich als Transplantat nicht einmal das Knochenmark der Eltern oder Geschwister. Je mehr Geschwister ein Kind hat, desto größer ist zwar die Wahrscheinlichkeit, dass sich unter ihnen ein geeigneter Spender befindet, aber in den heute üblichen Kleinfamilien mit ein, zwei Kindern ist diese Chance entsprechend gering.

Abgesehen davon: Eine Knochenmarktransplantation ist aufwendig, teuer und auch riskant – nicht nur das Immunsystem des Empfängers kann das Knochenmark abstoßen, sondern auch das Knochenmark des Spenders kann das Gewebe des Patienten bekämpfen. Ärzte bemühen sich deshalb um Alternativen, sie haben zwei hoffnungsvolle Ansätze gefunden. Der eine ist die »autologe Knochenmarktransplantation«; dafür werden dem Patienten selbst vor Beginn der Behandlung die Stammzellen aus dem Knochenmark entnommen und ihm hinterher wieder zugeführt. Beim anderen wird einem Spender nicht mehr wie bisher Knochenmark aus Röhrenknochen entnommen, sondern es werden gezielt Stammzellen aus seinem Blut gewonnen und dem Empfänger übertragen. Diese Methode ist bereits mit guten Erfolgen erprobt worden, die separierten Stammzellen bildeten schneller wieder ausreichend Blut- und Lymphzellen als transplantiertes Knochenmark. Es sind aber noch weitere Erfahrungen nötig, um ein abschließendes Urteil darüber fällen zu können.

In diesem Zusammenhang erinnere ich mich an einen Versuch, den der Immunexperte Professor Ivan

V. Immun-Therapie mit Thymosand®

Roitt von der Medizinischen Hochschule Middlessex in London bereits vor Jahren durchgeführt hat: Er setzte ausgewachsene Mäuse einer starken Röntgenstrahlung aus. Er stellte danach fest, dass sich die Lymphozyten der Tiere nicht mehr teilen konnten. Ihr Immunsystem brach völlig zusammen. Nun injizierte er den Mäusen junge Knochenmarkzellen. Tatsächlich schien sich das Immunsystem zu erholen. Die Zahl der Lymphozyten war bald wieder normal, jedoch nicht ihr Verhalten. Sie begannen, die roten Blutkörperchen anzugreifen. Der Grund dafür: Durch die starke Strahlung war auch die Thymusdrüse der Tiere schwer geschädigt worden. Deshalb konnten die Lymphozyten, die nach der Knochenmarktransplantation gebildet wurden, nicht für ihre Aufgaben geschult werden. Sie lernten nicht, Freund von Feind und gesund von krank zu unterscheiden – und attackierten körpereigene Zellen.

Röntgenstrahlen schädigen das Immunsystem.

Doch nun kommt das Erfreuliche an diesem Experiment: Professor Roitt konnte die verloren gegangene »Schulung« nachholen. Er gab den immungeschwächten Tieren einen Thymus-Extrakt. Und nun funktionierte deren Immunsystem wieder. Der Wissenschaftler konnte sogar beweisen: »Selbst die Defekte, die durch die Entfernung der Thymusdrüse bei neugeborenen Versuchstieren hervorgerufen werden, lassen sich durch lösliche Thymus-Extrakte rückgängig machen.«

Thymus-Extrakte machen Immundefekte rückgängig.

Das ist eine so wichtige und bahnbrechende Erkenntnis, dass sie selbst viele Mediziner immer noch nicht so recht wahrhaben wollen. Doch im Grunde ist es beim Immunsystem nicht viel anders als beim Zuckerstoffwechsel: Wenn die Bauchspeicheldrüse kein Insulin zu liefern vermag, weil die Inselzellen,

V. Immun-Therapie mit Thymosand®

Die Thymusdrüse produziert eine Vielzahl von Peptiden wie Thymosine und Enzyme.

durch Autoimmunprozesse zerstört oder durch pausenlose Überforderung mit zunehmendem Alter erschöpft, funktionsunfähig sind, dann kann man das fehlende Hormon, das Insulin, dem Körper durch Injektion zusetzen. Und dann funktioniert der Zuckerstoffwechsel wieder. Der Unterschied zwischen Inselzellen und Thymusdrüse liegt nur darin, dass das Zentralorgan des Immunsystems nicht etwa nur ein einziges Hormon zur Verfügung stellt, sondern eine bisher noch nicht einmal völlig geklärte Vielzahl von Peptiden wie Thymosine und Enzyme. Aller Wahrscheinlichkeit nach braucht aber ein Faktor den anderen, und die einzelnen Faktoren verstärken sich in ihrer Wirksamkeit. Wann also ist eine Thymosand®-Therapie angezeigt? In erster Linie in den drei schwierigen Momenten:

– In der Immuno-Pause um das 40. Lebensjahr, um die Widerstandskraft gegen Krankheiten zu erhalten.
– Wenn das Immunsystem bereits versagt hat, etwa bei chronischen Leiden.
– Wenn das Immunsystem künstlich »geknebelt« wurde, beispielsweise nach einer Chemotherapie bei Krebs oder auch nach Antibiotika-Behandlungen.

Allerdings muss man sich über eines völlig im Klaren sein: Bei Diabetes genügt es nicht, sich einmal Insulin zu spritzen, um dann wieder für alle Zeit einen geregelten Zuckerstoffwechsel zu besitzen. Man muss sich bei fortgeschrittenem Ausfall das Insulin täglich spritzen.

Die Immun-Therapie ist eine langfristige Maßnahme.

Bei der Immun-Therapie mit Thymus-Faktoren ist es ähnlich: Es kann nicht ausreichen, einmal für 14 Tage in die Schwarzwald Privatklinik zu gehen, sich dort ein paar Thymosand®-Injektionen geben zu lassen, um fortan für den Rest des Lebens über ein intaktes

V. Immun-Therapie mit Thymosand®

Immunsystem zu verfügen. Bei einer vorbeugenden Therapie, sehr frühzeitig durchgeführt, mag das im einen oder anderen Fall zwar ausreichen. Speziell bei bereits chronisch gewordenen Leiden reicht eine einmalige Behandlung nur für eine gewisse Zeit aus. Dann muss sie wiederholt werden.

Bei uns in Obertal hat sich deshalb aufgrund jahrzehntelanger Erfahrung folgendes Therapieschema als besonders wirksam herausgestellt: Wir geben in der ersten Behandlung in der Regel 15 bis 20 intramuskuläre Injektionen in angepasster Dosis von ein bis fünf Milliliter. Der Patient bekommt also täglich eine Spritze, deren Dosierung von seinem Körpergewicht und seinem Gesundheitszustand abhängt. Nach sechs Monaten sollten weitere fünf bis zehn Injektionen verabreicht werden. Und diese »Auffrischung« empfiehlt sich weiterhin in halbjährlichem Intervall, dann mindestens mit zehn Thymosand®-Injektionen.

Regelmäßige Therapie-Auffrischungen sind nötig.

4. Der Immun-Pass – ein Dokument von besonderem Wert

Für die Patienten an der Schwarzwald Privatklinik Obertal ist ein einzigartiges Dokument entwickelt worden, das es in dieser Form nur hier gibt – der »Immun-Pass«. In ihm sind die Diagnosen, ein Immun-Check, die einzelnen Maßnahmen und der jeweilige Erfolg aller Behandlungen mit Thymosand® zusammengefasst. Der Patient sollte den Immun-Pass sorgfältig aufbewahren und zur weiteren Behandlung mitbringen, denn er informiert den behandelnden Arzt umfassend über den Verlauf der Immun-Therapie. Dieser Arzt wird in der Regel dem

Der Immun-Pass gibt Auskunft über den Therapieerfolg.

V. Immun-Therapie mit Thymosand®

Kollegium der Ärzte der Schwarzwald Privatklinik Obertal angehören; es gibt jedoch Ausnahmen, auf die noch eingegangen wird.

Der besondere Wert des Immun-Passes liegt in der lückenlosen Dokumentation der Therapie und in der ganzheitlichen Erfassung der Krankengeschichte. So ist der »Immun-Check« in ihm gewissermaßen die Kurzfassung von einem viel ausführlicheren »Immun-Protokoll«, das in der Krankenakte verbleibt. Es enthält außer der Krankengeschichte und dem körperlichen Befund eine Vielzahl von Immun-Daten.

Eine Vielzahl von Immun-Daten werden im Immun-Pass erfasst.

Als Hilfe für den Arzt bei der Erfassung der Krankengeschichte (Anamnese) wird vom Patienten ein Fragebogen ausgefüllt, der gezielt sein individuelles Immungeschehen erfasst; unter anderem mit Fragen nach Infektionen, Allergien, Essgewohnheiten, Stress, Risikofaktoren, Belastung durch die Umwelt und am Arbeitsplatz, Erholungsphasen.

Der körperliche Befund wird vom behandelnden Arzt erhoben, und zwar jedes Mal bei Aufnahme und Entlassung.

Die Immun-Daten sind eine gründliche Bestandsaufnahme der körpereigenen Abwehrkräfte. Sie werden aufwendig und sorgfältig mithilfe verschiedener Verfahren gewonnen.

Für den »funktionellen Immunstatus« als allgemeinen Überblick wird ein spezieller Hauttest angewendet. Darüber hinaus werden an der Schwarzwald Privatklinik Obertal spezielle Tests durchgeführt, die weiterreichende Aussagen über die Funktion des Immunsystems erlauben, wie der Cytokin Response Test (CRT).

Ein Hauttest zeigt den Immunstatus an.

Für den »zellulären Immunstatus« und den »humoralen Immunstatus« werden Blutproben im Labor mit

V. Immun-Therapie mit Thymosand®

hochmodernen Techniken analysiert, beispielsweise mit der Immunelektrophorese und der Durchflusszytometrie. So können sowohl aus den flüssigen als auch aus den zellulären Bestandteilen des Blutes ausgewählte Immunparameter gewonnen werden. Der humorale (die Körperflüssigkeiten betreffende) Immunstatus erfasst in erster Linie die Laborwerte der Immunglobuline (abgekürzt: Ig); das sind die Antikörper, die von Plasmazellen (aktivierte B-Zellen) jeweils ganz gezielt gegen bestimmte Erreger oder andere Strukturen gebildet werden. Abweichungen von den Normalwerten sind Hinweise auf Erkrankungen, zum Beispiel ist das Immunglobulin E (IgE) bei allergischen Reaktionen häufig vermehrt. Des Weiteren enthält der humorale Immunstatus genaue Angaben darüber, ob eine Allergie besteht gegen Allergene, die mit der Luft eingeatmet oder mit Nahrungsmitteln aufgenommen werden, ob irgendwo im Körper eine Entzündung verborgen ist, ob Autoantikörper wie der so genannte Rheumafaktor vorhanden sind, die bei Autoaggressionskrankheiten entstehen. Bei Bedarf werden auch die Antikörpertiter als ein Maß für die Abwehrkraft gegen gewisse Erreger wie Herpes-simplex-Virus, Zytomegalie-Virus, Epstein-Barr-Virus, die sehr viele Menschen in sich tragen, bestimmt und auch Stressparameter wie das Malondialdehyd und das Cortisol-Hormon, die im Rahmen der Psycho-Neuro-Immunologie eine größere Bedeutung bekommen haben.

Bei Allergien ist häufig der IgE-Spiegel erhöht.

Autoantikörper sind Zeichen einer Autoaggression.

Der zelluläre Immunstatus umfasst mit einem Blutbild und einem Differenzialblutbild wichtige Daten über die festen Bestandteile des Blutes. Im Besonderen werden die Lymphozyten bestimmt. Zu diesen

V. Immun-Therapie mit Thymosand®

Auch das Verhältnis der unterschiedlichen Blutzellen zueinander ist von Bedeutung.

Immunzellen gehören die B-Zellen, die Natürlichen Killerzellen (NK-Zellen), die T-Zellen samt den Untergruppen der Helferzellen, Suppressorzellen und der T-Zytotoxischen-Zellen. Von ihnen ist nicht nur jeweils die absolute Anzahl wichtig, sondern auch deren Verhältnis zueinander. Ist nämlich dieser Quotient zu hoch, besteht eine Immundysregulation, bei der es zu allergischen Reaktionen oder zu Autoimmunreaktionen kommen kann; ist der Quotient zu niedrig, besteht eine andere Immundysregulation, die anfällig macht für Infektionen und auch für Krebserkrankungen.

Außerdem werden aus dem Blut »indirekte Faktoren« erfasst wie bestimmte Vitamine, die Spurenelemente Selen und Zink und auch die schützenden immunmodulierenden sekundären Pflanzenstoffe mittels des Antox-Profils; warum diese so wichtig sind für die Funktion des Immunsystems, wird mit der Vital-Plus-Therapie im folgenden Kapitel erklärt.

Der Immunstatus: Zustandsbericht über das Immunsystem

Alle diese Daten ergeben zusammen einen umfassenden Immunstatus. Dieser Zustandsbericht über die körpereigenen Abwehrkräfte ist zwar vor allem wichtig für den Arzt, um eine möglichst genaue Diagnose stellen zu können. Aus ihm kann aber auch der Patient selbst nützliche Konsequenzen ziehen – je nachdem, wie der Status seines Immunsystems ist.

Ist er »gut«, sollte alles getan werden, um diesen Zustand zu erhalten: Mit dem Immun-Training nach dem Kontrollposter in der Rückseite dieses Buchs, mit der Immun-Diät (siehe Kapitel VIII), mit der Vital-Plus-Therapie (siehe Kapitel VI), mit dem Psycho-Immun-Programm (siehe Kapitel VI).

Ist er »gefährdet«, sollten dieselben Maßnahmen weiterhin durchgeführt werden, hinzukommen muss

V. Immun-Therapie mit Thymosand®

eine Immun-Therapie mit Thymosand®, um die körpereigenen Abwehrkräfte zu regulieren, also entweder das Immunsystem insgesamt zu stärken oder seine Bestandteile untereinander zu harmonisieren.
Ist das Immunsystem bereits »geschwächt/gestört«, ist eine Immun-Therapie mit Thymosand® unerlässlich, und zwar nach dem Therapieschema, das schon beschrieben wurde. Eine einzige Behandlung wird in diesem Fall nicht genügen; sie muss in bestimmten Abständen wiederholt werden, bis der gewünschte Erfolg erreicht ist.

Ist die Abwehr geschwächt, ist eine Immun-Therapie notwendig.

Die erste Immun-Therapie mit Thymosand® erfolgt grundsätzlich an der Schwarzwald Privatklinik Obertal in Baiersbronn, denn wir haben seit Jahrzehnten große Erfahrungen in der immunmodulierenden Therapie mit Thymosand® gewonnen. In aller Regel werden auch die späteren Behandlungen hier stattfinden; so kann unser ganzheitliches Therapiekonzept, zu dem neben weiteren Behandlungsmethoden auch eine Umstellung in der Ernährung und in der Lebensweise gehört, bestmöglich verwirklicht werden. Hinzu kommen weitere wichtige Faktoren aus dem Bereich der Psycho-Neuro-Immunologie, die für die Behandlung in Obertal sprechen. Ist nämlich der Patient aus seinem gewohnten Milieu herausgelöst, dann ist er befreit von Stress in Beruf oder Familie sowie von anderen belastenden Situationen des Alltags – und deshalb kann sich sein Immunsystem besser erholen (siehe auch Seite 189). Und nicht zu unterschätzen ist unser Standortvorteil als heilklimatischer Kurort. Der Aufenthalt in einer herrlichen Landschaft mit einem ausgeglichenen Mittelgebirgsklima bei paradiesischer Ruhe in einer sauberen Umwelt trägt schon für sich zu einer Besserung des

Ein ganzheitliches Therapiekonzept im Sinne der Psycho-Neuro-Immunologie

V. Immun-Therapie mit Thymosand®

Auch von Ruhe und schadstofffreier Luft profitiert das Abwehrsystem.

Befindens bei und wirkt sich darüber hinaus ebenfalls positiv auf das Immunsystem aus.

Positives Denken kann erlernt werden. Das bedeutet nicht, dass alles nur rosig gesehen wird. Sich den Tatsachen durchaus stellen. Negative Belastungen so weit wie möglich ändern. Sich nicht in Ängsten verrennen, sondern wissen, dass die Kraft vorhanden ist, unveränderliche Tatsachen hinzunehmen und zu bewältigen wie in „Immun durch positives Denken" von meinen Kollegen I.Niestroj und K. Pflugbeil beschrieben.

Die heutige Umwelt hat sich verändert. Besorgnisse sind berechtigt. Nur schwer können wir den zahlreichen unterschiedlichen Umweltbelastungen ausweichen, die unser Immunsystem einerseits schwächen mit vermehrter Infektanfälligkeit, Müdigkeit, Krebserkrankungen, andererseits zu unkontrolliert überschießenden Reaktionen führen und Allergien sowie Autoimmunerkrankungen auslösen. Aber auch allein die Angst vor Umweltbelastungen kann zu einer Schwächung des Immunsystems führen. Hilfe zur Selbsthilfe ist erforderlich wie von meiner Kollegin - I. Niestroj in „Gesund trotz Gift" beschrieben, erschienen im Herbig-Verlag.

VI
Immun-Therapien mit anderen natürlichen Mitteln und Methoden

Neben der Thymosand®-Therapie gibt es eine Reihe weiterer, natürlicher Therapien, die einzeln oder in Kombination mit anderen zur Festigung und Modulation des Immunsystems beitragen können. Sie alle besitzen ebenfalls den Vorteil, dass sie nicht aggressiv gegen einen ausgemachten »Feind« gerichtet sind und im Körper keinen Schaden anrichten, sondern nur die eigenen Körperkräfte unterstützen, damit sie wieder unbehindert ihre Arbeit verrichten können. Da sie in allen Büchern der Ärzte der Schwarzwald Privatklinik Obertal als wichtige Gesundheitsfaktoren ausführlich beschrieben wurden, kann hier eine Beschränkung auf das Wesentliche akzeptiert werden.

Natürliche Immun-Therapien unterstützen die Heilkräfte des Körpers.

1. Heilfasten – der Weg zur neuen Jugend

Das Heilfasten unter Kontrolle des erfahrenen Arztes bietet den Abwehr-, Aufräum- und Heilkräften des Körpers die geradezu einmalige Chance, ohne Belastung durch Verdauungsarbeiten im Organismus

Das Heilfasten entlastet den Körper.

VI. Immun-Therapien mit anderen Mitteln

wieder Ordnung zu schaffen und auszuräumen, was in den zurückliegenden Zeiten ständiger Überforderungen liegen blieb. Wir Fastenärzte sprechen deshalb mit Recht von der »Operation ohne Messer«. Unser Körper kann selbstverständlich nicht ohne Nahrung auskommen – auch nicht über wenige Tage. Mit dem Fasten wird er gezwungen, sich an »Vorräte«, Ablagerungen, »Schutthalden« im Körper zu halten, sie regelrecht zu verzehren. Dabei wird nicht nur abgetragen, was sich oberflächlich angesammelt hat, sondern die Stoffe, die tief in das Gewebe hineingewachsen sind, werden sorgsam herausgelöst, sodass während des Fastens nicht nur Engpässe in den Blutgefäßen beseitigt werden, sondern die Gefäße selbst wieder mehr Elastizität zurückgewinnen. Das bedeutet in der Tat biologische Verjüngung. Denn bekanntlich ist der Mensch so alt wie seine Gefäße!

Beim Fasten deckt der Körper seinen Eiweißbedarf teilweise durch Abbau von überflüssigem Gewebe, darunter sind einst in Zeiten von Bedrängnis errichtete »Barrikaden« und nicht zuletzt unnütze Immunkomplexe. Auf diese Weise findet eine echte Säuberung statt, die auch als »Operation ohne Messer« bezeichnet wird. Denn zuerst verbraucht der Körper das, was schädlich ist, dann das, was er als überflüssig erachtet. Das Erstaunliche bei diesem Prozess ist die Tatsache, dass die Fastenden ab dem dritten Fastentag kein Hungergefühl mehr verspüren. Sie sind sogar imstande – und das ist erwünscht –, erstaunliche körperliche Leistungen zu vollbringen. Wanderungen von fünf oder zehn Kilometern sind an der Tagesordnung. Manche legen sogar erheblich größere Wegstrecken zurück. Die Fastenden selbst sind dabei kei-

Beim Fasten räumt der Körper mit Schlacken und Überflüssigem auf.

Ab dem dritten Fastentag wird kein Hunger mehr verspürt.

VI. Immun-Therapien mit anderen Mitteln

neswegs missmutig, sie leiden nicht, sondern sie fühlen sich regelrecht befreit – auch geistig ungewöhnlich frei. Bei uns in Obertal ist schon manches Buch geschrieben und manches Lied komponiert worden. Nicht das Fasten ist anstrengend, sondern eher das »Fastenbrechen«, die Wiederaufnahme der Ernährung.

In den letzten Jahren ist in der Presse mancher Unsinn über das Fasten veröffentlicht worden. Darauf soll hier nicht weiter eingegangen werden. Unter meiner ärztlichen Betreuung sind über 50 000 Heilfasten-Therapien durchgeführt worden – und es kam nicht in einem einzigen Fall zu einer Komplikation. Seither wurde diese bewährte Heilfasten-Therapie in unserer Schwarzwald Privatklinik weiterhin von allen Ärzten erfolgreich fortgesetzt. Dieses Heilfasten dient allerdings nicht in erster Linie der Gewichtsreduzierung. Sie ist ein willkommener Nebeneffekt. Während des Heilfastens werden alle Anpassungs- und Überlebensfähigkeiten trainiert. Beim Heilfasten geht es um die Wiederherstellung der Gesundheit – um die Regeneration des Immunsystems in einem Augenblick enormer Befreiung. Deshalb dürfen und sollen auch jene fasten, die kein Übergewicht haben. Selbst ältere Menschen, die noch rüstig sind, dürfen diese Therapie anwenden. Nicht angezeigt ist diese Therapie nur bei schweren fiebrigen Erkrankungen, vor allem bei der Tuberkulose, bei ausgeprägtem Krebsleiden, das bereits zur körperlichen Entkräftung geführt hat, und bei starker Überfunktion der Schilddrüse. Hilfreich dagegen ist es immer bei Allergien, Arteriosklerose, bei allen Stoffwechselstörungen, Kreislauferkrankungen, Hautleiden in Verbindung mit Übergewicht, erhöhten Blutfetten und Blutzucker, bei Migrä-

Richtig durchgeführt ist das Heilfasten ungefährlich.

Bei bestimmten Erkrankungen sollte nicht gefastet werden.

VI. Immun-Therapien mit anderen Mitteln

ne, Verdauungsstörungen und vegetativen Störungen, wie etwa der vegetativen Dystonie.
Nur am Rande sollte auf die Auswirkungen der seelischen Einstellung auch in diesem Fall hingewiesen werden. Der Faster bejaht seinen selbstbestimmten Verzicht und fühlt sich leicht und befreit. Er kann selbstbestimmt jederzeit »fastenbrechen«. Wer nur hungert, weil er nichts Essbares auftreiben kann, der wird von Tag zu Tag hinfälliger, matter, kranker. Er beginnt mehr und mehr zu leiden. Das Hungergefühl wird schmerzhaft und nimmt solche Ausmaße an, dass der Hungernde nur noch an eines denken kann: essen! Schließlich verfällt er in eine »gnädige« Lethargie. Hungernde streiken nicht! Er stirbt in einem Dämmerzustand völlig entkräftet.

Den Rekord beim Fasten hält ein Schotte. Er lebte 270 Tage lang nur von Wasser und Vitaminen. Und das ohne jegliche gesundheitliche Störung oder große Schwäche.

Wie andere Therapien, so kann auch das Heilfasten mit anderen Maßnahmen, etwa mit einer Thymosand®-Therapie, kombiniert werden.

Wer hungert, leidet. Wer fastet, fühlt sich leicht und frei.

Die Vorteile von Homöopathie und Akupunktur gleichzeitig nutzen.

2. Sanotrop-Therapie – synergistische Kombination von Homöopathie und Akupunktur

Diese so wirkungsvolle Sanotrop-Therapie ist von den Ärzten der Schwarzwald Privatklinik Obertal 1997 entwickelt worden und wird seit 1998 mit großem Erfolg angewandt. Die Sanotrop-Therapie vereint die positiven Wirkungen der 300 Jahre alten Homöopathie mit denen der über 2000 Jahre alten Akupunktur im Sinne der Homöopunktur. Während die Homöopathie schonend Ähnliches mit Ähnli-

VI. Immun-Therapien mit anderen Mitteln

chem heilt, fördert die Akupunktur die Fähigkeit, wieder eine ausgeglichene und harmonische Innenwelt zu erlangen.

Organbezogene Sanotropika – das heißt homöopathische Einzelmittel als Potenzakkorde in der Kombination der Potenzen D4, D8 und D12 – werden in charakteristische, individuell ausgewählte Akupunkturpunkte, Schmerzpunkte oder Segmente der Haut injiziert. Durch die gesetzten Reize wird die Aktivität der Organe und damit der Stoffwechsel verbessert und harmonisiert. Sowohl eine Optimierung der Leistung der Zellen (histiotrope Wirkung), der Organe (organotrope Wirkung), aber auch der Organfunktion (funktiotrope Wirkung) wird so im Sinne der Regulations- und Ordnungstherapie hin zum Gesunden erreicht. So gelingt mithilfe der Sanotrop-Therapie auch eine positive nebenwirkungsarme Beeinflussung des irritierten oder gestörten Immmunsystems.

Sanotropika verbessern Zell- und Organfunktionen.

Die pflanzlichen Sanotropika stammen aus ökologischem Anbau.

Organspezifische Sanotropika sind:
Articurell® als Gelenk-Spezifikum und Spezifikum für den Stütz- und Bewegungsapparat,
Berberell® als Muskel-Spezifikum,
Cororell® als Kreislauf-Spezifikum,
Cortirell® als Nebennieren-Spezifikum,
Dermarell® als Haut-Spezifikum,
Hepatorell® als Leber-Spezifikum,
Maflurell® als RES-Spezifikum,
Nuvorell® als Magen- und Darm-Spezifikum,
Ovarell® als Ovar-Spezifikum (Eierstock),
Pancrearell® als Bauchspeicheldrüsen-Spezifikum,
Prostarell® als Prostata-Spezifikum (Vorsteherdrüse).
Pulmorell® als Lungen-Spezifikum,

Spezifika für jedes Organsystem

VI. Immun-Therapien mit anderen Mitteln

Renorell® als Nieren-Spezifikum,
Testerell® als Testes-Spezifikum (Hoden),
Venorell® als Venen-Spezifikum.

Ohne eine harmonische Organfunktion kein gesundes Immunsystem

Grundsätzlich gilt, dass eine optimale Funktion aller Organsysteme Grundvoraussetzung für eine optimale Immunfunktion ist. Bei Organ-Funktionsstörungen gilt es diese zu beheben, zum Beispiel mit der Sanotrop-Therapie.

Immuntherapeutisch wirksame Sanotropika
Immunwirksame Sanotropika sind speziell auf eine Optimierung der Leistung des Immunsystems ausgerichtet.

Nuvorell®, (Brechnuss, lateinisch Nux vomica) vermag das Verlangen nach Reiz- und Suchtmitteln wie Alkohol, Kaffee, Tabak, Medikamenten und Laxantien nach und nach zu normalisieren. Nach Wegfall der das Immunsystem irritierenden Belastungen bessert sich die Immunfunktion deutlich.
Bei Überempfindlichkeit der Sinnesorgane mit Kopfschmerzen wie Migräne, cervikalem Kopfschmerz oder Kopfschmerz nach Alkoholkonsum lassen die Beschwerden unter einer angepassten Injektions-Therapie mit Nuvorell® nach.

Hektischen und reizbaren Menschen hilft eventuell Nux vomica.

Die Patienten, für die Nuvorell®, besonders geeignet ist, sind häufiger reizbar und hektisch. Sie wollen möglichst immer mehr und können doch zunehmend eher immer weniger.
Maflurell® (Magnesium fluoratum) verbessert die Funktion des Immunsystems als RES-Spezifikum. Es wird eingesetzt bei verzögerter Rekonvaleszenz, all-

VI. Immun-Therapien mit anderen Mitteln

gemeiner Müdigkeit, Abgespanntheit und Infektanfälligkeit. Es fördert die Toxinausleitung.
RES steht als Abkürzung für das retikuloendotheliale System, heute besser als Monozyten-Makrophagen-System bezeichnet, das für die Gesamtheit der Anzahl und Aktivität der Fresszellen steht, einer Form der zellulären Abwehr- und Ordnungskraft auch im Körpergewebe. Die Phagozyten arbeiten eng mit allen anderen Komponenten des Immunsystems zusammen.

Wer müde und abgespannt ist, sollte es mit Magnesium fluoratum versuchen.

Cortirell® (Cortisonum D8) wirkt als Nebennieren-Spezifikum auf die Funktion des Immunsystems ausgleichend und ist angezeigt bei allen Entzündungen der Schleimhaut sowie Erkrankungen der Atemorgane und bei Blut- und Gefäßerkrankungen.

Grundsätzlich ist mit Agnurell-Potenz-Akkord®, (lateinisch Agnus castus, deutsch Mönchspfeffer) eine Stärkung und Regeneration der Sexualfunktionen zu erreichen. Mit »Agnurell-Potenz-Akkord®« gelingt es besonders, eine Leistungssteigerung der Manneskraft zu erreichen. Die daraus resultierende Harmonisierung hormoneller Regelkreise trägt auch zu einer besser angepassten Immunfunktion bei. Diese Therapie wird mit Injektionen begonnen und in der Folge in Tablettenform fortgesetzt.
Ähnlich wie Agnurell® wirken auch die Sanotropika Ovarell® und Testarell® positiv auf das Immunsystem.

Mönchspfeffer stärkt die Sexualfunktionen.

Die homöopathische Immuntherapie mit Thymorell® als Thmusspezifikum ist eine Bereicherung der immuntherapeutischen Möglichkeiten – schonend – verträglich wirksam siehe auch Kapitel V.

VI. Immun-Therapien mit anderen Mitteln

3. Homöopathische Phyto-Immun-Therapie

Pflanzliche Immuntherapeutika nicht länger als acht Wochen einnehmen.

In der Naturheilkunde werden vorwiegend stimulierende Phyto-Immun-Therapeutika im Sinne einer Reiztherapie seit Jahrhunderten eingesetzt. Die Einnahme ist zeitlich auf höchstens acht Wochen zu begrenzen.

Auch die Urtinktur von Phyto-Immun-Therapeutika wie zum Beispiel Echinacin, in Echinarell®, enthalten, wird in diesem Sinne eingesetzt.

Eine besonders schonende und wirkungsvolle Immun-Therapie ist darüber hinaus die in unserer Privatklinik durchgeführte homöopathische Phyto-Immun-Therapie. Dabei handelt es sich bei den relativ akuten Problemen der Patienten um eine schnell wirksame Injektionstherapie. Grundsätzlich lassen sich die Ampullen aber auch als Trinkampullen anwenden.

Homöopathische Phyto-Immun-Therapie mit Aconitum (Aconirell®, D6)

Bei hochakuten Erkrankungen und niedrigem Blutdruck ist Eisenhut zu empfehlen.

Der Sturmhut – lateinisch Aconitum – ist in Aconirell®, enthalten. Wir setzen dieses Arzneimittel besonders bei hochakuten, entzündlichen Erkrankungen in Form von Injektionen ein. Dabei besteht häufig Fieber; auch Angst und Ruhelosigkeit. Bei akuten schmerzhaften Nervenreizungen, aber auch Herzsensationen mit Angstzuständen und schnellem Herzschlag bessern sich unter der Anwendung von Sturmhut die Beschwerden. In manchen Fällen ist ein hochakutes Krankheitsgeschehen auch mit einem sehr niedrigen Blutdruck verbunden, dann ist Sturmhut ebenfalls das richtige Medikament.

VI. Immun-Therapien mit anderen Mitteln

Homöopathische Phyto-Immun-Therapie mit Baptisia (Baptirell®, D4)
Der Wilde Indigo – lateinisch Baptisia – ist in Baptirell®, enthalten. Wir setzen dieses Arzneimittel bei fiebrigen Infekten mit Kopf- und Gliederschmerzen, bei denen ein Gefühl allgemeiner Erschöpfung und Zerschlagenheit besteht, als Injektionen ein. Auch bei Verwirrtheitszuständen ist Baptirell® angezeigt. Die Entgiftungsfunktion des Körpers kann ebenfalls gestört sein und der Einsatz von Baptirell® vermag dies zu verbessern.

Bei gestörter Entgiftungsfunktion des Körpers wirkt der Wilde Indigo.

Homöopathische Phyto-Immun-Therapie mit Thuja (Thujarell®, D6)
Der Lebensbaum – lateinisch Thuja – ist in Thujarell® enthalten. Wir setzen dieses Arzneimittel bei akuten, aber auch chronischen Infektionen besonders der Schleimhaut, aber auch bei entsprechenden Störungen der Haut ein. Es kann in diesem Zusammenhang zu chronischem Muskel- und Gelenkrheumatismus kommen, der sich nach einer Injektions-Therapie mit Thujarell® bessert. Auch bei Verstimmungszuständen und Nervenschwäche ist Thujarell® angezeigt. Bei nervösem Hautjucken, Brennen oder Stechen wird Thujarell® ebenfalls mit gutem Erfolg eingesetzt.

Thuja vermag rheumatische Beschwerden zu lindern.

4. Enzym-Therapie – der Nachschub an schärfsten »Waffen« für das Immunsystem

Alle biochemischen Prozesse in unserem Körper werden nur in der Anwesenheit von Enzymen geleistet. Ohne Enzyme gäbe es kein Leben – kann es auch kein perfekt funktionierendes Immunsystem geben. Enzyme – früher auch als Fermente bezeichnet – bestehen

VI. Immun-Therapien mit anderen Mitteln

vorwiegend aus Eiweiß. Sie wirken als Biokatalysatoren und beschleunigen alle chemischen Prozesse des Körpers. Für eine optimale Funktion der Enzyme werden ausreichend Mineralstoff-Cofaktoren wie Magnesium, Zink u. a. sowie Coenzyme wie Vitamine benötigt. Eine große Bedeutung kommt dabei allen B-Vitaminen als Coenzymen zu. Sie tragen dazu bei, dass die Nahrung so lange zerlegt und verwandelt wird, bis sie, flüssig geworden, vom Blut aufgenommen werden kann. Das gilt für alle Eiweißstoffe, für die Kohlenhydrate und selbst für Fette. Enzyme regeln aber auch die Gerinnungsfähigkeit des Blutes und die Aufnahme des Sauerstoffs aus der Atemluft. Sie müssen immer und überall dabei sein, wo etwas biochemisch verändert werden muss. Dabei gehen sie vor wie ein geschickter Kuppler: Erst verbinden sie sich mit dem Stoff, der zu einem anderen finden soll, damit er für den künftigen Partner akzeptierbar wird. Sobald er dann »angebissen« hat, ziehen sie sich wieder zurück. Jedes der vielen hundert Enzyme, die wir bislang kennen – und man kennt sie erst einigermaßen gut seit den 20er-Jahren –, ist spezialisiert auf einen ganz bestimmten Stoff. So gibt es beispielsweise Fett spaltende, Eiweiß spaltende, Kohlenhydrat spaltende Enzyme.

Enzyme sind an fast allen Körpervorgängen beteiligt.

Im Zusammenhang mit dem Immunsystem interessieren uns vor allem die Eiweiß spaltenden Enzyme. Man spricht von den proteolytischen Enzymen. Sie können nämlich Viren auflösen, solange sich diese nicht an Zellen festgesetzt haben. Ebenso wichtig ist aber, dass sie den Abwehrzellen helfen, tote Zellen, Immunkomplexe und Krebszellen aufzulösen. Nicht zuletzt erfüllen sie eine ganz wichtige Funktion bei der Enttarnung von Schadstoffen, Krankheitserregern und

Eiweiß spaltende Enzyme können Viren auflösen.

VI. Immun-Therapien mit anderen Mitteln

Krebszellen, die sich hinter Fibrinnetzen versteckt haben. Wenn sich nämlich ein Antigen oder eine Krebszelle an der Wand eines Blutgefäßes festgesetzt hat, beginnt ein Wettlauf mit der Zeit. Die entstehende Entzündung veranlasst das Blut, die Wunde abzudecken, wie das auch geschieht, wenn ich mich in den Finger geschnitten habe. Es legt sich ein Fibrinnetz über den Fremdkörper oder die Krebszellen, wodurch die Abwehrzellen nicht mehr zupacken können. Sie erkennen das Fibrin als körpereigen und »wissen«, dass sie eigenes Gewebe nicht angreifen dürfen. Proteolytische Enzyme lösen die Fibrinschicht ab und öffnen das Versteck.

Proteolytische Enzyme zerstören Fibrinnetze.

Ähnliche Hilfsfunktionen leisten diese Enzyme beim Abbau der schon mehrfach erwähnten Immunkomplexe, die für autoaggressive Erkrankungen verantwortlich gemacht werden.

Aus diesen Gründen gehört die Enzym-Therapie als begleitende Maßnahme zu einer vernünftigen Immun-Therapie. An sich stellt der gesunde Körper ausreichend Enzyme zur Verfügung. Unsere Bauchspeicheldrüse produziert täglich bis zu fünf Liter Pankreassaft, der aus wertvollsten Enzymen besteht. Nun gibt es allerdings zwei Gründe, die ein Enzymdefizit herbeiführen können: Einerseits ist unsere Nahrung heute weitgehend enzymfrei – und enthält auch nicht mehr die »Bausteine«, aus denen der Körper Enzyme herstellen könnte. Es fehlen die ausreichenden Mengen an Vitaminen und an Spurenelementen. Die Enzyme selbst besitzen die Natureigenschaft, dass sie größtenteils schon bei Temperaturen von 50 Grad Celsius zerstört werden. Jede gekochte, pasteurisierte, sterilisierte, konservierte Speise ist deshalb so gut wie ohne Enzyme. Das ist die eine Seite, die uns auf-

Spurenelemente mindern die Enzym-Funktion.

VI. Immun-Therapien mit anderen Mitteln

Ananas und Papaya versorgen den Körper mit Enzymen.

fordert, viel mehr »lebendige« Nahrung zu uns zu nehmen, vor allem die großen Mahlzeiten in regelmäßigen Abständen mit frischer Rohkost, mit ungekochtem Gemüse und Salaten zu beginnen. Besonders viele Enzyme sind in Ananas, Papaya – und, wer es mag, in rohem Fleisch. Ein gelegentliches »Tatarbeef« könnte gerade für ältere Menschen eine hilfreiche Enzymversorgung darstellen.

Den zweiten Grund für das Versiegen der Enzymquellen in unserem Körper stellt die Immuno-Pause dar: Die Bauchspeicheldrüse, die von der Versorgung her im Stich gelassen, in Stress und Hetze und Tempo aber gleichzeitig ständig überfordert wird, kann früher oder später den benötigten Bedarf nicht mehr decken. Dann stellen sich nicht nur Verdauungsstörungen ein, von Blähungen bis hin zu Fett- und Eiweißstühlen, – sondern das Immunsystem entbehrt seine wichtigsten Waffen. Ausführlich wurde speziell die Enzym-Therapie in meinem Buch »Enzyme« beschrieben. Wir Ärzte an der Schwarzwald Privatklinik Obertal behandeln mit dem Präparat Enzym-Wied®. Das sind dünndarmlösliche Dragees, die am besten jeweils vor den Mahlzeiten mit etwas Flüssigkeit eingenommen werden sollten. Enzym-Wied® enthält naturidentische Enzyme, die in dieser Kombination hochwirksam sind. Wir setzen die Enzym-Therapie besonders bei Arteriosklerose, in der Krebsnachbehandlung, bei Rheuma, bei Durchblutungsstörungen (offenen Beinen) und zur allgemeinen Stärkung des Immunsystems in der Prophylaxe als adjuvante Therapie neben anderen Therapien ein. Bei Venenleiden wie Krampfadern (Varikosis), Neigung zu Ödemen und Thrombosen wirkt neben den Enzymen besonders das Flavonoid Rutin gegen Stauungen

Die Enzym-Therapie hilft bei Arteriosklerose, Rheuma und Durchblutungsstörungen.

VI. Immun-Therapien mit anderen Mitteln

und die Entstehung von Blutgerinnsel. Auch bei Prellungen und Verletzungen ist eine Enzym-Therapie angezeigt. Oft konnten wir beobachten, dass andere Therapien bei einer gleichzeitig durchgeführten Enzym-Therapie deutlich wirksamer sind.

Die Gabe von Enzymen erhöht die Wirksamkeit anderer Therapien.

5. Therapien mit Ozon und Sauerstoff

Wer heute das Wort Ozon hört, der denkt zumeist an Sommersmog. Durch Einwirkung der Sonnenstrahlen entsteht aus Stickstoffoxiden und Kohlenwasserstoffen in Abgasen diese Form des Sauerstoffs mit drei Atomen, normalerweise sind es zwei. In höheren Konzentrationen schadet Ozon der Gesundheit. Es greift die Schleimhäute der Atemwege an, führt zu Husten und zu Atembeschwerden, auch zu Kopfschmerzen und Übelkeit.

Wird Ozon vom Arzt angewendet, zeigt es eine ganz andere, nützliche Seite für die Gesundheit. Zum Beispiel mit den Ozon-Sauerstoff-Eigenblut-Infusionen, die bei uns an der Schwarzwald Privatklinik Obertal als eine zusätzliche Maßnahme genutzt werden. Dabei werden dem Patienten etwa 200 Kubikzentimeter Blut aus der Armvene entnommen, diese mit einem Ozon-Sauerstoff-Gemisch angereichert und körperwarm über dieselbe Vene in den Kreislauf zurückgegeben. Der ganze Vorgang dauert nur etwa 15 Minuten. Nachweislich lassen sich mit dieser Infusionstherapie die Mikrozirkulation des Blutes und die Sauerstoffverwertung durch die Zellen optimieren sowie das Immunsystem beeinflussen und bestimmte Störungen im Fett- und Zuckerstoffwechsel beheben, wodurch das Risiko einer Arteriosklerose vermindert wird. Ozon-Sauerstoff-

Medizinisch angewendetes Ozon ist nicht schädlich.

VI. Immun-Therapien mit anderen Mitteln

Durchblutungsstörungen sprechen auf ein Ozon-Sauerstoff-Gemisch an.

Eigenblut-Infusionen haben auch – abhängig von der Dosierung und Konzentration – eine modulierende Wirkung auf das Immunsystem und eine virushemmende Wirkung.

Es gibt eine weitere Möglichkeit, das Ozon therapeutisch zu nutzen. Versetzt man es in kleinen Mengen mit Sauerstoff, erhält man ein sehr heilsames Gasgemisch, das Krankheitserreger im Blut abtötet und die Versorgung mit Sauerstoff um ein Vielfaches verbessert. Dieses Ozon-Sauerstoff-Gemisch wird direkt – und heute völlig gefahrlos – ins Blut gegeben, mit Injektionen entweder in den Gesäßmuskel oder etwa bei Durchblutungsstörungen in die Beinarterie. Mit dieser Maßnahme konnte schon so manches »Raucherbein« gerettet werden.

Sauerstoff regt den Zellstoffwechsel an.

Sauerstoff selbst ist das Lebenselixier, das jede Zelle braucht, um durch Verbrennung die Energie zum Leben zu gewinnen. Ist die Sauerstoffversorgung unzureichend, können Organe nicht mehr richtig funktionieren und sogar erkranken. Eine vermehrte Zufuhr von Sauerstoff dagegen ist eine bewährte Methode für die zusätzliche Behandlung von Krankheiten. Sie verbessert die Durchblutung vor allem im Bereich der kleinen Blutgefäße, die Versorgung der Gewebe mit Sauerstoff und den Stoffwechsel der Zellen. Ganz allgemein wird die Leistungsfähigkeit und das Wohlbefinden des Patienten gefördert und darüber auch seine Immunabwehr. Bei uns an der Schwarzwald Privatklinik Obertal werden zwei Methoden mit gutem Erfolg angewendet: Vor jeder der Therapien wird ein spezieller Mikro-Nährstoff-Trunk zur Optimierung der Sauerstoffaufnahme, der Energiebereitstellung und Förderung des Muskelaufbaus gereicht.

VI. Immun-Therapien mit anderen Mitteln

Bei der Sauerstoff-Aktiv-Therapie wird etwa 20 Minuten lang über eine Maske ein Gemisch eingeatmet, das viel mehr Sauerstoff enthält als die normale Atemluft. Gleichzeitig wird der Körper durch Treten auf einem Fahrradergometer entsprechend der vom Arzt vorgegebenen Watt-Zahl belastet. Dies entspricht einem ergometrisch kontrollierten Kreislauftraining unter Sauerstoffgabe. Die Sauerstoffzufuhr wird soweit notwendig individuell angepasst.

Ein Kreislauftraining unter Sauerstoffgabe ist besonders effektiv.

Die Sauerstoff-Intensiv-Therapie wird so durchgeführt, dass der Patient im Liegen oder Sitzen zwei Stunden lang ebenfalls über eine Maske mehr Sauerstoff einatmet als üblich – etwa drei bis fünf Liter pro Minute. Nach der Therapie wird durch ein individuell angepasstes Bewegungsprogramm der Kreislauf angeregt, damit das Blut den eingeatmeten Sauerstoff besser zu den Zellen transportieren kann.

Welche der Sauerstofftherapien angewendet wird, hängt vom Zustand des Patienten ab und wird dementsprechend von uns Ärzten verordnet; hilfreich sind beide.

6. Das Psycho-Immun-Programm – gesund mit der Kraft der Gedanken

Es ist eine Erkenntnis von großer Tragweite, dass das Immunsystem keine unabhängige Einrichtung im Organismus ist, sondern mit der Psyche, mit dem Nervensystem und mit dem Hormonsystem zu einem komplexen Netzwerk verknüpft ist. Die Grundlagen dieser so genannten Psycho-Neuro-Immunologie sind bereits beschrieben worden; wer sich noch ausführlicher darüber informieren will, dem empfehle ich das Buch »Immun durch positives Denken«, das mei-

Das Immunsystem steht im Austausch mit Nerven- und Hormonsystem.

VI. Immun-Therapien mit anderen Mitteln

Das Psycho-Immun-Programm bezieht die Seele in die Therapie mit ein.

ne Kollegen Dr. Karl J. Pflugbeil und Dr. Irmgard Niestroj geschrieben haben.

An dieser Stelle möchte ich auf praktische Konsequenzen aus den Erkenntnissen der Psycho-Neuro-Immunologie eingehen. Wenn demzufolge nicht allein biologische Faktoren wie Erbanlagen und Erreger über Gesundheit und Kranksein entscheiden, sondern auch psychische Faktoren, dann müssten auch diese gezielt zur Stärkung der körpereigenen Abwehrkräfte eingesetzt werden können. Das ist durchaus möglich, und zwar mithilfe eines Psycho-Immun-Programms, das wir Ärzte an der Schwarzwald Privatklinik Obertal in unsere ganzheitliche Therapie einbeziehen und zu dem wir auch unsere Patienten anhalten.

Es umfasst das Autogene Training, die Progressive Muskelentspannung nach Jacobson, mehrere Atemübungen sowie weitere Methoden. Der gemeinsame Nenner dieser verschiedenen Methoden heißt Entspannung. Sie wirkt vor allem dem negativen Dis-Stress entgegen, der für das Immunsystem so schädlich ist. Sie lässt Ängste weichen, vermindert Aggressivität, dämpft Ärger. Sie verhilft zu innerer Ruhe und zur Harmonie von Psyche und Nervensystem. Sie schaltet damit einige der wichtigsten Faktoren aus, welche die körpereigenen Abwehrkräfte hemmen und schwächen. Die hier beschriebenen Methoden zur Entspannung sind ganz natürliche, sehr wirksame Mittel für das Immun-Training – vorausgesetzt, sie werden richtig und regelmäßig über längere Zeit hinweg durchgeführt.

Entspannung ist ein wichtiger, die Abwehr stärkender Faktor.

Das Autogene Training ist die wirksamste Methode für eine aktive, tief greifende Entspannung. Es wird deshalb am häufigsten angewendet, ist allerdings nicht ganz einfach zu erlernen. Bei uns an der Schwarzwald

VI. Immun-Therapien mit anderen Mitteln

Privatklinik Obertal wird es nicht mehr so durchgeführt, wie es einst von Professor I. H. Schultz (1884–1970) begründet worden ist, sondern in einer modifizierten, modernisierten Form.
Wer vom Autogenen Training den größten Nutzen haben will, der muss es täglich mindestens einmal durchführen, bei großer Belastung und bei gesundheitlichen Störungen auch mehrfach täglich. Das Vorgehen ist stets dasselbe. Zunächst ganz entspannt auf den Rücken legen, die Arme locker neben den Rumpf legen, die Beine ausstrecken und die Füße nach außen fallen lassen, die Augen schließen und die Stirn glätten. Es folgen die drei Grundübungen.
Erstens: Die Atem-Übung, bei der die Aufmerksamkeit auf das ruhige, gleichmäßige Atmen konzentriert ist – darauf, wie die Luft ganz von selbst in die Lunge einströmt und ausströmt.
Zweitens: Die Schwere-Übung, bei der man sich suggeriert, dass die Gliedmaßen schwerer und immer schwerer werden. Zuerst wird so mit dem rechten Oberarm, dem rechten Unterarm, der rechten Hand verfahren; danach prinzipiell ebenso mit dem linken Arm, dem rechten Bein, dem linken Bein.
Drittens: Die Wärme-Übung, bei der in Gedanken ein wärmender Blutstrom vom Herzen aus in den Körper gelenkt wird – in den rechten Arm und in den linken Arm, in das rechte Bein und in das linke Bein sowie von den Beinen in den Bauchraum und von den Armen in den Brustraum. Es entsteht das angenehme Gefühl »Mir wird ganz warm ums Herz«.
Mit diesen drei Grundübungen wird das Stadium der Entspannung erreicht. In ihm fühlt man sich schwer, warm, ruhig; bereits dieses angenehme Gefühl tut der Psyche und dem Körper sehr gut. In ihm ist man

Das Autogene Training sollte einmal täglich durchgeführt werden.

Mit Atem-, Schwere- und Wärme-Übung wird Entspannung erreicht.

VI. Immun-Therapien mit anderen Mitteln

zudem empfänglich für Suggestionen, die man sich selbst im Geiste vorsagt und mit denen man gezielt sein Fühlen und Handeln positiv beeinflussen kann. Um beispielsweise Stress erträglicher zu machen und dessen negative Auswirkungen auf das Immunsystem abzuschwächen, können folgende »formelhafte Leitsätze« angewendet werden:

Mit Autosuggestion reduzieren Sie den Stress.

»Ich werde ruhig sein, ausgeglichen, wenn notwendig konzentriert, positiv, freundlich, in jedem Fall vollkommen ruhig ... Dieser Tag wird für mich ein guter Tag, es wird mir alles gelingen ... Es wird alles gut, alles wird sich klären ...«

Das Überraschende dabei: Es wird in Wirklichkeit so kommen, wie man es sich beim Autogenen Training »eingeredet« hat. Warum das so ist, hat bereits I. H. Schultz erklärt: »Jede feste Vorstellung hat die Tendenz, sich zu verwirklichen.« Dieser Grundsatz hat durch die Psycho-Neuro-Immunologie nicht nur seine Bestätigung gefunden, sondern noch an Bedeutung gewonnen.

Wer das Autogene Training abends durchführt, der wird danach in einen tiefen, erholsamen Schlaf übergehen; die auf diese Weise erreichte Entspannung ist das beste aller Schlafmittel. Wer es jedoch am Tage anwendet, danach noch arbeiten oder sonstwie tätig sein muss, der muss die drei Grundübungen »zurücknehmen«. Dieser Abschluss hat ebenso sorgfältig zu geschehen wie die Einleitung: Mit der Formel »Ich rufe mich zurück. Die Schwere fließt ab. Es ist wieder ganz leicht, Arme und Beine zu bewegen«; mit einem Recken und Strecken des Körpers von den Fingerkuppen bis zu den Zehenspitzen. Werden schließlich die Augen geöffnet, wird man viel entspannter und ruhiger, frischer und leistungsfähiger sein als zuvor.

Abends angewandt verhilft das Autogene Training zu erholsamem Schlaf.

VI. Immun-Therapien mit anderen Mitteln

Je öfter das Autogene Training durchgeführt wird, desto leichter gelingen die Übungen und desto nachhaltiger ist die Entspannung samt ihren positiven Auswirkungen auf das Immunsystem. Weil diese Methode derart wirkungsvoll ist, sollte sie nur unter sachkundiger Anleitung erlernt werden, um unerwünschte Wirkungen zu vermeiden. Bei uns an der Schwarzwald Privatklinik Obertal werden die Patienten innerhalb von drei Wochen in sechs Übungsstunden dazu angeleitet. Zur Unterstützung dient ihnen die Tonbandkassette »In der Ruhe liegt die Kraft« mit einer »Anleitung zur bewussten Selbstentspannung«, später können sie auf dieses Hilfsmittel verzichten. Andere Gelegenheiten, das Autogene Training zu erlernen, bieten Ärzte und Psychologen, Volkshochschulen und Privatinstitute. Dieser Weg ist besser und auch sicherer, als sich das Wissen allein aus einem Buch anzueignen.

Das Autogene Training sollte unter fachkundiger Anleitung erlernt werden.

Die Progressive Muskelentspannung nach Jacobson ist gewissermaßen ein Import aus Amerika. Der Arzt Edmund Jacobson hat sie dort im Jahre 1938 begründet. Im Prinzip geht es darum, verschiedene Gruppen der Muskulatur nacheinander erst fest anzuspannen und dann die Anspannung wieder zu lösen. Dieser Wechsel von Anspannung und Entspannung wirkt auf das Nervensystem und auf die Psyche, er bewirkt in ihnen eine tief greifende Beruhigung und einen harmonischen Ausgleich. Die Progressive Muskelentspannung ist leicht zu erlernen, braucht jedoch in ihrer Originalversion sehr viel Zeit. Praktikabler ist ein daraus abgeleitetes Kurzprogramm mit sieben Übungen, das ebenfalls zu spürbarer Entspannung verhilft. Um es richtig anzuwenden, müssen zwei Grundregeln befolgt werden.

Die Progressive Muskelentspannung beruhigt und harmonisiert.

VI. Immun-Therapien mit anderen Mitteln

1. Jede Muskelgruppe fünf bis sieben Sekunden lang möglichst kräftig anspannen, dabei ruhig und gleichmäßig atmen und ganz bewusst auf die Anspannung achten.
2. Die jeweils angespannte Muskelgruppe 20 bis 30 Sekunden lang entspannen, dabei die Gedanken darauf konzentrieren und die Entspannung ganz bewusst wahrnehmen.

Die folgenden Übungen sollten regelmäßig ein- bis zweimal am Tag durchgeführt werden, am besten morgens vor der Arbeit und abends vor dem Einschlafen; außerdem jedes Mal, wenn Stress als besonders belastend empfunden wird. Und zwar in dieser Reihenfolge:

Die besten Übungszeiten sind morgens und abends.

Die rechte Hand zur Faust ballen und die Muskulatur im ganzen rechten Arm anspannen – und wieder entspannen.

Die linke Hand zur Faust ballen und die Muskulatur im ganzen linken Arm anspannen – und wieder entspannen.

Die Muskulatur der Stirn anspannen, indem die Haut dort in Falten gelegt wird und die Augenbrauen hochgezogen werden – und wieder entspannen.

Die Muskulatur der Augen anspannen, indem die Lider fest zusammengekniffen und die Augen hin- und hergerollt werden – und wieder entspannen.

Die Muskulatur des Unterkiefers anspannen, indem dieser weit nach vorn geschoben wird – und wieder entspannen.

Die Nackenmuskulatur anspannen – und wieder entspannen.

Die Muskulatur der Schultern anspannen, indem die Schultern weit hochgezogen werden – und wieder entspannen.

VI. Immun-Therapien mit anderen Mitteln

Atemübungen sind die ältesten und auch einfachsten Methoden zur Entspannung. Wenngleich ihre Wirkung nicht so tief greifend ist wie die vom Autogenen Training und der Progressiven Muskelentspannung, haben sie doch den Vorteil, dass sie leicht und rasch auszuführen sind und deshalb überall und jederzeit angewendet werden können – am Schreibtisch, am Lenkrad, bei Konferenzen. Sie können deshalb in diesen und ähnlichen Situationen die beiden anderen Verfahren vertreten, sie jedoch niemals vollwertig ersetzen. Als schnelle Hilfe gegen Stress hier als Empfehlung zwei Atemübungen:

Atemübungen können an jedem Ort durchgeführt werden.

Die »Intensiv-Atmung«: Zuerst durch die Nase ausatmen und den Bauch etwas einziehen. Dann so lange warten, bis der Körper von selbst nach Luft verlangt. Nun den Atem kommen lassen und ganz sacht und gleichmäßig durch die Nase einatmen, dabei Brust und Bauch sich ausdehnen lassen. Sind die Lungen gefüllt, die Luft nicht zwanghaft anhalten, sondern fließend wieder ausatmen – und denselben Ablauf von vorn beginnen.

Das »Atmen nach der Sechser-Regel«: Sechs Sekunden lang die Luft gleichmäßig durch die Nase einziehen; sechs Sekunden lang die Luft anhalten; sechs Sekunden lang die Luft allmählich durch den Mund entweichen lassen. Diesen Ablauf mehrmals hintereinander wiederholen und jedes Mal in Gedanken langsam bis sechs mitzählen.

In diesem Zusammenhang sollte eine grundsätzliche Bemerkung überdacht werden. Die meisten Menschen atmen falsch, nämlich vorwiegend mit der Brustatmung. Dabei werden die Rippen durch die Zwischenrippenmuskulatur gehoben, und der Brustkorb wird erweitert; die Lungen machen diese Erwei-

Die meisten von uns atmen falsch.

VI. Immun-Therapien mit anderen Mitteln

terung mit. Diese Art der Atmung ist flacher und führt deshalb dem Körper zwangsläufig weniger Sauerstoff zu. Das physiologisch richtige Luftholen, mit dem ausreichend Sauerstoff aufgenommen wird, geschieht zusätzlich mit der Bauchatmung. Diese heißt so, weil dabei durch Bewegungen des Zwerchfells der Bauch deutlich sichtbar mitbewegt wird – beim Einatmen wölbt er sich nach außen, beim Ausatmen wird er nach innen gezogen.

Achten Sie auf die Bauchatmung.

Eine überwiegende Bauchatmung stellt sich im Schlaf von ganz alleine ein; im Wachzustand dagegen sollte bewusst darauf geachtet werden, die Brustatmung zu vermeiden. Zuvor sollte man erst einmal feststellen, wie man atmet: Beide Hände oberhalb der Taille seitlich auf den Rumpf legen und mit ihnen die Atembewegungen wahrnehmen. Beim richtigen Einatmen dehnen sich Brustkorb und Bauchraum rundherum aus, beim richtigen Ausatmen sinkt der ganze Leib in sich zusammen. Ist das nicht der Fall, sollte ganz bewusst auf die Bauchatmung umgestellt werden. Übrigens: Allein indem man auf diesen Vorgang achtet, die Atmung wahrnimmt und dabei den Körper verspürt, erreicht man eine gewisse Entspannung.

Funktionelle Störungen bessern sich durch Entspannung.

So weit unser Psycho-Immun-Programm aus der Schwarzwald Privatklinik Obertal. Es bietet für das Immun-Training hilfreiche Mittel zu dem Zweck, die körpereigenen Abwehrkräfte zu schützen und zu regulieren. Es ist darüber hinaus für die Gesundheit von großem Nutzen. Denn die mit ihm erreichte Ruhe und Entspannung führt über eine Harmonie von Psyche und Nervensystem zu einer Umschaltung im gesamten Organismus. Und dieser Effekt kann bei der Behandlung von funktionellen Störungen etwa von Herz und Kreislauf, Magen und Darm, zur Linderung

VI. Immun-Therapien mit anderen Mitteln

von Schmerzen und zur Beseitigung von Schlafstörungen genutzt werden. Insbesondere das Autogene Training ist geeignet, »Gesundes zu stärken, Ungesundes zu mindern oder abzustellen«, wie es bereits sein Begründer I. H. Schultz erkannt hat und wie es sich in der ärztlichen Praxis immer wieder bestätigt.

7. Vital-Plus-Therapie – die richtigen Nährstoffe in der richtigen Menge zur richtigen Zeit

Vitamine, Mineralstoffe und damit auch Spurenelemente haben in der Medizin eine neue, größere Bedeutung gewonnen – auch in der Immunologie. Ein klassisches Beispiel dafür ist das Vitamin C, weshalb darauf etwas näher eingegangen werden soll.

Die richtigen Nährstoffe spielen in der Medizin zunehmend eine Rolle.

Früher ahnte man mehr, als man wusste, dass Vitamin C die körpereigenen Abwehrkräfte unterstützen kann. Deshalb wurde es bei einer Erkältung geradezu zu einem Ritual, eine Zitrone auszupressen, den Saft mit heißem Wasser aufzugießen und diese »heiße Zitrone« zu trinken. Das war gewiss nicht schlecht, aber auch nicht so gut, wie man damals meinte.

Heute weiß man es genauer. Vitamin C regt nicht nur Zellen des Immunsystems zu größerer Aktivität an, sondern erhält sie auch länger in Funktion, weil es sie vor Angriffen der so genannten freien Radikale schützt. Dies geschieht in enger Zusammenarbeit mit dem Vitamin E und den Carotinoiden wie dem Beta-Carotin, einem Provitamin A, sowie anderen antioxidativen, schützenden Pflanzenstoffen. So erhält der Körper in der Tat einen optimalen Schutz. Viele dieser Stoffe sind farbig. So ist das Gebot der Stunde »Essen

Vitamin C schützt die Zellen vor freien Radikalen.

VI. Immun-Therapien mit anderen Mitteln

nach Farben«, denn die häufig so farbigen Substanzen schützen gegen Krebs, wirken immunmodulierend, antimikrobiell, entzündungshemmend und natürlich auch antioxidativ. Daraus ergibt sich, dass Vitamin C zwar außergewöhnlich wichtig für das Gesundbleiben und Gesundwerden ist, aber eben nur ein Mikro-Nährstoff von vielen ist. Mikro-Nährstoff-Substitution kann sehr positive Auswirkungen auf unsere Gesundheit haben, doch kann sie eine unzureichende Ernährung nicht vollständig ausgleichen.

Vitamin E stärkt die T-Lymphozyten.

Neuere Forschungen haben bestätigt, wie wichtig beispielsweise auch das Vitamin E für die Funktion des Immunsystems ist. Einen Beweis dafür führte Professor Simin Nikbin Meydani von der Tufts-Universität in Boston (US-Bundesstaat Massachusetts) auf dem bereits erwähnten »4. Internationalen Experten-Forum Immun-Therapie« in Oslo an. Senioren erhielten zusätzlich zur normalen Ernährung noch Vitamin E. Bereits drei Wochen später verfügten sie über mehr T-Lymphozyten und damit über mehr Abwehrkraft. Die beste Wirkung wurde mit der täglichen Zufuhr von 200 Internationalen Einheiten Vitamin E erreicht. Für diese Dosis muss man entweder 300 Gramm Sonnenblumenöl zu sich nehmen oder eine Kapsel Tocorell®, (gibt es rezeptfrei in allen Apotheken); dabei ist allerdings zu beachten, dass die Dosis Sonnenblumenöl etwa 2600 Kalorien enthält, das Tocorell®, jedoch so gut wie keine.

Vitamin A schützt Haut und Schleimhäute.

Als weitere wichtige Immun-Nährstoffe haben sich unter anderem erwiesen: Vitamin A, das die körpereigenen Abwehrkräfte in Haut und Schleimhäuten als erste Front gegen Erreger stärkt; Vitamin B_6, das als ein Coenzym für die Produktion von Immunzellen unentbehrlich ist; Eisen, das gewissermaßen ein

VI. Immun-Therapien mit anderen Mitteln

Betriebsstoff für die so genannten Fresszellen (Phagozyten) ist; Selen, das ähnlich wie die genannten antioxidativen Vitamine die Immunzellen vor Schädigungen durch freie Radikale schützt; Zink, von dem bereits ein geringer Mangel zur Unterentwicklung so wichtiger Immunorgane wie Thymus, Milz und Lymphknoten führt.

Zurück zum Hausmittel »heiße Zitrone«. Heute weiß man, dass der Saft einer Zitrone bei weitem nicht ausreicht für eine nachhaltige Wirkung zugunsten des Immunsystems. In 100 Gramm verwertbaren Bestandteilen einer Zitrone sind ganze 50 Milligramm Vitamin C enthalten. Bereits ein gesunder Mensch benötigt täglich 100 bis 150 Milligramm davon und in »Grippezeiten« noch viel mehr. Das bewiesen Studenten der Universität des amerikanischen Bundesstaates Wisconsin. Sie nahmen viermal täglich jeweils 500 Milligramm Vitamin C zu sich (das ist jeweils etwa ein halber Mokkalöffel), insgesamt also zwei Gramm und so viel, wie in 40 Zitronen vorhanden ist. Die eine Hälfte von ihnen war dadurch gefeit gegen Viren und blieb den Winter über gesund. Die anderen erkrankten zwar an grippalen Infekten, hatten aber weitaus weniger darunter zu leiden als sonst und wurden auch schneller gesund als die Angehörigen einer Vergleichsgruppe, die kein Vitamin C erhalten hatten und allesamt schwer erkältet waren. Fazit: So viel Vitamin C, wie für eine effektive Stärkung der körpereigenen Abwehrkräfte erforderlich ist, kann man mit der Ernährung gar nicht zu sich nehmen.

In Grippezeiten brauchen wir besonders viel Vitamin C.

Dasselbe wie für die Zitrone und ihr Vitamin C gilt im Prinzip auch für die anderen Immun-Nährstoffe und für die anderen Nahrungsmittel. Denn sie enthalten zumeist weniger Vitamine, Mineralstoffe und Spuren-

Die meisten Nahrungsmittel enthalten weniger Mikronährstoffe, als wir glauben.

VI. Immun-Therapien mit anderen Mitteln

elemente, als noch immer angenommen wird. Dieser Irrtum von einer ausreichenden Versorgung hält sich hartnäckig, und er hat fatale Folgen. So haben diesbezügliche Untersuchungen ergeben, dass 17,7 Prozent der jungen Frauen im Alter zwischen 18 und 24 Jahren nicht genügend Eisen im Blut haben, dass es etwa 20 Prozent der Männer im Alter zwischen 35 und 44 Jahren an Vitamin C mangelt, dass kaum ein Deutscher so viel Selen zu sich nimmt, wie er benötigt. Die Folgen sind Mangelzustände, die sich auf alle Organe und Funktionen des Körpers auswirken können – auch auf die des Immunsystems.

Die wenigsten nehmen ausreichend Selen mit der Nahrung auf.

Es gibt im Wesentlichen zwei Ursachen für diesen Mangel an Vitaminen, Mineralstoffen und Spurenelementen. Zum einen enthalten Nahrungspflanzen weniger dieser Mikro-Nährstoffe, weil sie aus den ausgelaugten Böden und bei dem unnatürlich schnellen Wachstum durch Überdüngung nicht mehr so viel davon aufnehmen und weil sie von dem Wenigen noch viel bei Transport, Lagerung, Zubereitung verlieren. Zum anderen benötigen viele Menschen mehr Mikro-Nährstoffe, weil sie unter andauerndem Stress stehen, Schadstoffe aus der Umwelt abwehren müssen, zu viel Alkohol trinken und zu viel Zigaretten rauchen, bestimmte Arzneimittel zu sich nehmen (so führt beispielsweise die längere Anwendung der Anti-Baby-Pille bei relativ vielen Frauen zu einem Mangel am B-Vitamin Folsäure).

Stress, Alkohol und Nikotin sind Nährstoff-Räuber.

Die Konsequenz daraus: Weil der Mensch seinen täglichen Bedarf an Vitaminen, Mineralstoffen, Spurenelementen mit der Ernährung nicht sicher genug decken kann, muss er diese Mikro-Nährstoffe mit den entsprechenden Mitteln zur Nahrungsergänzung zu sich nehmen. Das war ein Anlass für meine Kollegen

VI. Immun-Therapien mit anderen Mitteln

Dr. Irmgard Niestroj und Dr. Karl Pflugbeil von der Schwarzwald Privatklinik Obertal, die »Vital-Plus-Therapie« zu entwickeln und sie auch in die ganzheitliche Behandlung ihrer Patienten einzubeziehen – unter anderem bei Störungen des Immunsystems.

Diese Therapie beruht auf den Grundlagen der so genannten orthomolekularen Medizin, die, wie ihr Name besagt, mit den richtigen Molekülen in der richtigen Menge behandelt. Die richtigen Moleküle sind die lebensnotwendigen Mikro-Nährstoffe, die in der richtigen Menge in den Produkten des Vital-Plus-Programms enthalten sind. Zur Anwendung gelangen sie nach einer Faustregel: anfangs höhere Dosen für relativ kurze Zeit, um eine medizinische Wirkung zu erzielen bzw. um bestehende Mangelzustände auszugleichen; danach über längere Zeit hinweg eine niedrigere Menge, um die Nahrung zu optimieren, damit es nicht erneut zu einem Defizit kommen kann. Dementsprechend wird die Vital-Plus-Therapie bei uns an der Schwarzwald Privatklinik Obertal angewendet.

Achten Sie auf eine ausreichende Versorgung mit Mikro-Nährstoffen.

Der Arzt beginnt die Behandlung mit Einzelpräparaten in höherer Dosierung für die alleinige oder unterstützende Therapie bei Erkrankungen; unter anderem werden sie mit gutem Erfolg gegen Immundefizienzen mit einer erhöhten Anfälligkeit für Infektionen und gegen Immundysregulationen bei der chronischen Polyarthritis mit Entzündungen in vielen Gelenken angewendet. Diese apothekenpflichtigen Arzneimittel und nichtapothekenpflichtigen Produkte sind: Ascorell®, als Pulver mit reinem Vitamin C sowie als Injektionslösung mit sulfitfreier Ascorbinsäure.
Folarell®, mit dem B-Vitamin Folat (Folsäure) in Tabletten und in Injektionslösung.

Unterschiedliche Mikro-Nährstoffe sind als Einzelpräparate erhältlich.

VI. Immun-Therapien mit anderen Mitteln

Magnorell®, in Form von Lutschtabletten sowie als Injektionslösung.

Novirell B mono®, und Novirell B duo®, als Injektionslösung mit den Vitaminen B_1, B_6, B_{12}.

Selenarell® für die Zufuhr von Selen als Injektionslösung.

Tocorell® mit Vitamin E als natürliches D-alpha-Tocopherol (neue Bezeichnung: RRR-alpha Tocopherol) aus Pflanzenöl.

Zinkorell® als Injektionslösung für die bessere Verwertung von Zink durch den Organismus oder als Lutschtablette für die Zufuhr dieses Spurenelements.

Der Patient setzt nach der erfolgreichen Behandlung durch uns Ärzte das Vital-Plus-Programm mit Mitteln für eine gezielte Ergänzung seiner Ernährung fort, damit es nicht wieder zu einem Mangel an Mikro-Nährstoffen kommt. Sie sind in vier so genannten Säulen enthalten. In ihnen sind jeweils bestimmte Vitamine, Mineralstoffe und Spurenelemente so zusammengefasst, dass sie bestmögliche Wirkung erreichen und dass keine negativen Interaktionen zwischen ihnen zu erwarten sind (weshalb auch die Mineralstoffe und die Spurenelemente voneinander getrennt sind). Sie ermöglichen eine ganz individuelle Zufuhr für den jeweiligen Bedarf. Sie ersparen es, viele einzelne Präparate einnehmen zu müssen, und sie sind auch besser als die Multi-Pille, die nach dem Gießkannenprinzip jedem alles auf einmal verspricht. Diese vier Säulen für die Nahrungsoptimierung sind:

Aminorell® in Kapseln mit ausgewählten Aminosäuren zur Förderung der Resorption und den Spurenelementen Chrom, Kupfer, Mangan, Molybdän und Zink.

Das Vital-Plus-Programm enthält alle notwendigen Mikro-Nährstoffe.

VI. Immun-Therapien mit anderen Mitteln

Antioxirell® in Kapseln mit den antioxidativen Vitaminen A, C, E und Carotinoiden einschließlich Beta-Carotin sowie mit Selen.
Minerell® als Pulver mit den Bioelementen Calcium, Magnesium, Kalium sowie mit den Vitaminen C, D, K.
Vicoferell® in Brausetabletten mit den Vitaminen B_1, B_2, B_6, B_{12}, Biotin, Folat, Nicotinamid, Pantothensäure, Vitamin C und dem Spurenelement Eisen.
Diese Nahrungsoptimierung sollte regelmäßig durchgeführt werden, dort wo erforderlich auch ständig (die vier Säulen sind in der Vital-Plus-Kombi-Packung rezeptfrei in jeder Apotheke erhältlich). Dadurch ist am besten gewährleistet, dass alle erforderlichen Immun-Nährstoffe den körpereigenen Abwehrkräften in ausreichender Menge zur Verfügung stehen.
Dafür gibt es noch einen anderen guten Grund.
Der Mensch von heute benötigt häufiger mehr Vitamine, Mineralstoffe und Spurenelemente. Die Deutsche Gesellschaft für Ernährung (DGE) formulierte im Jahr 2000 Referenzwerte für die Nährstoffzufuhr, die diese individuell unterschiedlichen Belastungen nicht berücksichtigt. Der Stress und die Verunsicherung werden immer größer: Leistungsdruck, Arbeitslosigkeit, Terrorismus, Umweltbelastungen, Krieg – immer unüberschaubarer wird die Zukunft.
Heute muss deshalb der Bedarf häufig höher festgesetzt werden, und zwar auf täglich 100 bis 150 Milligramm Vitamin C (DGE 100 mg), 60 bis 100 Milligramm Vitamin E (DGE 15 mg), 7,5 bis 20 Milligramm Carotinoide (DGE 2-4 mg). Dieser erhöhte Bedarf ist mit der heute üblichen Ernährung nicht zu decken, sondern nur durch eine Nahrungsoptimierung zu erreichen. Doch die Empfehlungen der DGE zu mehr Gemüse, Obst, Brot, Kartoffeln wird von den

Auch bei der Nahrungsergänzung ist Regelmäßigkeit Trumpf.

Unser Vitaminbedarf kann mit der täglichen Nahrung nicht immer gedeckt werden.

VI. Immun-Therapien mit anderen Mitteln

meisten Deutschen bisher nicht umgesetzt – und so erscheint es häufig notwendig, die richtigen Mikro-Nährstoffe in der richtigen Menge zur richtigen Zeit zu substituieren.

VII
Mein persönliches
Immun-Trainingsprogramm

Das eigentliche Problem beim Immun-Training ist weder mangelnder Wille noch allzu große Bequemlichkeit, sondern ein gewisser Schlendrian. Wir können nach meiner Erfahrung dem nur beikommen, wenn wir zusehen, dass uns gewisse Verhaltensregeln in Fleisch und Blut übergehen.

Den inneren Schweinehund überwinden

Deshalb haben wir uns entschlossen, diesem Buch ein Kontroll-Poster beizulegen, das Ihnen die Möglichkeit gibt, dieses in Fleisch-und-Blut-Übergehen systematisch herbeizuführen, und zwar so, dass Sie Ihre Erfolge sichtbar vor Augen haben.

Das Kontroll-Poster soll Sie unterstützen.

Lassen Sie mich hier kurz erklären, wie dieses Spezial-Trainingsprogramm gedacht ist und worauf es hauptsächlich ankommt. Am einfachsten schildere ich Ihnen deshalb mein spezielles, persönliches Immun-Trainingsprogramm.

1. Das Immun-Training zwischen Morgen und Abend

Sie wissen es aus tausendfachen Erfahrungen: Ob ein Tag gut oder verfahren wird, das entscheidet sich sehr

VII. Mein persönliches Immun-Trainingsprogramm

Frühes Aufstehen macht gute Laune.

oft schon morgens beim Aufstehen. Vielleicht haben Sie auch schon beobachtet, dass ein Liegenbleiben am Morgen vorübergehend angenehm sein kann, die Stimmung aber keineswegs hebt, sondern eher drückt. Weniger Schlaf, vor allem ein frühzeitiges Aufstehen dagegen verbessert die Laune. Deshalb behandelt man depressive Patienten heute unter anderem mit einer Schlafverkürzung. Es stimmt ja nicht, dass man an freien Tagen um zehn Uhr leichter aufsteht als sonst um sieben.

Das Problematische – und Gesundheitsschädliche – am hinausgezögerten Aufstehen ist das Dösen nach dem ersten Erwachen. Man fällt in einen leichten Schlaf zurück, der in Wirklichkeit kein Schlaf mehr ist und keinerlei Erholung mehr bringt. Der Organismus pendelt zwischen Schlaf und Wachzustand hin und her, was dann zur Folge hat, dass er auch nach dem Aufstehen und den ganzen Tag über nie so ganz richtig wach wird, weil er in dieser Zwischenzone haften bleibt. Dazu kommt, dass sich nun Sorgen und Befürchtungen melden: Was wird mir dieser Tag bringen? Wie werde ich mein Pensum schaffen? Welche Zwischenfälle muss ich parieren? Mit all diesen Sorgen können Sie an dem, was kommen wird, nichts ändern. Also weg damit. Die erste Regel eines wirksamen Immun-Trainings lautet:

Vermeiden Sie Stress und Zeitdruck am Morgen.

1. Stehen Sie nach dem ersten Erwachen auf, und schlafen Sie nicht noch einmal oder gar mehrere Male ein. Verlassen Sie das Bett so rechtzeitig, dass Sie in diesem wichtigen Augenblick nicht in Hetze oder unter Zeitdruck geraten. Stress am Morgen wäre deshalb so verhängnisvoll, weil er das Immunsystem gerade in dem Augenblick schwächen würde, in dem Sie in Wind und Wetter hinaustreten müssen, überall

VII. Mein persönliches Immun-Trainingsprogramm

bei Berührungen mit Geländern, Türgriffen, im Gedränge der Straßenbahn verstärkt Krankheitserregern begegnen.

2. Sorgen Sie dafür, dass Ihr Kreislauf in Schwung kommt. Ich selbst stelle mich jeden Morgen nach dem Aufstehen zehn Minuten lang an das offene Fenster, lockere meine Glieder mit leichten gymnastischen Übungen – und atme mich frei. Ich weiß, ich habe es einfach hier in dieser gesunden Umgebung. Nicht überall kann man sich ebenso unbekümmert ans offene Fenster stellen. Doch überall finden sich Augenblicke, in denen die Luft sauber ist – etwa nach einem Regen, der alle Gase und Gifte weggewaschen hat, während eines frischen Windes, nachdem es geschneit hat. Versuchen Sie das einmal: Tief einatmen, ganz ruhig, aber fest und drei, vier Sekunden lang. Halten Sie die Luft zwei, drei Sekunden lang an, und atmen Sie dann wieder sehr ruhig während vier, fünf Sekunden aus. Das ist nicht nur für Lungen und Bronchien gesund, sondern das Heben und Senken des Brustkorbs entlastet zugleich das Herz und bringt die Lymphe in Schwung, was dem Immunsystem zugute kommt.

Bringen Sie Ihren Kreislauf auf Trab.

Die gymnastischen Übungen sollen nicht in Kraftakten bestehen. Sie könnten – vor allem bei älteren Menschen – zu Gelenksabnutzungen, Muskelzerrungen oder Bänderverletzungen führen. Wichtig bei der Morgengymnastik ist die lockere, leichte Bewegung möglichst vieler Muskelpartien: Spielen Sie mit den Fingern und Zehen, lassen Sie die Unterschenkel in den Kniegelenken, die Beine in den Hüftgelenken pendeln und schwingen, ohne dass das Körpergewicht auf ihnen lastet. Schütteln Sie den Schultergürtel locker, und vergessen Sie nicht, die Rückenmus-

Die Morgengymnastik sollte nicht zum Kraftakt werden.

VII. Mein persönliches Immun-Trainingsprogramm

keln durch Strecken und Beugen zu bewegen. Wichtig auch hier wieder: Ein bisschen Spaß sollte dabei sein. Machen Sie es doch zusammen mit Ihrem Partner – ein heiteres Spielchen am Morgen, das dann den ganzen Tag überstrahlt.

Zum Aufwecken des Kreislaufs gehören schließlich das Trockenbürsten und die Wechseldusche. Bürsten Sie zuerst Ihre Haut – vor allem den Rücken, die Gegend rund um das Herz, eventuell Oberschenkel und Arme – wieder ganz nach Lust und Laune – dort, wo Sie den Eindruck haben, dass es gut tun könnte. Bitte, keine Kraftanstrengungen, sondern locker und leicht!

Trockenbürsten macht munter.

Gehen Sie danach nicht zu forsch unter das kalte Wasser. Ihr Körper ist morgens keineswegs und schon gar nicht in allen Partien so warm, wie Sie vielleicht meinen. Erst muss er deshalb richtig erwärmt werden. Erwärmen Sie ihn drei, vier Minuten lang, bis die Haut überall – vor allem auch am Rücken – leicht gerötet und somit gut durchblutet ist. Verwenden Sie aber keine Seife oder andere Reinigungsmittel, sondern nur das Wasser, damit der Immun-Schutzfilm auf der Haut nicht weggewaschen wird.

Erst warm duschen, dann kalt abschrecken.

Der warmen Dusche folgt die möglichst kalte. Beginnen Sie bei den Beinen und hören Sie in der Herzgegend auf. Dieses »Abschrecken« soll nur Sekunden dauern. Wiederholen Sie das Ganze noch einmal: erst schön warm in aller Ruhe und mit Wohlbehagen genossen, dann kurz die Kälte. Rubbeln Sie sich hinterher nicht ab, sondern schütteln Sie das Wasser ab und schlüpfen Sie in die Kleider.

3. Frühstücken Sie anschließend in Ruhe. Setzen Sie sich dazu nieder. Diese Mahlzeit ist die wichtigste des ganzen Tages. Essen Sie ein kräftiges Müsli, möglichst

VII. Mein persönliches Immun-Trainingsprogramm

Vollkornbrot und vielleicht auch einen Joghurt. Milchprodukte wirken besonders rasch und kräftig auf die Hirnzellen, sodass Sie besonders leistungsfähig werden. Auch frisches Obst ist wichtig, weil es den Körper auf natürliche Weise mit Zucker und Vitaminen versorgt. Vor allem in den Monaten mit einem »R«, also von September bis April, empfehle ich eine optimale Ergänzung der Ernährung mit den vier Säulen des Vital-Plus-Programms. Das sind die Aminorell®- und Antioxirell®-Kapseln, die Vicoferell®-Brausetabletten, das Minerell®-Pulver. Sie enthalten ausgewählte Vitamine, Mineralstoffe, Spurenelemente, Amino- und Fettsäuren in der richtigen Zusammensetzung und in der richtigen Menge.

Zum Frühstück gehören Vollkorn- und Milchprodukte sowie Obst.

4. Achten Sie auf das Wetter, und lassen Sie sich durch die vom Kalender angezeigte Jahreszeit nicht täuschen. Das heißt vor allem: wettergerechte Kleidung! Übersehen Sie in kalten Jahreszeiten nicht, dass der Boden auch bei schönstem Wetter viel Kälte abstrahlen kann. Sie zieht dann rasch über die Beine in den Unterleib.

Die Kleidung sollte der Witterung entsprechen.

Deshalb: festes Schuhwerk und warme Unterwäsche. Machen Sie sich zur Regel, zu Hause und im Büro grundsätzlich die Schuhe zu wechseln.

5. Der Vormittag ist die Zeit der größten Leistungsstärke. Versuchen Sie deshalb, Ihre Arbeit so einzuteilen, dass Sie die schwierigsten Dinge gleich morgens anpacken. Sie werden dann leichter damit fertig und geraten weniger unter Zeitdruck. Lässt sich Stress nicht vermeiden, dann müssen Sie ihn hinterher, vielleicht sogar einmal zwischendurch, sofort abbauen. Spurten Sie ein paar Treppen hinauf, bis Sie richtig außer Atem gekommen sind. Machen Sie es sich überhaupt zur Gewohnheit, den Fahrstuhl und die Rolltreppen mög-

VII. Mein persönliches Immun-Trainingsprogramm

lichst zu meiden und stattdessen zu Fuß die Treppen hinauf- und hinunterzugehen. Sie dürfen ruhig einmal zwei Stufen zugleich nehmen. Beim Heruntergehen haben Sie eine gute Gelegenheit, den verspannten Körper freizuschütteln.

6. Gewöhnen Sie sich beim Mittagessen an, wenigstens gelegentlich nur die Hälfte zu verspeisen, und reichen Sie den Rest zurück. Machen Sie aber nicht den Fehler, nur das Fleisch zu verzehren und das Gemüse stehen zu lassen. Lassen Sie wenigstens an einem Tag in der Woche das Abendessen ganz ausfallen und genießen Sie stattdessen nachmittags frisches Gemüse, Obst, verschiedene Salate. Das ist besonders wichtig an Sommertagen, an denen der Körper vor allem die Vitamine, Enzyme, Mineralien, Spurenelemente und die so wunderbar schützenden sekundären Pflanzenstoffe braucht, die vor allem frisches Obst und Gemüse bieten können. Ernähren Sie sich an solchen Tagen aber nicht ausschließlich von Kopfsalat. Er enthält ein natürliches Beruhigungsmittel, das zu starker Ermüdung führen kann. Wenn es sich einrichten lässt, sollten Sie wenigstens an zwei Tagen der Woche als Vorspeise keine heiße Suppe, sondern stattdessen ein Frischgemüse oder einen Salat essen.

Essen Sie gelegentlich bewusst Ihren Teller nicht leer.

7. Nicht jeder vermag nach dem Mittagessen kurz zu schlafen. Doch jeder sollte sich einen kurzen Augenblick der Ruhe gönnen, in dem er kurz »abschaltet«. Wer sich sofort nach dem Essen wieder auf die Arbeit stürzt, bringt seinen Organismus in den Konflikt, das Denken oder die Verdauung wenigstens teilweise zu blockieren. Das Ergebnis ist, dass man trotz größter Anstrengung keine rechte Leistung zustande bringt. Deshalb sollte man sich zumindest kurzzeitig völlig entspannt zurücklehnen, die Augen schließen und an

Nach dem Mittagessen tut etwas Ruhe gut.

VII. Mein persönliches Immun-Trainingsprogramm

etwas Erfreuliches denken. Vielleicht gelingt einem in diesem Augenblick auch ein einfaches Autogenes Training. Jeder kann sich übrigens ohne großes Training darauf »programmieren«, dass er genau zehn Minuten schläft und dann sofort wieder wach wird. Wenn man dann noch Gesicht und Hände unter das kalte Wasser hält, ist man wieder voll da und hat die wenigen Minuten der Pause rasch wieder eingeholt. Das alles ist deshalb so wichtig, weil sich unser Immunsystem nur in der Zeit der Entspannung voll entfalten und voll aktiv werden kann.

8. Wenn Sie am Nachmittag Erschöpfungskopfschmerzen bekommen oder sonstwie starke Ermüdungserscheinungen verspüren, dann greifen Sie nicht leichtfertig nach Tabletten, verzichten Sie auf das Rauchen, und trinken Sie nicht übermäßig Kaffee, Tee oder Cola. Das Rauchen wäre nur eine zusätzliche Belastung und würde Sie noch stärker ermüden. Die kontrahierende Wirkung des Nikotins, die ursprünglich Menschen mit einem labilen oder zu niedrigen Blutdruck etwas Auftrieb gegeben hat, ist beim starken Raucher längst aufgehoben, weil der Körper sein »Gegenmittel« bereithält. Anregungsmittel darf man schon einmal zu sich nehmen – doch sie helfen auch nur, solange man noch einigermaßen in Form ist. Trinkt man starken Kaffee im Augenblick völliger Erschöpfung, dann wird dieser Zustand nach einem sehr kurzen Aufputschen noch verschlimmert. Der Körper hat bald keine Reserven mehr. Im schlimmsten Fall wird das Nervensystem zerrüttet. Besser wären auch in dieser Situation, muss man gelegentlich einmal die Müdigkeitsgrenzen überschreiten, einige Lockerungsübungen am offenen Fenster oder ein Armwechselbad im Waschbecken. Man krempelt die

Im Nachmittagstief: Seien Sie sparsam mit Kaffee, Tee oder Nikotin.

VII. Mein persönliches Immun-Trainingsprogramm

Ärmel hoch, lässt drei, vier Minuten lang schön warmes Wasser über Hände und Unterarm fließen und beendet das dann mit kaltem Wasser, das wiederum nur wenige Sekunden auf die Haut einwirken sollte.

9. Nach der Arbeit und dem möglichen Stress des Heimweges dürfen Sie sich nicht übergangslos mit häuslichem Stress konfrontieren lassen. Mag alles zu Hause »auf dem Kopf« stehen: Versuchen Sie erst einmal zu sich selbst zu finden, bevor der Partner mit seinen Problemen über Sie herfällt. Schalten Sie, wenn es geht, eine »Zwischenstunde« zwischen Beruf und Heim. Gehen Sie mit Ihren Kindern auf den nahe gelegenen Spielplatz, bewegen Sie Ihren Partner zum Schwimmen, zu einem Tennisspiel oder zu einer kleinen Fahrradtour. Hinterher kann man die Probleme viel gelöster und vernünftiger angehen.

Schalten Sie nach der Arbeit erst ab, bevor Sie sich mit häuslichen Problemen auseinander setzen.

10. Das Abendessen muss leicht sein und darf nicht zu spät eingenommen werden. Unser Organismus ist nicht darauf eingerichtet, während der Nacht zu verdauen. Deshalb liegen die zu spät eingenommenen Speisen schwer im Magen, stören den Schlaf und behindern das Immunsystem in der Zeit seiner Hauptaktivität. Die Mahlzeit sollte deshalb möglichst leicht, vielleicht sogar etwas kärglich sein. Einmal wöchentlich sollte das Abendessen ausfallen. Leider hat es sich bei uns wie in anderen hoch zivilisierten Ländern eingebürgert, die Hauptmahlzeit als einzige große Mahlzeit in die Abendstunden zu verlegen, weil nur abends alle Familienmitglieder zu Hause sind. Das ist eine Entwicklung, die wir Ärzte mit Besorgnis verfolgen, denn diese Ernährung widerspricht dem biologischen Rhythmus. Versuchen Sie, wenn es anders schon nicht möglich ist, wenigstens nach 21 Uhr, beziehungsweise zwei Stunden vor dem Schlafenge-

Nehmen Sie ein frühes, leichtes Abendessen ein.

VII. Mein persönliches Immun-Trainingsprogramm

hen nichts mehr zu essen, keine größeren Mengen mehr zu trinken und schwer verdauliche Speisen zu meiden. Wenn Sie aber spät gegessen haben, dann legen Sie sich nicht schlafen, ohne noch eine Runde um den Häuserblock gedreht zu haben.

11. Der Tag sollte unbedingt ruhig und entspannt beendet werden. Bleiben Sie keinesfalls sitzen, bis das Fernsehgerät nach Beendigung des Programms zu flimmern beginnt. Denken Sie daran: Menschen, die spät zu Bett gehen und spät aufstehen, sind ängstliche und unbefriedigte Typen, die etwas, was zu Ende ist, noch festhalten wollen, in der Erwartung, es könnte sich vielleicht doch noch etwas ereignen. Der frühe Schlaf ist für das Immunsystem der wichtigste, weil sich in den ersten Schlafstunden die körperliche Erholung, der Wiederaufbau der Kräfte und die Immun-Hauptaktivitäten vollziehen. Geht man zu spät ins Bett, kann dieser Zeitraum deutlich verkürzt werden. Dass unsere Abendstunden außerdem angefüllt sind mit Aufregungen vor dem Fernsehgerät, womit unser Immunsystem stark belastet wird, habe ich schon dargelegt.

Gehen Sie nicht erst ins Bett, wenn das Fernsehprogramm zu Ende ist.

12. Bevor Sie sich schlafen legen, sollten Sie unser Kontroll-Poster zur Hand nehmen, um zu erfahren, ob Sie diesen Tag nicht nur gerade so über die Runden gebracht haben, sondern ob Sie Ihre Gesundheit schädigten oder sie festigen konnten. Das Ganze hat aber nur einen Sinn, wenn Sie absolut ehrlich zu sich selbst sind und nicht nur ein schlechtes Gewissen beruhigen möchten. Es ist überhaupt nicht schlimm, wenn Sie anfänglich kaum einen grünen Punkt kleben dürfen. Wenn Sie auf der Straße die Leute fragen würden, dürften die allerwenigsten eines der »Warnlämpchen« auslöschen.

Kontrollieren Sie täglich, wie gesund Sie gelebt haben.

VII. Mein persönliches Immun-Trainingsprogramm

Entscheidend ist, dass Sie zunächst ein klares Bild über Ihre »Sünden« bekommen und genau wissen, wo Sie ansetzen müssen. Es kommt dann nur darauf an, dass Ihr Kontroll-Poster von Woche zu Woche grüner wird und Ihnen »freie Fahrt« für die Gesundheit anzeigt. Betrachten Sie nicht nur das Gesamtbild des Posters und seine »Verfärbung«, sondern die Entwicklung in den zehn wichtigsten Punkten. Gerade dort, wo Sie die wenigsten »Ja« sagen konnten, sollten Sie ansetzen.

Und wenn Sie mich fragen, welche von allen Geboten für ein gesundes Immunsystem die wichtigsten sind, dann möchte ich drei Punkte herausheben, die Sie zu Beginn des Trainings nacheinander in Angriff nehmen sollten:

Die drei wichtigsten Faktoren für ein intaktes Abwehrsystem: Freude, Bewegung, gesundes Essen.

– Die tägliche Freude, die sich in einem herzhaften Lachen oder auch in stiller Besinnlichkeit äußern kann. Einmal von Herzen froh sein im Laufe eines Tages, das ist das absolute Minimum, das Sie zustande bringen müssen. Solange Sie das nicht schaffen, ist alles andere praktisch wertlos!

– Die tägliche Bewegung an frischer Luft, die Sie aus der Puste und zumindest etwas ins Schwitzen bringt. Nur wenn das Blut kräftig zirkuliert, erreichen die Immunkräfte auch den hintersten Winkel des Organismus.

– Die tägliche maßvolle, gesunde Ernährung. Denn nur wenn der Körper von unnötigem Ballast befreit wird, aber trotzdem alles bekommt, was er braucht, kann er gesund bleiben.

13. Fast ebenso wichtig wie das richtige Aufstehen ist das sorgenfreie, entspannte Zubettgehen. Verscheuchen Sie, wenn Sie nicht gleich einschlafen können, alle bedrückenden, belastenden Gedanken und Sor-

VII. Mein persönliches Immun-Trainingsprogramm

gen über das, was der morgige Tag bringen könnte. Sie können an dem, was kommen wird, mit allen Grübeleien nicht das Geringste ändern. Denken Sie an etwas Schönes, Beglückendes, Heiteres. Rufen Sie Ihre körpereigenen »Drogen« ab, damit ein Glücksgefühl wach werden kann. Beherzigen Sie das Bibelwort: »Sorgt euch nicht um morgen, denn der morgige Tag wird für sich selber sorgen. Jeder Tag hat genug eigene Plage!« (Matthäus 6, 34)

Grübeln Sie nicht über Dinge, die Sie nicht ändern können.

Sehen Sie, dass Sie im Bett rasch warme Füße bekommen, sonst ist Ihr Schlaf gestört – und die schlecht durchblutete Haut bildet einen günstigen Ansatzpunkt für Krankheitserreger. Schlafen Sie möglichst bei offenem Fenster – vorausgesetzt, Ihr Bett steht nicht genau darunter, sodass ständig kalte Luft auf Sie herabfällt. Meiden Sie vor allem ein überheiztes Schlafzimmer. Es kann Albträume auslösen und die Atemwege austrocknen. Deshalb: Möglichst keine Heizung im Schlafzimmer!

Dazu noch ein paar Anmerkungen, die über den Tag hinausreichen:

14. Das Beste, was Sie Ihrem Immunsystem schenken können, ist ein fleischloser Tag und ein Fischtag in der Woche sowie ein Entlastungstag im Monat. An diesem Tag sollten Sie nichts anderes essen als frisches Obst, etwa drei, vier Äpfel – mehr schaffen Sie sowieso nicht –, und nichts anderes trinken als Mineralwasser. Haben Sie sich erst einmal an einen solchen Tag gewöhnt, empfinden Sie ihn geradezu als Erholungstag, den Sie nicht mehr missen möchten. Er ist aber vor allem ein Entlastungstag für das Immunsystem. Von der Verdauungsarbeit und schwierigen Stoffwechselprozessen entlastet, kommt der Organismus dazu, aufzuräumen und alles, was in der Hetze liegen

Regelmäßige Entlastungstage stärken das Immunsystem.

VII. Mein persönliches Immun-Trainingsprogramm

bleiben musste, nachzuholen. Legen Sie für diesen Entlastungstag einen fixen Tag im Monat fest, etwa den ersten Freitag im Monat. Mit jedem dieser Tage schenken Sie sich Monate der Gesundheit und des Wohlbefindens.

Lieber fünf kleine als drei große Mahlzeiten pro Tag

15. Versuchen Sie von den drei großen Mahlzeiten pro Tag wegzukommen, und essen Sie statt der drei großen Portionen fünf kleine. Das verhindert den »Bärenhunger«, der so schnell zu übermäßiger Ernährung führt. Nach einer üppigen Mahlzeit sind die Makrophagen oft stundenlang allein damit beschäftigt, Fetttröpfchen zu transportieren. In dieser Zeit können Sie sich naturgemäß weder um Krebszellen noch um Krankheitserreger kümmern. Wenigstens ist das nicht in ausreichendem Maß möglich. Jede Mahlzeit muss deshalb gewissermaßen als vorübergehende Blockade des Immunsystems verstanden werden. Allein aus diesem Grunde müssen wir uns darum bemühen, die Ernährung so über den Tag zu verteilen, dass die kleineren Portionen auch das Immunsystem weniger blockieren. Daran muss man vor allem auch bei der Ernährung der Kinder denken.

Sorgen Sie außerdem für einen »Mengenausgleich«; wenn Sie einmal richtig schön und üppig gespeist haben – niemand möchte Sie davon abhalten, gerade am Speisen eine richtige Freude zu entfalten –, dann lassen Sie ohne schlechtes Gewissen und sorgenvollen Blick auf die Waage einfach am nächsten Tag eine Mahlzeit ausfallen. Schon ist Ihr »Gewichtskonto« wieder aus den roten Zahlen heraus.

Erziehen Sie Ihren Darm.

16. Zum hilfreichen Immun-Training gehört aber auch eine Erziehung des Körpers zum regelmäßigen Stuhlgang zur festgesetzten Zeit. Das ist keineswegs schwierig. In der Regel einmal am Tag, möglichst

VII. Mein persönliches Immun-Trainingsprogramm

schon in den Morgenstunden, sollte sich der Darm entleeren, damit nicht durch eine zu lange Verweildauer der Verdauungsreste giftige Stoffe ins Blut übergehen, die eine Schädigung oder Belastung darstellen. Wenn man die Pünktlichkeit ernsthaft anstrebt, wird sich der Körper rasch daran gewöhnen. Es sind also wiederum keine riesigen Anstrengungen nötig – und auch keine Mittel.

2. Das Immun-Training im Krankheitsfall und danach

Soll man nun ins Bett, wenn eine »Grippe« im Anzug ist, oder wäre das ein überflüssiger Luxus? Sind unsere Wohnungen heute nicht so gut und in allen Räumlichkeiten gleichmäßig beheizt, dass eine Bettruhe überflüssig geworden ist? Und wer etwa im eigenen Wagen ins Büro fährt, um sich dort dann in klimatisierten Räumen aufzuhalten: Er hat doch von einer gefährlichen frischen Luft überhaupt nichts zu befürchten. Er kommt mit ihr kaum in Berührung. Gewiss, vor 100 Jahren war das noch anders, als man im Schlafzimmer kaum heizen konnte und der Gang zur Toilette im Winter Mantel, Schal und Handschuhe verlangte.

Bei Fieber unbedingt Bettruhe einhalten.

Das alles ist richtig. Und trotzdem empfehle ich nach wie vor bei fiebrigen Erkrankungen die Bettruhe, die nicht vorzeitig aufgegeben wird. Bei Fieber kann ein kalter Zug in den schweißnassen Rücken eine Lawine von Reaktionen auslösen – bis hin zum »Hexenschuss«. Doch bei der Bettruhe geht es nicht nur um die ständig gleichmäßige Temperatur, die das Immunsystem von Wärme- und Kälteregulierungsmaßnahmen befreit, sondern auch um die Ruhe und Ent-

VII. Mein persönliches Immun-Trainingsprogramm

Während wir schlafen, sammelt das Immunsystem neue Kräfte.

Durch Müdigkeit signalisiert uns das Abwehrsystem sein Ruhebedürfnis.

spannung als ideale Voraussetzung für jeglichen Heilungsprozess. Es ist überaus erfreulich, dass sich die medizinische Forschung an den Universitäten neuerdings auf dieses Thema besinnt – verwunderlich nur, dass man erst jetzt darauf kommt! So hat die VW-Stiftung einen Forschungsauftrag vergeben, der untersuchen soll, wie sich das Zusammenwirken von Nervensystem und Immunsystem im Zustand des Schlafes verändert. Dass es sich verändert, dass das Immunsystem sich in der Ruhe und vor allem im Schlaf befreiter entfalten kann, daran gibt es keinen Zweifel mehr. Die Wechselwirkung zwischen zentralem Nervensystem, Hormonsystem und Immunsystem, gesteuert über Botenstoffe, ist sogar so eng, dass umgekehrt auch das in Not geratene Immunsystem den Schlaf regelrecht anfordern und die entsprechende Müdigkeit herbeiführen kann. Das bedeutet aber, dass jede Müdigkeit, jedes Bedürfnis nach Schlaf immer auch als Signal des Immunsystems verstanden und keinesfalls unvernünftig übergangen werden darf. Indem wir müde werden, sagt uns unser Immunsystem: Es ist höchste Zeit, dass du alle Blockaden aufhebst und mich endlich unbehindert wirken lässt! Wenn du das nicht tust, wirst du krank!

Wer sich rechtzeitig ins Bett legt, möglichst schon bei den ersten Hinweisen auf einen grippalen Infekt, der kann in den meisten Fällen eine beginnende »Erkältung« allein damit auskurieren, bevor sie noch richtig ausgebrochen ist. Acht, zehn Stunden gesunder Schlaf können dem Immunsystem ausreichen, die Situation zu bereinigen. Am besten legt man sich in einer solchen Situation abends früh ins Bett, nimmt ein Aspirin ein und sorgt dafür, dass man sich rasch behaglich und wohl fühlt. Am nächsten Morgen ist die

VII. Mein persönliches Immun-Trainingsprogramm

Infektion entweder voll »aufgeblüht«, dann war sie im Augenblick für den Körper einfach notwendig, oder man hat sie bereits nahezu völlig überwunden.
Hat die »Grippe« Sie aber voll erwischt, mit Schluckbeschwerden, Kopfschmerzen, Gliederschwere, dann gilt die uralte Regel: Ohne Medikamente dauert sie acht Tage – mit Medikamenten eine Woche! Das heißt nichts anderes als eben: Gleichgültig, was immer Sie unternehmen: Ihr Körper braucht die acht Tage. Diese Zeit müssen Sie ihm einräumen – möglichst ohne eine Medikamentenbelastung, die doch nichts bringt. Akzeptieren Sie diese Trainingsmöglichkeit und bieten Sie Ihrem Organismus die Voraussetzungen, ungestört, unbehindert das »Manöver« durchzuführen. Sie selbst brauchen nichts anderes zu tun als:

Versuchen Sie bei einer Erkältung auf Medikamente zu verzichten.

1. Sich Zeit nehmen – und »stillhalten«!
2. Abschalten, viel schlafen und das Essen auf leichte Kost umstellen: naturreine Obst- und Gemüsesäfte trinken – vor allem, solange Sie Fieber haben. Versorgen Sie sich zusätzlich mit Vitaminen – insbesondere mit Vitamin C: Nehmen Sie viermal täglich einen halben bis ganzen Mokkalöffel Ascorell® (rezeptfrei, Apotheke) ein, solange Sie Beschwerden haben; danach sollten Sie die Dosis allmählich verringern, jedoch das Vitamin C nicht abrupt absetzen.
3. Wenn Sie schwitzen können und es dürfen, weil Sie ein gesundes Herz besitzen, dann tun Sie es. Decken Sie sich warm zu, bis der Körper »schwimmt«. Waschen Sie sich hinterher im warmen Zimmer kurz kalt ab, und schlüpfen Sie sofort ins frisch bezogene Bett zurück.

Wer darf, sollte die Erkältung ausschwitzen.

Das ist alles. Drücken Sie das Fieber – eventuell mit nasskalten Wadenwickeln – nur herunter, wenn es deutlich die 39-Grad-Marke überschreitet. Versuchen

VII. Mein persönliches Immun-Trainingsprogramm

Sie nicht, so nebenher zu arbeiten oder zu lesen. Schlafen Sie sich gesund – auch nach dem dritten Tag, wenn Sie spüren, dass das Schlimmste überstanden ist. Das Immunsystem hat noch viel zu tun! Wirklich gesund sind Sie erst, wenn Sie sich wohler und leistungsstärker fühlen als vor der Erkrankung.
Und noch ein paar Dinge, die Sie nicht tun sollten:
– Gehen Sie mit Fieber nicht schwimmen und auch nicht in die Sauna.
– Meiden Sie in den ersten Tagen nach der Rückkehr an den Arbeitsplatz übermäßigen Stress und zu anstrengende körperliche Belastungen.
– Nehmen Sie Abhärtungsmaßnahmen nicht sofort wieder auf, sondern beginnen Sie mit diesem Immun-Training erst wieder nach und nach. Fangen Sie gewissermaßen ganz von vorne an, mit leichtesten Temperaturreizen, die sich nach und nach steigern.
– Halten Sie eine echte Grippe (Influenza) nicht für eine Bagatelle, vor allem nicht bei Kindern und bei älteren Menschen. Alljährlich sterben rund 6000 Menschen an einer Grippe. Deshalb sollten Sie in diesen Fällen den Arzt rufen und dem Patienten sorgfältigste Pflege angedeihen lassen, vor allem Kindern und älteren Menschen.

Bei einer echten Grippe unbedingt den Arzt rufen!

3. Das Immun-Training in der Freizeit

Da die Freizeit an Wochenenden, Feiertagen, Feierabenden oder im Kurzurlaub immer breiteren Raum einnimmt und immer mehr »gestaltet« wird, kommt ihr für die Gesundheit – und wiederum speziell für das Immunsystem – immer größere Bedeutung zu. Beherzigen Sie bei allem, was Sie tun, die wichtigste Gesundheitsregel: Bewegung ist für den Körper erhol-

Denken Sie auch bei der Freizeitgestaltung an Ihre Gesundheit.

VII. Mein persönliches Immun-Trainingsprogramm

samer als Sitzen. In der leichten Bewegung werden Herz und Kreislauf enorm durch die Muskelbewegungen unterstützt. In der Bewegung kommt die Lymphe in Schwung, womit die Abwehrzellen auf natürlichste Weise aktiviert und für ihre Aufgaben freigegeben werden.

Meine Regeln für das Immun-Training in der Freizeit lauten:

1. Selbstverständlich darf man einmal so richtig ausschlafen, an einem freien Tag sogar in den Tag hineinträumen. Auch das Aufstehen darf – wenn sich eine Wahlmöglichkeit ergibt – nicht zum Zwang werden. Andererseits muss man wissen – und das ergibt sich nur aus der Erfahrung –, dass Morgenstund im Hinblick auf Freude und Erlebnisfähigkeit wirklich »Gold im Mund« hat: In keiner anderen Phase des Tages lässt sich beispielsweise die Schönheit der Natur intensiver erfahren als in den Stunden des Sonnenaufgangs. Speziell solche Erlebnisse sollte man sich gönnen. Wer in den Tag »hineindöst«, versäumt nicht nur vieles, sondern stört die natürlichen Rhythmen seines Körpers. Diese Rhythmen passen sich nicht nur Dunkelheit und Helligkeit an, sondern auch den Jahreszeiten. Es ist der Natur entsprechend, im Winter, wenn die Tage kürzer sind, etwas mehr zu schlafen und im Sommer den Tag auszudehnen und entsprechend weniger zu schlafen.

Stehen Sie nicht zu spät auf.

2. Planen Sie Ihre Freizeit – aber verplanen Sie nicht jede freie Minute. Erholung ist nicht vereinbar mit einem voll gestopften »Programm«, mit geschäftiger Betriebsamkeit, mit neuer Bestätigung, neuem Leistungs-Stress. Suchen Sie zuerst die Freude, möglichst im gemeinsamen Erleben zusammen mit dem Partner. Ob Sie wandern, schwimmen, Ski fahren, langlau-

Die Freizeitplanung sollte nicht in Stress ausarten.

VII. Mein persönliches Immun-Trainingsprogramm

Bewegen Sie sich mäßig, aber regelmäßig.

fen, joggen oder Fahrrad fahren: Stecken Sie sich keine zu hohen Ziele, und machen Sie Schluss, wenn Sie spüren, dass Sie sich den Leistungsgrenzen nähern. Gelegentliche Bravourleistungen sind für die Gesundheit wertlos und gefährlich. Training besteht in der Regelmäßigkeit, die eine langsame Steigerung erlaubt. Nur wenn Sie regelmäßig üben, lässt sich die Leistungsgrenze allmählich nach oben schieben. Keine Sorge: Der Puls darf schon einmal spürbar schlagen, der Atem heftiger gehen. Doch Atmung und Herzschlag müssen sich nach der Anstrengung relativ rasch wieder normalisieren. Vermeiden Sie bei allen körperlichen Übungen ruckartige, verkrampfende Bewegungen. Ich rate beispielsweise in vielen Fällen von den so genannten isometrischen Übungen ab, weil dabei der Blutdruck übermäßig in die Höhe schießen kann. Besser ist die kontinuierliche Bewegung als die statische Kraftanstrengung. Konkret gesagt: Versuchen Sie im Wald keinen Baumstamm anzuheben, sondern setzen Sie sich darauf und lassen Sie die Beine baumeln.

Was immer Sie tun: Es war richtig und gut, wenn Sie sich hinterher wohl und ein wenig glücklich fühlen.

3. Planen Sie bei Ihrer Freizeitgestaltung Ihre ganz persönliche gesundheitliche Situation ein. Das könnte beispielsweise heißen: Die Arbeitswoche war sehr aufregend. Sie sind stark nervös und ungeduldig. Das wäre die Aufforderung, nicht zusätzliche Reize auf sich einwirken zu lassen, sondern sich in der Freizeit »abzuschirmen«. Besonders reizarm und beruhigend ist ein Spaziergang durch den Wald. Der Spaziergang über die Blumenwiese ist wesentlich anregender – entsprechend sinnvoll, wenn Sie nach einer Woche der eintönigen Beschäftigung die Aufmunterung brauchen.

Planen Sie Ihre Freizeit nach Ihren individuellen Bedürfnissen.

VII. Mein persönliches Immun-Trainingsprogramm

4. Wenn Sie an einer Bronchitis leiden, dann verzichten Sie auf das Skifahren, bei dem Sie die kalte Luft durch den Mund einatmen müssten. Bleiben Sie aber auch nicht im geheizten, zu trockenen Zimmer, sondern gehen Sie vielleicht ins Dampfbad oder machen Sie zu Hause selbst Inhalationen.

Bei Bronchitis sollten Sie nicht unbedingt Ski laufen gehen.

Wenn Sie an einer rheumatischen Erkrankung leiden, dann legen Sie sich nicht einfach in die Sonne, weil die Wärme scheinbar so gut tut, sondern suchen Sie eine Möglichkeit, die versteiften Gelenke ohne Kraftanwendung zu bewegen. Üben Sie im Intervall, also in regelmäßigen Wiederholungen mit den entsprechenden Pausen dazwischen. Legen Sie sich beispielsweise auf eine trockene Wiese, strecken Sie die Beine hoch in die Luft und tun Sie so, als würden Sie Fahrrad fahren. Lassen Sie im Gehen die Arme schwingen, pendeln, werfen Sie sie in die Höhe, nach vorne, nach hinten. Und vergessen Sie dabei nicht, ganz bewusst tief zu atmen. Und wenn Ihnen danach ist, dann lassen Sie auch einen fröhlichen Jauchzer erklingen.

5. Suchen Sie sich, wenn Sie es nicht schon haben, unbedingt ein Hobby, das Freude bereitet. Achten Sie bei Ihrer Wahl darauf, dass Sie nicht Ihren Beruf auf andere Weise fortführen, sondern dass das Hobby einen Ausgleich bietet. Wir Ärzte sind beispielsweise bekannt dafür, dass wir in unserer Freizeit gerne musizieren, allein und zusammen mit Kollegen im Orchester. Diese Ergänzung ist ideal, weil sich in Rhythmus und Melodik der Musik auf einfachste Weise zur seelischen Harmonie zurückfinden lässt. Auf ähnliche Weise kann das Anhören einer guten Schallplatte stärkste Verspannungen und Verkrampfungen lösen. Die konzentrierte Beschäftigung beim Zusammensetzen eines Puzzle-Spiels vermag nach einem hekti-

Gehen Sie einem Hobby nach.

VII. Mein persönliches Immun-Trainingsprogramm

Die psychische Erholung ist für die Abwehr noch wichtiger als körperliches Training.

schen Arbeitstag eine geradezu wunderbare innere Ruhe zu vermitteln. Denken Sie daran: Das Immun-Training darf sich nicht auf körperliche Ertüchtigung beschränken. Die geistig-seelische Erholung, das Zu-sich-selber-Finden, ist fast noch wichtiger. Betrachtet man unsere 100-Jährigen, und versucht man herauszufinden, warum sie das hohe Alter erreicht haben, dann entdeckt man sehr schnell: Sie alle waren keine übermäßigen Sportler, schon gar keine Leistungssportler. Doch alle sind sie ihr Leben lang geistig sehr rege gewesen, haben viel gelesen, und sie waren immer unterwegs nach der Freude!

6. Übersehen Sie nicht, dass Tanzen eine besonders heilsame Freizeitbeschäftigung ist – nicht zuletzt für ältere Menschen! Im Tanz kommt der Körper zur nötigen Bewegung. Man kann sich ihr ganz hingeben, sodass die Seele im Rhythmus der Melodie zur inneren Harmonie findet. Die körpereigenen »Drogen« werden abgerufen und sorgen für ein Gefühl des Glücks und der Leichtigkeit. Achten Sie jedoch darauf, dass die Musik nicht zu schreiend, die Lichteffekte nicht zu grell sind, sonst werden die Reize zur Überreizung und damit zur gesundheitlichen Gefährdung.

Beim Tanzen schüttet der Körper Glückshormone aus.

7. Ein kurzes Wort noch zum Thema Liebe und Sexualität: Es steht bewusst unter dem Thema Freizeit, weil es einen Gegensatz zu Beruf und Pflichterfüllung darstellt – und auch so gesehen werden sollte. Ich habe bereits klargestellt: Sexuelle Aktivität schwächt und blockiert das Immunsystem nicht. Ausgenommen davon ist allenfalls eine zu früh einsetzende sexuelle Betätigung des Jugendlichen – und ein übermäßiges »Abrufen« der Sexualhormone während der Pubertät. Sexualhormone und Thymus-Faktoren sind Gegenspieler. Wenn die einen in besonderen Phasen, wie

VII. Mein persönliches Immun-Trainingsprogramm

etwa der Pubertät, außergewöhnliche Aufgaben zu erfüllen haben, müssen die anderen notgedrungen blockiert werden. Andererseits wissen wir aber auch, dass der Ausfall der Hormone in der Menopause nun nicht etwa zu einer Stärkung des Immunsystems führt, sondern ebenfalls zu seiner Krise. Enthaltsamkeit oder gar Verzicht können also das Immunsystem nicht stärken.

Damit will ich sagen: Wenn sich das Gleichgewicht der hormonalen Kräfte eingespielt hat und keine größeren Schwankungen und Störungen vorliegen, fordert ein gesunder Hormonpegel ein stabiles Immunsystem – und umgekehrt. Ich bin sogar überzeugt davon – die nahe Zukunft wird es wohl bestätigen –, dass man vom Hormonspiegel eines gesunden Erwachsenen geradezu automatisch auf die Funktion seines Immunsystems rückschließen kann. Speziell ältere Menschen aber kann ich als immunologisch orientierter Arzt nur zur Liebe und zur regelmäßigen sexuellen Aktivität ermuntern. Sie erhalten sich nicht nur jugendlichen Elan, weil die Sexualdrüsen noch länger Hormone liefern, sondern Sie stärken damit Ihr Immunsystem ganz entscheidend!

Auch Liebe und Sexualität fördern die Gesundheit.

4. Das Immun-Training im Urlaub

Das ist in der Tat ein beunruhigendes Ergebnis: Wenigstens die Hälfte aller Urlauber fühlt sich nach der Rückkehr aus den »schönsten Wochen des Jahres« unwohler und anfälliger als zuvor. Ganz offensichtlich wird bei der Urlaubsgestaltung nicht nur der eine oder andere Fehler begangen, sondern es kommt ein ganzes Bündel falschen Verhaltens

Viele fühlen sich nach dem Urlaub kränker als zuvor.

VII. Mein persönliches Immun-Trainingsprogramm

zusammen. Man könnte es in etwa unter vier Punkten zusammenfassen:
- Ungewohntes Klima, also erheblicher Klima-Stress.
- Infektionen durch unbekannte Krankheitserreger.
- Ungewohnte sportliche Betätigung, die den untrainierten Körper überfordert.
- Fremde Ernährung und veränderte Lebensgewohnheiten.

Beachten Sie Gesundheitsaspekte beim Buchen des Urlaubs.

Der eigentliche Fehler, der dazu führt, dass die ersehnte Erholung und die Stabilisierung der Gesundheit im Urlaub ausbleiben, wird längst vor Antritt der Reise gemacht: Man bucht nach einem Katalog mit viel versprechenden Bildern – aber ohne sich auch nur eine Sekunde lang zu fragen, ob der erwähnte Ort mit seiner hohen Luftfeuchtigkeit, seiner veränderten Zeit, seinem exotischen Essen, seinen fremden Krankheitserregern, gegen die der eigene Organismus keine Antikörper besitzt, für die Gesundheit bekömmlich oder vielleicht doch nur belastend ist.

Wer sich im Alltag wenig bewegt, darf sich im Urlaub keine Höchstleistungen abfordern.

Dazu kommt, dass man sich völlig unvorbereitet und untrainiert in das Abenteuer stürzt. Zehn Monate lang sitzt man nahezu bewegungslos hinter dem Schreibtisch. Im Urlaub glaubt man, ein völlig anderes Leben mit ganz großen Leistungen leben zu können. Das muss schief gehen. Der untrainierte Körper macht schlapp.

Überdenken Sie bei Ihrer nächsten Urlaubsplanung bitte folgende Punkte:
1. Erkennen Sie zunächst Ihren Typ. Es gibt nämlich zweierlei Menschentypen. Die einen vertragen die Hitze leichter, haben aber erhebliche Mühe, sich der Kälte anzupassen. Es sind die eher hageren, lang aufgeschossenen Typen, die schon frösteln, wenn andere sich gerade behaglich fühlen. Sie sollten ihren

VII. Mein persönliches Immun-Trainingsprogramm

Urlaub nicht gerade in Island, vielleicht auch nicht in der steifen Nordseebrise verbringen. Der Wetter-Stress würde zu sehr belasten. Der zweite Typ verträgt die Kälte besser, leidet aber sehr schnell und heftig unter der Hitze. Es ist in der Regel der untersetzte und etwas rundliche Typ. Er wird sich am glühenden Strand im Süden bald krank und matt fühlen, könnte dagegen im kühlen Norden regelrecht aufblühen.

Sind Sie der hitze- oder der kälteempfindliche Typ?

Da sich Gegensätze bekanntlich anziehen und deshalb auch sehr häufig kälte- und hitzeempfindliche Partner zusammenfinden, resultieren viele Urlaubsprobleme aus dieser Verschiedenheit im Reagieren auf die Umwelt. Für beide wäre es heilsamer, sie würden im Urlaub extreme Gegenden überhaupt meiden und stattdessen ein gemäßigtes Klima wählen, das beiden Seiten bekommt, oder getrennte Wege gehen, sonst muss der eine jeweils leiden und kann dabei sogar krank werden, womit auch der Partner beeinträchtigt ist.

2. Stark nervöse Menschen, solche mit einer vegetativen Dystonie und stark Erschöpfte brauchen im Urlaub ein reizarmes, beruhigendes Klima. Ungewohnte Wetterverhältnisse würden sie noch mehr aufputschen. Hitze könnte sie unerträglich belasten, Windstärke drei – das ist nicht viel mehr als eine frische Brise – ihr Befinden rapide verschlechtern. Das heilsamste Klima wäre deshalb das Schonklima unserer Mittelgebirge, ein heilklimatischer Luftkurort, zwischen 400 und 700 Meter hoch gelegen, frei von Abgasen und Lärm.

Wer erschöpft ist, braucht im Urlaub eine reizarme Umgebung.

3. Wer zu Hause unter Eintönigkeit leidet, etwa Hausfrauen und Rentner, sollte ein eher reizvolles Klima – im wahrsten Sinn des Wortes – auswählen. Das wäre zwar ein anstrengendes, aber heilsames

VII. Mein persönliches Immun-Trainingsprogramm

Training für die Gesundheit. Ideal könnte beispielsweise das Hochgebirge sein – vorausgesetzt, man leidet nicht unter Bluthochdruck oder allzu niedrigem Blutdruck.

Bei Herz- und Kreislaufproblemen sollte man schwüles Klima meiden.

4. Wer unter Herz- und Kreislaufproblemen leidet, muss vor allem das schwüle Klima meiden, wie es oft im Rhein-Main-Becken, in der Oberrheinebene, im Rheintal von Bonn bis Düsseldorf und im Donaubecken zwischen Regensburg und Passau vorkommt. Für ihn wäre der ideale Urlaubsaufenthalt in etwa 600 bis 1000 Meter Höhe das ideale Trainingsklima. Die Luft ist bei 1000 Metern schon etwas dünner und zwingt zu intensiverem Atmen.

5. Asthmatiker fühlen sich besonders an der Nordsee wohl. Schon wenige Stunden Aufenthalt dort können so positiv wirken, dass sich die Patienten wie von einer Last befreit glauben.

6. Wer dagegen an einer chronischen Bronchitis leidet, der sollte in den feuchtwarmen Süden. Er muss enge Täler und Kälte meiden. Für ihn wäre auch der Winterurlaub nicht empfehlenswert.

7. Hypotoniker dürfen nicht in Höhen über 1500 Meter. Der Aufenthalt dort könnte zu erheblichen Schlafstörungen und Kreislaufproblemen führen.

Bei unreiner Haut können Strand oder Hochgebirge Wunder wirken.

8. Hautunreinheiten wie Akne und Mundbläschen heilen am schnellsten in der Sonne. Strand und Hochgebirge können nach einem anfänglichen »Aufblühen«, was für eine Reinigung des Blutes spricht, der Haut besonders gut bekommen. Bei einer Schuppenflechte sollte man vielleicht einmal einen Urlaub am Toten Meer in Erwägung ziehen.

9. Migränepatienten müssen die Hitze und grelles Licht meiden. Wenn Sie ans Meer oder ins Gebirge fahren, dürfen Sie Kopfbedeckung und Sonnenbrille

VII. Mein persönliches Immun-Trainingsprogramm

nicht vergessen. Auch Schwangere dürfen sich keinesfalls zu großer Hitze aussetzen. Die Belastung für die werdende Mutter, vor allem aber für das Ungeborene, wäre ganz entschieden zu groß.
Allein diese Beispiele – und es können nur Beispiele sein – zeigen: Wer gesund bleiben will und darüber hinaus etwas für die Stabilisierung seines Immunsystems tun möchte, der muss seinen Urlaub richtig planen – und vielleicht sogar mit dem Hausarzt darüber sprechen.

Eine Kur mit Sauerkraut bereitet das Verdauungssystem vor.

Auch einer Infektion durch unbekannte Krankheitserreger können Sie vorbeugen. Sie wissen: Die größten Gefahren lauern in ungekochtem Trinkwasser, in frischen, ungekochten Speisen. Sie müssen deshalb schon Wochen vor Antritt der Urlaubsreise Ihr Abwehrsystem speziell im Magen-Darm-Bereich systematisch aufbauen. Das könnte auf ganz einfache Weise mit einer Krautkur geschehen. Die großen alten Ärzte wie Paracelsus hielten Weißkraut, noch besser Sauerkraut, roh und gekocht, für ein Allheilmittel. Wir wissen heute, dass es neben einem speziellen Schutzstoff für die Magenschleimhaut auch nahezu alle »Bausteine« enthält, die der Organismus zum Aufbau des unspezifischen Abwehrsystems benötigt. Eine solche Krautkur könnte ganz einfach darin bestehen, dass man zwei, drei Wochen vor dem Urlaub damit beginnt, vor dem Mittagessen drei, vier Gabeln rohes Sauerkraut zu essen.

Es gibt auch eine ganze Reihe vorzüglicher Naturheilmittel zur Stärkung des Abwehrsystems. Dazu gehören sicherlich die Enzyme, die das Präparat Enzym-Wied®, enthält, das Spurenelement Zink aus den Zinkorell®-Lutschtabletten sowie die Mikro-Nährstoffe aus der Vital-Plus-Kombi-Packung (alle

Kräftigen Sie Ihr Immunsystem vor Reiseantritt.

VII. Mein persönliches Immun-Trainingsprogramm

genannten Mittel gibt es rezeptfrei in jeder Apotheke). Im Übrigen rät Ihnen der Apotheker gerne, was speziell für Sie in Ihrer Situation infrage kommen könnte.

Die Ernährung im Urlaub hängt vom Reiseziel ab. Während man sich in Mitteleuropa und Nordamerika ebenso verhalten kann wie zu Hause, ist in südlicheren und ferneren Ländern Vorsicht geboten, um vor allem Darminfektionen zu vermeiden: Kein ungekochtes Wasser trinken, kein frisches Obst und keinen Salat essen. Hilfreich bei der Auswahl gut verträglicher Nahrungsmittel ist die, aus dem Englischen stammende, Faustregel: »Koche es, schäle es – oder vergiss es!«

Gewöhnen Sie sich vor Urlaubsantritt an die Sonne.

Auf die sportliche Betätigung im Urlaub sollten Sie sich ebenfalls vorbereiten. Es wäre unsinnig, gingen Sie zu Hause niemals schwimmen, kaum an die frische Luft – und wollten Sie nun im Urlaub von einer Stunde auf die andere das alles verändern. Fangen Sie deshalb sechs Wochen vor dem Urlaub damit an, häufiger als sonst zu schwimmen. Gehen Sie viel in die Sonne, um sich auch daran zu gewöhnen, damit der Übergang im Urlaub dann nicht zu krass ausfällt.

Für das Gelingen des Urlaubs ist sodann der richtige Start von entscheidender Bedeutung. Nehmen Sie die Strapazen der Reise mit all ihren Aufregungen, Umstellungen, Übermüdungen nicht auf die leichte Schulter! Ein Universitätsmediziner aus Innsbruck berichtet, dass alljährlich viele Urlauber dort in der Nervenklinik landen, weil sie psychisch zusammengebrochen sind.

Vermeiden Sie Stress und Hektik auf der Fahrt in den Urlaub.

Deshalb auch dazu einige Regeln für eine gesunde Urlaubsgestaltung:

1. Treten Sie die Reise niemals in Hetze und schon gar nicht nach einem heftigen Streit an, nicht in den

VII. Mein persönliches Immun-Trainingsprogramm

Abend- und Nachtstunden. Rasen Sie nicht sinnlos die Strecke ab, um möglichst bald am Ziel zu sein, sondern legen Sie unterwegs Pausen ein. Es gibt so vieles zu sehen und zu erleben, dass man nicht in Rekordzeit daran vorbeirauschen darf.

2. Wenn Sie am Urlaubsort angekommen sind, dann stürmen Sie nicht sofort zum Strand, stürzen Sie sich nicht umgehend ins Wasser, sondern gönnen Sie sich erst einmal Ruhe – im Schatten! Schlafen Sie eine oder zwei Stunden. Gehen Sie in den ersten beiden Tagen nicht um die Mittagszeit in die pralle Sonne, sondern vorwiegend morgens und am späten Nachmittag, und begrenzen Sie die ersten Versuche auf maximal eine Stunde. Denken Sie an die enorme Belastung der ungewohnten Sonneneinstrahlung!

3. Der dritte Urlaubstag wird der kritischste. Das werden Sie auch mit seelischen Verstimmungen zu spüren bekommen. Wenn Sie in den ersten zwei Tagen mit Essen und Trinken und hygienischen Maßnahmen und mit dem Sonnenbaden vorsichtig waren, kommen Sie leichter über diese »Schwelle«. Ein bisschen Vorsicht und Geduld in den ersten Tagen, dann wird der Urlaub anschließend umso schöner und gesünder.

Achtung am dritten Urlaubstag!

4. Bestehen Sie im heißen Süden nicht auf Eisbein und Sauerkraut oder andere schwere Speisen unserer Heimat. Versuchen Sie stattdessen, so zu speisen, wie die Einheimischen es tun: viel frisches Gemüse, wenig Fleisch. In Jahrtausenden haben sie gelernt, ihre Ernährung dem Klima anzupassen. Deshalb ist sie an Ort und Stelle auch gesund. Im Süden ist es beispielsweise notwendig, die Speisen kräftiger zu würzen, weil beim Schwitzen mehr Salze und andere wertvolle Substanzen verloren gehen. Ohne Knob-

Essen Sie möglichst wie die Einheimischen.

VII. Mein persönliches Immun-Trainingsprogramm

lauch mit seiner desinfizierenden Wirkung hätten die Völker des Balkans wahrscheinlich nicht überleben können. Passen Sie sich deshalb an – jedoch mit einer gewissen Zurückhaltung. Die für unsere Vorstellung übermäßige Fülle an Ölen, an Gewürzen und die fremdartigen Zubereitungsarten machen die Speisen für unseren Organismus ungewohnt. Deshalb bedarf es auch hier einer Eingewöhnung.

Stellen Sie im Urlaub Ihren Lebensrhythmus nicht völlig auf den Kopf.

5. Wenn man zu Hause ein sehr geregeltes Leben führt, zur festgesetzten Stunde schlafen geht und aufsteht, dann ist es für den Körper alles andere als eine Erholung, wenn man im Urlaub bis in die Morgenstunden hinein in den Bars herumhängt, übermäßig Alkohol konsumiert, um dann den folgenden Tag zu verschlafen. Grundsätzlich sollte der eingefleischte Lebensrhythmus im Urlaub nicht wesentlich verändert werden. Sie müssen daran denken: Je stärker Sie Ihr Leben im Urlaub verändern, umso größer werden die Umstellungsprobleme erneut, wenn Sie wieder zu Hause sind.

Ob Sie wirklich erholt sind, zeigt sich erst drei Wochen nach Urlaubsende.

6. Sehen Sie in einer gewissen Müdigkeit, vielleicht sogar im Gefühl der Erschöpfung unmittelbar nach der Rückkehr aus dem Urlaub nicht einen Hinweis dafür, dass Sie sich in den Ferientagen gesundheitlich geschadet haben. Ob Sie sich wirklich erholt haben, das stellt sich erst so etwa drei Wochen nach der Rückkehr heraus, dann nämlich, wenn die Umstellung auf die Heimat völlig abgeschlossen ist. Stürzen Sie sich nicht zu vehement auf Ihre Aufgaben, sondern steigern Sie das Tempo nach und nach!

5. Das Immun-Training bei besonderen Belastungen

Neben den großen Krisenzeiten für unser Immunsys-

VII. Mein persönliches Immun-Trainingsprogramm

tem – Lebensalter von sechs Monaten, Pubertät, Schwangerschaft, Immuno-Pause, Menopause – gibt es noch besondere Situationen und Phasen, die ein spezielles Immun-Training verlangen. Das sind einmal die natürlichen Übergangszeiten im Jahreslauf, Herbst und Frühling. Dazu kommen Prüfungs-, Examens- und Bewährungsmomente mit ihrer jeweiligen Vorbereitungszeit, kommen völlig unvorhergesehene Augenblicke der Trennung, der Niederlagen, der schier unlösbaren Konflikte. Nach dem Zweiten Weltkrieg hatten wir in Baden-Württemberg eine der letzten Kinderlähmungsepidemien. Am heftigsten betroffen waren nicht etwa kleine Kinder, sondern Abiturienten, Studenten, Soldaten, die gerade aus der Kriegsgefangenschaft heimgekehrt waren.

Krisenzeiten sind auch für das Immunsystem eine Prüfung.

Dass November und Februar besondere »Grippezeiten« sind, hat sich herumgesprochen. Doch wer rüstet sich schon für diese Wochen? Es ist an der Zeit, dass es sich außerdem herumspricht: Wer sich nicht richtig ernährt, wer Prüfungs-Stress ausgesetzt ist, wer nicht imstande ist, seelische Konflikte zu lösen, der besitzt ein blockiertes, angeschlagenes Immunsystem und damit eine erhöhte Anfälligkeit für Infektionen. Entsprechend muss er etwas tun, die Blockaden zu lösen. Kein Leistungssportler ist so vermessen, untrainiert in den Wettkampf zu gehen. Warum eigentlich geht der junge Jurist in sein Staatsexamen fachlich zwar vorbereitet, aber doch mit dem erhöhten Risiko, im entscheidenden Moment zu versagen, weil die Gesundheit nicht mehr mitspielt? Ganz einfach deshalb, weil die Zusammenhänge zwischen psychischen Belastungen und Immunsystem bisher so energisch geleugnet wurden und auch heute noch immer manche Mediziner nicht über den alten Schatten springen

Die Zusammenhänge zwischen Körper und Seele sind nicht jedem klar.

VII. Mein persönliches Immun-Trainingsprogramm

können, um die Patienten darauf hinzuweisen. Wer denkt schon daran – und wer würde es dem Studenten sagen –, dass er nicht nur sein Examen »schmeißen«, sondern sich eine ernste gesundheitliche Schädigung einhandeln kann, wenn er neben aller Schufterei etwas ganz Entscheidendes vergisst: das Immun-Training zur Erhaltung von Gesundheit und Leistungskraft?

Mein Trainingsprogramm für alle, die »unter Druck« geraten werden – oder schon geraten sind:

Wenn man weiß, dass angespannte Zeiten auf einen zukommen – das gilt auch für die Zwischenjahreszeiten Herbst und Frühling –, empfiehlt sich eine »Immun-Kur« mit »abhärtenden« Maßnahmen (Sport, Wasseranwendungen, Schwimmen, viel Bewegung an der frischen Luft) – kombiniert mit einer besonders gesunden Ernährung, die viel frisches Gemüse, Obst, vollwertige, lebendige Nahrung enthält und außerdem sinnvoll ergänzt wird durch Enzyme (mit Enzym-Wied®) und durch Vitamine (aus der bereits mehrfach genannten Vital-Plus-Kombi-Packung). Damit sollte man allerdings nicht erst dann beginnen, wenn man schon mittendrin steckt und bereits die ersten Anzeichen einer gewissen Erschöpfung verspürt – sondern möglichst Wochen vorher, damit es zur Erschöpfung erst gar nicht kommt. Wenn die Gesundheit vor Examenswochen aber angeschlagen ist oder wenn man sich nach einem Trennungsschock krank und elend fühlt, dann dürfte man eigentlich nicht zögern, sofort eine intensive Immun-Therapie mit den entsprechenden Möglichkeiten durchzuführen, damit das momentan blockierte Immunsystem keinen schlimmen Schaden anrichten kann.

Beugen Sie schwierigen Zeiten vor mit einer Immun-Kur.

VIII
Meine Immun-Diät für vier Wochenenden

Es kann kein ausreichendes Immun-Training ohne die gesunde Ernährung geben. Leider ist sie in den Gegebenheiten des Alltags oftmals nicht möglich, weil man sich nach dem richten muss, was Zeit und Umstände erlauben.

Deshalb haben wir an der Schwarzwald Privatklinik Obertal eine spezielle Immun-Diät entwickelt, die Ihnen helfen soll, sich zwei-, besser noch dreimal im Jahr auf eine besonders gesunde, das ganze Immunsystem stärkende Ernährung zu besinnen – und zwar in Augenblicken, die dafür besonders günstig sind: an vier hintereinander liegenden Wochenenden. Wenn Sie sich auch nur einigermaßen an meine Vorschläge halten – kleine Variationen sind selbstverständlich erlaubt und sogar erwünscht –, können Sie manchen kleineren Fehler, der sich im Laufe der Woche eingeschlichen hat, problemlos korrigieren – ohne dass Sie Hunger erdulden oder fade Speisen verzehren müssten.

Wenn Sie diese Diät einmal durchgeführt haben, werden Sie so viel »Geschmack« daran finden, dass

Die Immun-Diät könnte der Einstieg in eine das Immunsystem unterstützende Ernährung sein.

VIII. Meine Immun-Diät für vier Wochenenden

Sie zumindest einige Punkte der Diät in Ihre normale Ernährung übernehmen werden. Viele, die sie bei uns an der Schwarzwald Privatklinik Obertal »erprobt« haben, nehmen sie mit nach Hause in den Alltag. So sollte Ihre Immun-Diät in etwa aussehen:

1. Wochenende:
Es beginnt am Freitagabend.
Das Abendessen besteht aus:
    2 Äpfeln, die Sie recht langsam verzehren und gut kauen sollten.
    Danach gibt es 60 g Haferschrot, der 20 bis 30 Minuten eingeweicht wurde, vermischt mit 150 g Joghurt (3,5%). Das Ganze kann mit 1 Teelöffel Honig abgeschmeckt werden.
    Trinken Sie nach der Mahlzeit reichlich Mineralwasser oder Kräutertee.

Samstag:
Frühstück: Rühren Sie 100 g Quark (20%) mit
    10 g Schnittlauch und etwa 5 Esslöffeln Frischmilch an. Dazu gibt es
    2 Scheiben Vollkornbrot (60 g),
    Butter (20 g), als Brotbelag
    20 g Rettichkeimlinge.
    Trinken Sie – möglichst nach dem Essen – Kräutertee.

Mittagessen: *Vorspeise*: Rohkostteller aus 150 g Karotten, 50 g Apfel (beides geraspelt). Er wird zubereitet mit je 20 g Joghurt (3,5%), frischem Orangen-

VIII. Meine Immun-Diät für vier Wochenenden

saft und gehackten Haselnüssen.
Hauptgang: Gefüllte Paprikaschote:
Sie schroten 50 g Grünkern und
kochen ihn mit Gemüsebrühe zu einem
dicken Brei. Dann geben Sie 30 g
zerdrückten Tofu und 5 g Olivenöl
hinzu. Zum Abschmecken verwenden
Sie Oregano, Knoblauch, Mühlenpfeffer, jodiertes Meersalz. Im
Ofen lassen Sie das mit Gemüsebrühe auf 100 g Kartoffeln und
50 g Zwiebelscheiben 30 Minuten
lang schmoren.
Dessert: 1 frischer Apfel.
Trinken Sie – nach dem Essen –
Mineralwasser.

Abendessen: Obstplatte, bestehend aus 5 oder
6 verschiedenen Obstsorten der
Jahreszeit (insgesamt ca. 500 g).
Trinken Sie danach Fencheltee.

Sonntag:
Frühstück: Hafer-Apfel-Müsli, hergestellt aus
90 g Haferflocken oder -schrot
(diesen ca. 30 Minuten quellen
lassen), 10 g gehackten Walnüssen,
20 g Rosinen, 1 Teelöffel Honig,
1 geraspelten Apfel und 1/4 l Milch.
Getränk: 1/4 l Milch nach dem
Essen.

Mittagessen: *Vorspeise:* Eine Tasse Rinderbrühe
vom Hauptgang.

VIII. Meine Immun-Diät für vier Wochenenden

Hauptgang: Gekochtes Rindfleisch (150 g) mit Dampfkartoffeln (100 g) und Apfelmeerrettich (50 g Apfel und 10 g Meerrettich gerieben).
Dessert: Birnensalat aus 80 g in Scheiben geschnittenen Birnen, vermischt mit Joghurt.
Getränk: Mineralwasser.

Abendessen: Hüttenkäse (100 g), zubereitet mit 20 g Zwiebeln in kleinen Würfeln, je 50 g rotem Rettich und Kohlrabi, 10 g Schnittlauch, 20 g Quark und 20 g Sahne (30%). Das wird abgeschmeckt mit Mühlenpfeffer.
Dessert: 1 Apfel. Mineralwasser.

Montag:
Frühstück: Bereiten Sie sich ein Müsli aus: 2 Orangen, 60 g Haferschrot, 1 Banane und 150 g Joghurt. Lassen Sie den Haferschrot ca. 30 Minuten in 1/8 l Milch quellen. Geben Sie die Bananenwürfel, die Orangen und den Joghurt dazu. Trinken Sie danach 1/4 l Milch.

2. Wochenende:
Freitag:
Abendessen: *Vorspeise:* Rohes Sauerkraut (100 g) mit 50 g klein geschnittener Ananas, 50 g Joghurt und 30 g

VIII. Meine Immun-Diät für vier Wochenenden

Weizenkeimlingen zubereitet.
Hauptgang: 200 g Schnittlauchquark
(siehe 1. Wochenende, Samstag)
mit 2 Pellkartoffeln.
Dessert: 120 g frische Ananas.

Samstag:
Frühstück: Hafer-Apfel-Müsli mit 90 g Haferflocken oder -schrot, 10 g gehackten Walnüssen, 20 g Rosinen, 1 Teelöffel Honig (2 g), 1 geraspelten Apfel (80 g) und 1/4 l Milch.
Getränk: Zusätzlich 1/4 l Milch.

Mittagessen: *Vorspeise:* Salat von milchsauren Gemüsen, bestehend aus je 50 g Blumenkohl, Bohnen, Karotten, Sellerie, 50 g Joghurt und 1/2 Esslöffel (2 g) Sonnenblumenöl.
Darüber wird frische Petersilie, Liebstöckel, Schnittlauch und Mühlenpfeffer gegeben.
Hauptgang: Tofu in Scheiben (160 g), mit Sojasauce und Zitronensaft mariniert, wird in Olivenöl gebraten und auf angeschwitzten Apfelscheiben (80 g) und 100 g Lauch, blättrig geschnitten, angerichtet. Dazu gibt es 150 g im Ofen gegarte Kartoffeln.
Dessert: 120 g frische Ananas.
Getränk: Mineralwasser nach dem Essen.
Abendessen: 2 Scheiben Vollkornbrot (60 g), 20 g Butter, 1 Tomate (60 g),

VIII. Meine Immun-Diät für vier Wochenenden

Rettichscheiben (80 g) und Gurkenscheiben (80 g).
Dessert: 120 g frische Ananas.
Getränk: Mineralwasser oder Kräutertee nach dem Essen.

Sonntag:
Frühstück: Müsli auf pikante Art: Lassen Sie Haferschrot (60 g) mit 1/4 l Milch quellen. Dann geben Sie je 30 g geraspelte Karotten, Kohlrabi, Rettich und Sonnenblumenkeimlinge dazu. Das verrühren Sie zusammen mit 100 g Joghurt und 50 g Quark. Zum Trinken gibt es 1/4 l Milch nach dem Frühstück oder als zweites Frühstück.

Mittagessen: *Vorspeise:* Rohkost, bereitet aus 80 g Rote Bete, 40 g Sauerkraut, kurz geschnitten, 40 g geraspeltem Apfel und 2 g Sonnenblumenöl. Nach Geschmack eine Messerspitze Honig zugeben und abschmecken mit Zimt und Meersalz.
Hauptgang: Mageres Rindersteak (150 g) aus der Grillpfanne mit 100 g Gemüsemais, 2 Tomaten (120 g) und Broccoli (100 g).
Dessert: Frische Ananas.
Getränk: Mineralwasser nach dem Essen.

Abendessen: 2 Scheiben Vollkornbrot (60 g), 2 Tomaten (120 g), Gurkenscheiben

VIII. Meine Immun-Diät für vier Wochenenden

(80 g), Edamer 30 % (60 g) und
Butter (20 g).
Dessert: Frische Ananas (120 g).
Getränke: Trinken Sie nach dem Essen
reichlich Mineralwasser oder Tee.

Montag:
Frühstück: Müsli aus frischer Ananas (100 g), Hafer
schrot (60 g in 1/8 l Milch quellen lassen),
1 Banane in kleinen Würfeln
und 150 g Joghurt.
Getränk: 1/4 l Milch nach dem
Essen.

3. Wochenende
Freitag:
Abendessen: 2 Scheiben Vollkornbrot (60 g) mit
20 g Butter. Dazu: je 60 g Sellerie,
Kohlrabi, Apfel, geraspelt, mit dem
Saft einer halben Orange (40 g) und
1 Esslöffel Crème fraîche (40%) zur
Rohkost zubereitet. Streuen Sie 30 g
Weizenkeimlinge über diese Speise.
Dessert: 1 Apfel.
Getränke: Mineralwasser oder
Tee nach dem Essen.

Samstag:
Frühstück: Schnittlauchquark, zubereitet aus
100 g Quark (20%), 5 Esslöffeln Frischkäse
und 10 g Schnittlauch. Dazu:
2 Scheiben Dinkelvollkornbrot (60 g)
mit 20 g Butter und 30 g Rettichkeim-

VIII. Meine Immun-Diät für vier Wochenenden

lingen als Brotbelag.
Getränk: Tee nach Wahl – möglichst nach dem Frühstück.

Mittagessen:
Vorspeise: Salat, zubereitet aus
150 g feinen Rettichscheiben mit Obstessig nach Geschmack, 20 g saurer Sahne 10% (2 Esslöffel), 2 g Sonnenblumenöl und reichlich frischem Schnittlauch.
Hauptgang: Eintopf, zubereitet aus 50 g Karotten, 40 g Kohlrabi, 40 g Sellerie, 50 g Bohnen und 100 g Kartoffeln. Lassen Sie diese Zutaten in 1/2 l Gemüsebrühe kochen. Geben Sie 120 g Tofuwürfel als Einlage hinzu und kurz vor dem Anrichten je 10 g frisch gehackte Zwiebel, Petersilie und Liebstöckel mit 5 g Butter.
Dessert: Apfeljoghurt aus 80 g Joghurt, 1 geraspelten Apfel (120 g) und 1 Messerspitze Honig (2 g).

Abendessen: Salatplatte aus: Eissalat (ca. 100 g, in Streifen geschnitten), Keimlingen von Linsen (50 g) und Kresse (10 g). Bereiten Sie eine Salatsauce aus 5 g Sonnenblumenöl, 80 g Joghurt, Obstessig, Mühlenpfeffer und Meersalz.
Dazu gibt es 2 Scheiben Dinkelvollkornbrot (60 g) mit 20 g Butter, 20 g Gouda (50%) und 2 Tomaten (120 g).

VIII. Meine Immun-Diät für vier Wochenenden

Dessert: 1 Apfel.
Getränk: Mineralwasser.

Sonntag:
Frühstück: Bereiten Sie sich ein Müsli (siehe Frühstück 1. Wochenende, Sonntag). Variieren Sie dieses mit zusätzlich 50 g frischen Erdbeeren, 50 g Banane und 20 g Haselnüssen.
Getränke: Früchte- oder Kräutertee.

Mittagessen: *Vorspeise:* Frischkost aus: 100 g Chicorée, 40 g Staudensellerie (in Streifen mit Zitrone), 30 g geriebenem Apfel, 50 g zerriebener Banane, 10 g Crème fraîche, 50 g Joghurt, wenig Obstessig für die Salatsauce. Mischen Sie alles gut miteinander und schmecken Sie es ab mit Meersalz, Mühlenpfeffer, 1 Messerspitze Honig. Streuen Sie 20 g Sonnenblumenkeimlinge darüber.
Hauptgang: 2 Lammfilets aus der Pfanne.
Schneiden Sie 2 abgezogene Tomaten in Würfel und schwenken Sie diese in 2 g Olivenöl und 10 g Zwiebeln, Knoblauch und Kräutern der Provence in der heißen Pfanne. Dazu dünsten Sie 150 g Bohnen und 20 g Zwiebelwürfel in 2 g Olivenöl. Gießen Sie das Ganze mit etwas Gemüsebrühe an. Zum Abschmecken verwenden Sie

VIII. Meine Immun-Diät für vier Wochenenden

Bohnenkraut, Knoblauch, Muskat, Mühlenpfeffer und Meersalz.
Außerdem gibt es noch 150 g Ofenkartoffeln.
Dessert: 1 Apfel.
Getränk: Mineralwasser.

Abendessen: 2 Tomaten (120 g) und 80 g Gurke, in Scheiben geschnitten, werden auf dem Teller mit 30 g Zwiebelwürfeln und 5 g Schnittlauch bestreut. Beträufeln Sie das Ganze mit 3 g Olivenöl und Balsamessig. Mit Mühlenpfeffer abschmecken. Dazu gibt es Dinkelvollkornbrot (60 g) mit 20 g Butter.
Dessert: 150 g Joghurt natur.
Getränk: Mineralwasser oder Tee.

Montag:
Frühstück: Müsli aus: 2 Äpfeln (240 g), Haferschrot (60 g in 1/8 l Milch 30 Minuten quellen lassen), Bananenwürfeln (80 g) und Joghurt (150 g).
Getränk: 1/4 l Milch.

4. Wochenende
Freitag:
Abendessen: Gemischte Salatplatte aus: 60 g Grünkern, mit 20 g Zwiebelwürfeln in 1/4 l Gemüsebrühe 10 bis 20 Minuten gekocht, 30 g Apfelwürfeln, 10 g saurer Sahne (10%), Apfelessig,

VIII. Meine Immun-Diät für vier Wochenenden

4 g Olivenöl (2 Teelöffel), Meersalz und Mühlenpfeffer (darübergestreut 5 g frischer Liebstöckel).
Dazu: 1 Butterbrot (10 g Butter, 30 g Roggen-Vollkornbrot).
Getränke: 1/4 l Milch, außerdem Tee oder Mineralwasser.

Samstag:
Frühstück
Müsli auf pikante Art (siehe Frühstück 2. Wochenende, Sonntag).
Sie können es variieren, beispielsweise mit 1 Tomate, 50 g Salatgurke.
Getränk: Kräutertee.

2. Frühstück: Bananen-Buttermilch (250 g Buttermilch werden mit 80 g Banane verquirlt).

Mittagessen: *Vorspeise:* Frischkost, zubereitet aus einer Fenchelknolle (180 g).
Sie wird fein gehobelt oder klein geschnitten.
Darüber gibt man Zitronensaft, Mühlenpfeffer und 2 g Sonnenblumenöl.
Hauptgang: Auflauf, zubereitet aus: 120 g Kartoffeln, 60 g Karotten, 40 g Sellerie. Diese Zutaten werden in Gemüsebrühe bissfest gedünstet.
Dann gibt man das Ganze mit 30 g Lauchstreifen, 80 g Mozzarella, 5 g fein gehacktem Liebstöckel vermischt in eine Auflaufform.

VIII. Meine Immun-Diät für vier Wochenenden

1 kleines Ei (60 g) wird mit 80 g saurer Sahne verquirlt und darüber gegeben. Abschmecken mit Mühlenpfeffer, Muskatnuss, Meersalz. Eine Sauce dazu wird bereitet aus: 80 g Joghurt, Knoblauch, Kräutern und Mühlenpfeffer.
Dessert: Frische Ananas.
Getränk: Mineralwasser nach dem Essen.

Abendessen: Salat aus 3 Tomaten (180 g), 20 g Zwiebelwürfeln, Balsamessig, Mühlenpfeffer, Meersalz, 5 g Basilikum, 2 g kaltgepresstem Olivenöl. Dazu: 200 g Schnittlauchquark (siehe 1. Wochenende), 180 g Pellkartoffeln. Dessert: Frische Ananas.
Getränke: Tee oder Mineralwasser nach dem Essen.

Sonntag:
Frühstück: 1 Orange (120 g), Roggen-Vollkornbrot (60 g), Butter (20 g), Frischkäse (40 g) und Rettichkeimlinge (30 g) zum Bestreuen der Brote.
Getränke: Kräuter- oder Früchtetee.

Mittagessen: *Vorspeise:* Salat aus je 100 g Tomaten- und Zucchinischeiben und 20 g Zwiebelwürfeln, Obstessig, 10 g Crème fraîche (10%), 2 g Olivenöl. Mühlenpfeffer, Meersalz, frisch gehackter Majoran (3 g) zum Abschmecken.

VIII. Meine Immun-Diät für vier Wochenenden

Hauptgang: Putensteak (180 g) aus
der Pfanne mit 20 g Kräuterbutter,
160 g Auberginenscheiben, die mit
Zitrone und Worchestersauce
mariniert wurden, 10 g Vollkornmehl.
Das Ganze wird mit dem Fleisch
in Olivenöl gebraten.
Dazu: 50 g Grünkern,
den Sie mit 2 g Olivenöl
(1 Teelöffel), 20 g Zwiebelwürfeln,
1/8 l Gemüsebrühe wie ein Risotto
zubereiten.
Dessert: 80 g Quark, 1 Esslöffel
Sahne (30%), 30 ml Frischmilch und
80 g Ananas in Würfel geschnitten.
Getränk: 1/4 l Milch nach dem Essen.

Abendessen: 2 Scheiben Roggen-Vollkornbrot
(60 g), 20 g Butter, 50 g Emmentaler
(45%), 1 rote Paprika (80 g)
und Salatgurke (80 g) in Scheiben
geschnitten.
Getränke: Tee oder Mineralwasser.

Montag:
Frühstück: Beenden wir unsere Diät, wie wir sie
begonnen haben: mit 2 Äpfeln,
die wiederum sehr langsam und gut
gekaut werden.
Danach gibt es Haferschrot (60 g),
eingeweicht in 1/8 l Frischmilch.
Er wird mit 150 g Joghurt verrührt.
Getränke: Früchte- oder Kräutertee.

Literaturhinweise

Bach, J. F.: »Thymulin.« In: »Clinics in Immunology and Allergy« Bd. 3, S. 133. Saunders, Philadelphia 1983.
Benacerref, B.: »Immunologie. Ein Kurzlehrbuch.« De Gruyter Verlag, Berlin 1982.
Burgerstein, L.: »Heilwirkung von Nährstoffen (Orthomolekulare Medizin).« Haug-Verlag, Heidelberg 1985.
Burnet, F. M.: »Körpereigene und körperfremde Substanzen bei Immunprozessen.« G. Thieme Verlag, Stuttgart 1973.
Comsa, J.: »Thymushormone.« In: »Med. Welt« 31, S. 533–536 (1980).
Dardenne, M.: »Biologische und klinische Aspekte von Thymulin (FTS).« In: »Thymusfaktoren, Thymuspräparate.« Gustav Fischer Verlag, Stuttgart 1987.
De Vita, V. jr.: »Thymic Factors and Hormones.« In: »Nat. Canc. Inst.« Monograph 53, S. 107–137.
Doerr, W.: »Organpathologie.« Georg Thieme Verlag, Stuttgart 1974.
Drews, J.: »Immunpharmakologie, Grundlagen und Perspektiven.« Springer Verlag, Berlin, Heidelberg, New York 1986.
Drössler, K.: »Immunologie.« Enke-Verlag, Stuttgart 1982.
Fiocci, A.: »Thymus« 8 (6), S. 331–339 (1986).

Literaturhinweise

Geesing, H.: »Rheuma – vorbeugen, lindern, heilen.« Humboldt-Taschenbuch-Verlag, München 1979.
–: »Neue Lebenskraft.« Heyne Verlag, München, 3. Auflage 1984.
–: »Heilfasten. Der Weg zur neuen Jugend.« Herbig Verlag, München, 3. Auflage 1993.
–: »Allergie-Stopp. So findet Ihr Immunsystem die richtigen Antworten auf die Umwelt.« Herbig Verlag, München, 3. Auflage 1995.
–: »Herz-Fit. Wie Sie mit einem gesunden Kreislauf ein Leben lang jung bleiben.« Herbig Verlag, München, 5. Auflage 1995.
–: »Gegen Viren wehren.« BLV Verlagsgesellschaft, München 1991.
–: »Die Immun-Trainings-Diät. So stärken Sie Ihre körpereigenen Abwehrkräfte.« Herbig Verlag, München, 2. Auflage 1993.
–: »Gesundheit erleben. Meine Rezepte für eine ganz neue Vitalität.« BLV Verlagsgesellschaft, München 1994.
–: »Enzyme. Die beste Waffe des Körpers.« Herbig Verlag, München, 9. Auflage 1994.
Goldstein, A. L.: »Thymic Hormones and Lymphokines.« Plenum Press, New York, London.
Goldstein, G.: »The Human Thymus.« W. Heinemann Medical Books, London 1969.
Golub, E. S.: »Die Immunantwort. Einführung in die Immunbiologie.« Springer Verlag, Berlin, Heidelberg, New York 1982.
Hadden, J. W.: »Thymus-Hormone, Interleukine, Endotoxine und thymomimetische Substanzen in der T-Lymphozyten-Ontogenese.« In: »Thymusfaktoren, Thymuspräparate.« Gustav Fischer Verlag, Stuttgart 1987.

Literaturhinweise

Hobbs, J. R.: »Clin. Chim. Acta« 98, S. 179 (1979).
Jäger, L.: »Klinische Immunologie und Allergologie.« Gustav Fischer Verlag, Stuttgart 1979.
Kicka, W.: »Anwendung von Thymusextrakten bei Malignomkranken.« Fachbuch Verlag, Bad Harzburg 1983.
Lucky, T. D.: »Thymic Hormones.« Verlag Urban und Schwarzenberg, München, Wien 1973.
Niestroj, I.: »Natürliche Medizin speziell für Frauen. Die häufigsten Krankheiten der Frau und die besten Gegenmittel.« BLV Verlagsgesellschaft, München 1994.
Niestroj, I.: »Gesund trotz Gift. Das Handbuch für den richtigen Umgang mit Umweltgiften.« Herbig Verlagsbuchhandlung GmbH, München 1998.
Niestroj, I.: »So gut wie gesund. Das neue Handbuch für Diabetiker.« Herbig Verlagsbuchhandlung GmbH, München 1999.
Niestroj, I.: »Praxis der Orthomolekularen Medizin.« Hippokrates Verlag, Stuttgart 2000.
Niestroj, I.: »Rheuma Stopp. Gesund durch neue Heilmethoden.« Herbig Verlagsbuchhandlung GmbH, München 2001.
Neumeyer, G.: »Thymusfaktoren und Zytokine, Regulatoren der Immunabwehr.« In: »Thymusfaktoren.« Gustav Fischer Verlag, Stuttgart 1987.
Pflugbeil, K., und Niestroj, I.: »Vital Plus. Was Sie mit Vitaminen, Mineralstoffen, Spurenelementen, Fett- und Aminosäuren für Ihre Gesundheit tun können.« 7. Auflage 1995.
–: »Schutzorgan Haut. Rundum immunaktiv – So wehren Sie alle Angriffe von außen ab.«
–: »Die Vital-Plus-Diät. So geben Sie Ihrem Leben mehr Vitalität.« Herbig Verlag, München 1994.

Literaturhinweise

–: »Immun durch positives Denken. Ein Ratgeber für Kopf und Körper.« BLV Verlagsgesellschaft, München 1995.

Roit, J. M.: »Leitfaden der Immunologie.« Steinkopf Verlag, Darmstadt, 2. Auflage 1984.

Sandberg, E.: »THX.« Zindermanns Verlag, Uddevalla 1968.

Spectrum der Wissenschaft: »Immunsystem, Abwehr und Selbsterkennung auf molekularem Niveau.« Verlagsgesellschaft Heidelberg, 2. Auflage 1988.

Vorlaender, K.-O.: »Immunologie.« Georg Thieme Verlag, Stuttgart, 2. Auflage 1983.

Weise, H. J.: »Weitere Erfahrungen in der therapeutischen Anwendung eines wässrigen Thymusextraktes bei juveniler rheumatoider Arthritis.« In: »Erfahrungsheilkunde« 37, S. 563–570 (1988).

Wellmer, W.: »Biologisch orientierte Arzneitherapie.« Haug Verlag, Heidelberg 1988.

Zoch, E.: »Peptide, Proteine und Enzyme des Thymus.« In: »Thymusfaktoren, Thymuspräparate.« Gustav Fischer Verlag, Stuttgart 1987.

Register

Abendessen 210, 212
Abwehrzellen 22f., 38f., 43-46, 48f., 54, 63, 66, 76, 98, 107f., 118, 122, 125, 128f. 132, 149, 153, 162, 184f., 221
Adeno-Karzinom 159.
Adrenalin 68, 76, 81, 132
Aggressivität 126, 190
AIDS 83, 91f., 151
Akne 112, 228
Alabama, Universität von 65
Allergien 14, 64, 80, 99f., 116f., 126f., 142f., 148, 156, 158, 170 ff., 177
Alkohol 134, 180, 200, 232
Altersdiabetes 105, 108, 117
Angina 47, 84, 111
Angst 12, 26, 69, 72, 73, 75, 80, 89, 143, 182
Antibiotika 11, 25, 47, 82-86, 93f., 108, 113, 114, 123, 168
Antigen 43-46, 97, 99, 148, 185

Antikörper 19, 21, 39ff., 43ff., 92, 97f., 122, 148f., 171, 226
Antikörper, monoklonale 148
Antioxidative Vitamine 198 f.
Apoplexie 106, 143
Arachidonsäure 101
Arteriosklerose 105f., 115, 129, 144, 177, 186f.
Asthma 126, 228
Atemsystem 127
Atemübungen 190, 195
Aufweckhormone 75f.
Autoaggressionen 23, 56, 98, 171
Autogenes Training 77, 118, 145, 190-193, 195, 197, 211

B-Lymphozyten 41, 92, 148 f., 165, 172
B-Vitamine 184, 202f.
Bakterien 17f., 20ff., 28, 43, 45, 61, 65, 82ff., 87, 90, 94, 108, 128
Bauchspeicheldrüse 107f., 117, 168, 185f.
Blinddarmentzündung 25, 159
Blocker 95, 107, 151
Blutfaserstoff 108

Register

Bluthochdruck 59, 115, 228
Blutkörperchen, rote 38f., 127, 165, 167
Blutkörperchen, weiße 19, 22, 29, 38-41, 45, 107
Bronchien 126-129, 207
Bronchitis 14, 87, 105, 125, 129, 158, 223, 228

Carotinoide 15, 119, 129, 197, 202f.
Chronische Polyarthritis 56, 156ff., 201
Colibakterien 89
Cortison 77, 96, 99ff., 151

Darmflora 114
Desensibilisierung, unspezifische 117
Diabetes 14, 117, 143, 151, 168
Dillon, Kathleen M. 66
Diphtherie 24, 82f.
Doping 137
Dösen 221
Drogen, körpereigene 77f., 135, 215, 224
Durchblutungsstörungen 186, 188
Dystonie, vegetative 178, 227

Eileiterentzündung 56
Eisen 198, 200, 203
Eiweiß, artfremdes 43, 150
Endorphine 78f.
Entspannung 77, 106, 118, 190-193, 196, 210f.
Entzündungen 21, 44, 57, 98f., 113, 122, 129, 156, 171, 201
Enzym-Therapie 183-187
Enzyme 15, 44, 49, 112, 115, 117, 127, 136, 163, 183, 210, 234
Elektrosmog 133 f.
Enzyme, Eiweißspaltende 108, 184f.
Erkältungen 47, 52, 55, 60, 77, 93, 109, 111, 132, 137, 197, 218
Ernährung 101, 106, 118, 139f., 163, 209, 214, 216, 226, 230f., 234-247
Erschöpfungskopfschmerzen 211
Erwachen 206

Fast Food 130f.
Fernsehen 79, 81, 131ff., 213
Fibrin 108, 185

Register

Fieber 21, 45, 57, 113, 122ff., 182, 217, 219f.
Fieber, rheumatisches 83
Fötus 25
Folsäure 200f., 203
Freie Radikale 129, 197, 199
Freizeit 220-225
Fresszellen (Pagozyten) 39, 108, 149, 165, 181, 198
Frühstücken 208

Galenus 69
Gänsehaut 54
Gaumenmandeln 31, 46f.
Gesundheitserziehung 124f., 132, 134
Gesundheitsurlaub 143ff.
Gliederschwere 219
Gliedersteifigkeit 116, 142
Glücksdrogen 79
Grippe 19, 55, 85, 111, 199, 217, 219f., 233
Gürtelrose 151
Gymnastik 207

Harnwegsinfektion 56, 84

Haut 19, 55ff., 72, 79, 89, 112f., 115, 117, 139, 183, 208
Hautfeuchtigkeit 133
Hautleiden 177
Hautunreinheiten 112, 228
Heilfasten 144, 175-178
Heilklima 59, 144, 173, 227
Helferzellen 91ff., 149, 151, 172
Herpes-Infektionen 112, 171
Herz-Kreislauf-Erkrankungen 13f., 76, 143, 228
Herzinfarkt 51, 143
Herzklappen 83
Herzmuskelschwäche 52
Herzversagen 52
Himbeersaft 124
Hitzestau 55
HI-Virus 92f.
Hobbs, J. R. 150
Hobby 223
Homöopathische Phylo Immun-Therapie 182f.
Hormone 29, 33, 68, 77, 95, 99, 101ff., 115, 225
Hypotoniker 182, 228

Imagination 82

Register

Immun-Diät 172, 235-247
Immun-Faktoren 32, 151
Immun-Pass 169f.
Immun-Therapie 26
Immundefizienz 18, 24, 150, 156f.
Immundysregulation 151, 157, 172, 201
Immune-Surveillance-Line 163
Immunität 24, 133
Immunkomplexe 44f., 97f., 116, 176, 184
Immunmodulation 142, 150, 156, 158, 175, 188, 197f.
Immuno-Pause 103f., 106, 113, 131, 141, 143, 168, 186, 233
Immunstatus 66, 144, 150, 152, 171f.
Immunstimulatoren 26, 65, 153
Immunsuppression 25, 100, 102, 112, 150f.
Impfung 19, 21, 24, 28, 83, 122f.
Infektionen 19, 21, 24, 26ff., 30, 45ff., 52, 60, 64, 69, 83f., 87, 92, 100, 102, 106, 112, 119, 122, 157f, 162f., 165, 172, 183, 201, 219, 226, 233

Insulin 107f., 168
Intensiv-Atmung 195
Isometrische Übungen 222

Kaffee 180, 211
Kälte 52, 56, 58, 61ff., 124, 208f., 226ff.
Kältetherapie 58, 99
Keuchhusten 19, 24
Killerzellen 67f., 149, 172
Kinderkrankheiten 19ff, 111, 123
Kleidung 209
Klima 64, 137, 163, 226ff., 231
Kneipp, Sebastian 57f., 62, 64, 136
Knochenmark, rotes 38f., 41, 165f.
Koch, Robert 20
Konzentrationsschwäche 94, 133, 142
Kopfschmerzen 59, 134, 142, 180, 187, 219
Kost, lacto-vegetabile 101
Krankheit 37, 47, 75, 81, 82, 87, 96, 99, 106, 116, 131, 134
Krebs 13f., 22, 33ff., 37, 45, 69, 71f., 76, 100, 104ff., 108, 129, 134, 137, 147, 149ff., 157-165,

Register

168, 172, 177, 184f., 197, 216
Krebsnachsorge 161ff., 186
Kreislauf 48, 53, 98, 124, 142, 177, 187, 189, 207f., 221
Kreislaufstörungen 59, 228
Kummer 69, 70ff.

Leukämie 23, 35, 165
Liebe 224f.
Luftkurorte 59, 173, 227
Luftverschmutzung 59, 128
Lungenbläschen 127f.
Lymphe 48f., 90, 153, 207, 221
Lymphknoten 46f., 77, 199
Lymphokine 149
Lymphozyten 31, 37, 41-46, 68, 148, 167, 172
Lymphozyten-Hemmstoff 67
Lymphstau 48
Lymphsystem 31, 46

Makrophagen 92, 149, 151, 165, 216
Masern 19, 24
Medikamente 28, 67, 90, 94, 97, 118, 123f., 126, 130, 134, 150, 157, 165, 180, 200, 201
Menopause 29, 71, 102, 104, 143, 225
Metastasen 34, 158ff.
Meydani, S. N. 198
Migräne 59, 86, 178, 180, 228
Mikro-Nährstoffe 49, 117, 119, 163, 188, 198, 200ff., 204, 229
Mikroorganismen 18, 43, 88ff.
Mineralstoffe 15, 114, 119, 136, 197, 199f., 202f., 209f.
Mittagessen 210
Mittagsschläfchen 210f.
Morgengymnastik 207
Müdigkeit 181, 218, 232
Muttermilch 24, 122

Nebe, Th. 157f.
Nebennierenrinde 77, 96, 99ff.
Nervensystem, vegetatives 71, 95
Nervosität 126, 133, 142
Nikotin 129, 211

Ökosystem 86ff.
Orthomolekulare Medizin 15, 201
Ozon 187f.

257

Register

Ozon-Sauerstoff-Eigenblut-Infusion 144, 187f.
Ozon-Sauerstoff-Therapie 188

Parasiten 17
Parasympathikus 95
Pasteur, Louis 20
Pflanzenstoffe, sekundäre 15, 172, 210
Physiotherapie 62
Pille 101ff., 200
Pilze 17, 22, 28, 43, 45, 61, 87, 89f., 93, 102
Progressive Muskelentspannung 190, 193ff.
Protovitamin A 197
Psycho-Immun-Programm 172, 189-197
Psycho-Neuro-Immunologie 13, 65, 68, 70, 140, 171, 173, 189f. 192
Psychosomatik 13, 81
Pubertät 25, 29, 33, 102, 112f., 124, 134ff., 138, 224f., 233

Rachenmandeln 31, 46f.
Rauchen 127-130, 134, 200, 211
Rauschmittel 118, 134
Reizflut 80, 106

Rheuma 23, 60f., 96-101, 105, 116, 143, 151, 158, 171, 223
Roitt, Ivan 167

Sandberg, Elis 26-37, 147, 153ff.
Sanotrop-Therapie 144, 178-181
Sauerstoff 128, 165, 184, 187ff.
Sauerstoff-Aktiv-Therapie 144, 189
Sauerstoff-Intensiv-Therapie 144, 189
Sauna 62, 136, 220
Scharlach 19, 24
Schilddrüse 95, 177
Schlaf 77, 105, 132f., 192, 196, 206, 211, 213, 215, 218
Schlafschwierigkeiten 125, 134, 142, 197, 228
Schnupfen 111, 125f., 138
Schulversagen 126
Schutzimpfungen 20, 24
Schwangerschaft 25, 29, 102, 113, 135, 228f. 233
Schwitzen 55f., 219
Schwüle 59, 228
Seele 12, 15, 26, 66, 71, 81, 121, 131, 133, 140, 224

Register

Selen 129, 172, 198, 200, 202
Selye, Hans 77
Semmelweis, Ignaz 20
Seuchen 25
Sexualhormone 25, 30, 95, 101ff., 104, 115, 135, 224
Sexualität 224f.
Ski fahren 221, 223
Sorgen 26, 75, 78, 118, 131, 206, 214f.
Sport 124, 136ff, 224, 230, 234
Spurenelemente 15, 49, 119, 129, 136, 163, 172, 185, 197, 199f., 202f., 209f.
Stoffwechselstörungen 14, 177
Stress 15, 56, 73-77, 101, 105f., 117f., 132, 137, 140, 144, 170, 173, 194f., 203, 209, 212, 220, 226f.
Suchtmittel 134, 180
Suppressorzellen 149, 151, 172
Sympathikus 95

T-Lymphozyten 39ff., 43, 107, 148ff, 152, 157, 165, 172, 198
Tanzen 224

Therapie-Schema Obertal 169
thx 36f., 147f., 155
Thymosand® 97, 142, 144, 147-174, 178
Thymosine 42, 95, 168
Thymus 15, 30-33, 36f., 39-42, 95, 100ff., 106f., 148, 155, 1549, 167f., 199, 224
Thymus-Extrakt 32, 34ff., 147f., 154f., 167
Thymus-Peptide 43, 154ff., 157
Tijuana 93
Trier, Universität 68
Tuberkelbazillus 20, 28f., 32
Tuberkulose 27ff., 32, 69, 177

Urlaub 59f., 142, 225-232

Verstopfung 114
Viren 14, 17, 20ff., 28, 43, 45, 61, 65, 70, 87, 89f., 113, 128, 149, 157, 171, 184, 199
Virusinfektion 70, 91, 93, 113, 151
Vital-Plus-Therapie 15, 49, 112, 114, 119, 172, 197-204, 209

259

Register

Vitamin A 129, 198, 202
Vitamin B6 198, 202f.
Vitamin C 49, 129, 197-203, 219
Vitamin K 89, 203
Vitamin E 129, 197, 202f.
Vitamine 15, 94, 112, 114, 119, 130, 136, 163, 172, 178, 184f., 197, 199f., 202f., 209f., 219, 234
Vitamin D 203

Wadenwickel 124, 219
Walford, Roy 105
Wärme 54f., 62, 124, 223
Wärmetherapie 58, 59

Warzen 69f., 113
Wechselbad 63, 211
Wechseldusche 124, 208
Wechseljahre 25, 71, 104
Wetter 15, 58, 60, 64, 101, 106, 124, 206, 209, 227
Wetterfühligkeit 59f., 142
Wetterleiden 59f.
Witterungseinflüsse 59

Zink 49, 129, 172, 184, 199, 202, 229
Zubettgehen 214
Zwiebelwickel 124
Zytostatika 159, 161ff.

TESTEN SIE SICH SELBST MITHILFE MEINES KONTROLL-POSTERS

Als Anlage zu diesem Buch finden Sie ein Faltblatt mit zehn wichtigen Fragen, die Sie sich jeden Abend vor dem Zubettgehen stellen sollten. Kaufen Sie sich ein Päckchen grüner Punkte der Firma Zweckform (Nr. 3012). Bringen Sie mit den grünen Punkten die roten »Warnlämpchen« neben jeder Frage zum Erlöschen! Sie dürfen immer dann einen der grünen Punkte über einen roten Punkt kleben, wenn Sie die gestellte Frage mit einem ehrlichen »Ja« beantworten können. Je mehr Lämpchen Sie auf diese Weise im Verlauf einer Woche ausschalten konnten, desto besser war Ihr Immun-Training.

168 Seiten, ISBN 3-7766-2285-7

Hermann Geesing
Enzyme

»Wunderbausteine« des Lebens

Der aktualisierte, praktische Gesundheits-Bestseller erklärt anschaulich die Anwendung und Wirkung der Enzyme. Er zeigt auf, wie hilfreich dieses natürliche Heilmittel auch bei chronischen Erkrankungen wie Arteriosklerose, Venenleiden, Durchblutungsstörungen, Rheuma, Gürtelrose und in der Krebsbehandlung eingesetzt werden kann. Mit Trainingsanleitung!

Herbig

Besuchen Sie uns im Internet unter www.herbig.net